見て覚える！

保育士試験

攻略ブック 2025

オール
カラー

佐藤賢一郎 監修

中央法規保育士受験対策研究会 編集

中央法規

● **内容現在について**

本書の記載内容は、2024（令和6）年7月現在の法令等に基づいています。

● **本書に関する訂正情報等について**

本書に関する訂正情報等については、弊社ホームページにて随時お知らせいたします。下記URLでご確認ください。
https://www.chuohoki.co.jp/correction/

はじめに ::

私 はふだん、大学で幼児教育・保育を専門に教える傍ら、YouTubeを通して広く保育士試験の対策動画を発信しています。今回、本書を監修することになった背景として、「近年の保育士試験の傾向に対応できる参考書をつくりたい」そして、「受験生たちの生の声を反映させた参考書をつくりたい」といった2つの理由があげられます。

　実は、ここ数年で保育士試験の傾向が変わってきているといわれています。具体的には、筆記試験の9科目から、「科目を横断した出題」が頻繁にみられるという点です。心理学の科目に福祉系の問題が出題されたり、「保育原理」以外にも保育所保育指針の内容が多く出題されたりと、受験科目の全体を常に網羅しておくことが求められるようになりました。

　加えて、これまで市販されている保育士試験関連のテキストは、ほとんどが9科目別に掲載されていて、法律や人物名がそのつど別々に記載されているのが慣例になっています。受験生たちの声を聞いたところ、こうしたバラバラに記載されているものを、似ている系統ごとにまとめた、覚えやすい資料がほしいとの要望があがりました。

　そこで本書は「科目横断的に学べる」ということをコンセプトに、9科目を6つの章に再編成したうえで、なるべく見開きで単元をまとめ、ビジュアルにもこだわって効率よく学べるように編集しました。テキストや問題集に加え、新たな参考書として本書を活用していただけたら幸いです。

2024年7月　佐藤 賢一郎

目次

第3章 社会福祉に関する法律と制度 127

第4章 発達に関する理論と実践 167

第5章 子どもの健康と栄養 209

第6章 保育に関わる表現技術 263

本書の使い方

　本書は、保育士試験の9科目を6つの章に再編成し、図や表などのビジュアルで、「見て覚える」教材です。第1章から始めて試験の概要をつかんでもよいですし、苦手な分野から先に始めるのもよいでしょう。テキストや問題集と組み合わせることで、合格力が着実にアップします！

このページで扱うテーマを表しています。

関連科目：このテーマが出題される科目を示しています。蛍光マーカーが引いてある科目では、特によく出題されます。

Point：図や表の中で特に大切な部分です。

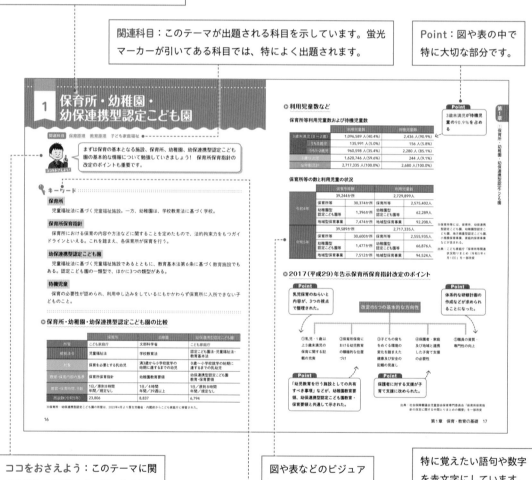

ココをおさえよう：このテーマに関する先生の解説です。どのようなことを学ぶのかを把握しましょう。

図や表などのビジュアルで、視覚的に覚えていきましょう。

特に覚えたい語句や数字を赤文字にしています。試験前には赤文字部分を総ざらいするとよいでしょう。

キーワード：このテーマで重要な用語の解説です。試験でも意味が問われやすい用語なので、よく確認しましょう。

巻末付録：保育士試験重要人物一覧

試験に出る重要人物を50音順にまとめてあります。

序章

保育士試験の概要

序章ではまず、みなさんが受験する保育士試験の概要について学んでいきましょう。それから、本書の特徴についても解説していきます。

保育士とは？

　保育士は、児童福祉法第18条の4にもとづく国家資格です。保育士資格を取得するには、主に2つの方法があります。
①都道府県知事の指定する保育士養成校を卒業する
②保育士試験に合格する
　なお、「保育士」として働くためには、保育士資格を有していることに加え、都道府県の保育士登録簿に登録されていることが必要です。

保育士試験とは？

　保育士試験は、全国共通の試験が原則春（前期）と秋（後期）の年2回行われています。そのほか試験を行う都道府県限定の保育士資格を取得することができる、地域限定試験を行っている都道府県もあります。

①受験資格

学歴区分	条件	実務経験
大学	●卒業 ●在学中で、年度内に2年以上在学し62単位取得見込み ●中退（2年以上在学し62単位取得済み）	なし
短期大学、専修学校など	●卒業 ●卒業見込み	
高等学校	●平成3年3月までに卒業	
	●平成3年4月以降に卒業	2年以上
中学校	●卒業	5年以上

②試験のスケジュール

一般社団法人全国保育士
養成協議会にオンライン
もしくは郵送で受験申請
前期：1月中旬〜下旬
後期：7月上旬〜中旬

➡

筆記試験
前期：4月下旬の2日間
後期：10月下旬の2日間

➡

実技試験
前期：6月下旬〜
　　　7月上旬の1日
後期：12月上旬の1日

➡

合格！！

③筆記試験の概要

　試験科目は9科目あり、2日間にわたって試験が行われます。1科目の試験時間は60分で（教育原理と社会的養護は30分ずつ）、試験は5肢択一のマークシート方式です。合格基準は、各科目60点以上です（教育原理と社会的養護は30点以上）。なお、保育士試験では科目合格制度が採用されており、合格した科目については3年間の有効期限があります。

	科目	出題数	配点	合格点
1日目	保育の心理学	20問	100点	60点以上
	保育原理	20問	100点	60点以上
	子ども家庭福祉	20問	100点	60点以上
	社会福祉	20問	100点	60点以上
2日目	教育原理	10問	50点	2科目同時に30点以上
	社会的養護	10問	50点	
	子どもの保健	20問	100点	60点以上
	子どもの食と栄養	20問	100点	60点以上
	保育実習理論	20問	100点	60点以上

④合格率

　保育士試験は例年6～8万人が受験し、合格率は2割程度です。

	令和元年	令和2年	令和3年	令和4年	令和5年
受験者数	77,076人	44,914人	83,175人	79,378人	66,625人
合格者数	18,330人	10,890人	16,600人	23,758人	17,955人
倍率	23.9%	24.2%	20.0%	29.9%	26.9%

⑤試験に関する問い合わせ先

　試験の最新情報、受験資格の確認、試験の申し込みの詳細などは一般社団法人全国保育士養成協議会のホームページで確認しましょう。

　一般社団法人全国保育士養成協議会　保育士試験事務センター
　ホームページ：https://www.hoyokyo.or.jp/exam/
　電話：0120-4194-82

本書の構成

本書は、保育士試験 9 科目の中でよく出題されるテーマを 6 つの章に分け、科目横断的に学習できるようになっています。まずはそれぞれの章の内容と関連する科目を見ていきましょう。

第1章　保育・教育の基礎

関連する科目 保育原理、教育原理、子ども家庭福祉、保育実習理論、保育の心理学、子どもの保健、社会的養護、社会福祉

第1章は、保育士試験のなかで最も出題率の高い保育所保育指針を中心に記してあり、その後、「人物や歴史」「外国の保育や子どもの権利」「教育の潮流と社会の現状」といった流れでまとめられています。こうした保育・教育の基礎的な内容は、主に「保育原理」「子ども家庭福祉」「教育原理」の出題範囲を幅広くカバーしています。

第2章　保育・教育・児童福祉に関する法律と制度

関連する科目 保育原理、教育原理、子ども家庭福祉、社会福祉、社会的養護、保育実習理論

第2章は、主に保育・教育の法律や制度を中心に、「子ども家庭福祉」で扱う領域がメインとなっています。ただし、教育関連の法律は「教育原理」で出題されますし、少子化に関する法律は「社会福祉」でも出題されます。「法律は苦手!」という受験生が多いのですが、この章にあるものだけでもかなりの科目をカバーできますので、根気強く覚えていきましょう。

第3章　社会福祉に関する法律と制度

関連する科目 社会福祉、子ども家庭福祉、社会的養護、保育原理、教育原理、保育実習理論

第3章は、社会福祉の法律や制度について記します。「社会福祉」を中心に、「子ども家庭福祉」や「社会的養護」「教育原理」の領域もカバーしています。法律や専門用語が続くので、学習するのが苦しくなるところですが、コツコツと進めましょう。ここが大きな山場です。

第4章　発達に関する理論と実践

関連する科目　保育の心理学、子どもの保健、保育原理、教育原理、保育実習理論、社会福祉、子ども家庭福祉、社会的養護、子どもの食と栄養

第4章は、子どもの発達を中心にまとめられています。科目としては「保育の心理学」がメインですが、人物名が「教育原理」で出題されたり、障害に関する知識が「子どもの保健」で出題されたり、「社会福祉」や「子ども家庭福祉」から出題されることもあります。

第5章　子どもの健康と栄養

関連する科目　子どもの保健、子どもの食と栄養、保育原理、子ども家庭福祉

第5章は、子どもの健康と栄養をテーマにまとめてあります。科目でいうと「子どもの保健」と「子どもの食と栄養」が中心です。この2科目は共通する部分が多く、令和5年前期試験では、食物アレルギーの問題が、どちらの科目からも出題されました。

第6章　保育に関わる表現技術

関連する科目　保育実習理論

第6章は、「保育実習理論」で扱うテーマとなっています。保育実習理論では、このほかにも保育所保育指針や社会的養護関係の出題、事例問題も多いですが、本章ではあえて科目横断的に出題されていない「音楽」「造形」「言語」に関する理論の部分をまとめました。

巻末付録・保育士試験登場人物一覧

巻末には、保育士試験でよく出る人物や、近年の試験で出題され、これから出題されそうな人物の功績を五十音順でコンパクトにまとめました。試験前に目を通しておくと、得点アップにつながりますよ！

近年、幅広い試験範囲から出題される傾向にあります。たとえば令和5年前期試験の「保育の心理学」では「ひとり親世帯に関する記述」「外国籍家庭への支援」「国民生活基礎調査」といった福祉領域の内容が出題されました。よって、今後も科目横断的な学習が必要です。

①重要人物は、科目を横断して出題される

重要人物は、2科目、あるいは3科目にわたって出題されます。たとえば、フレーベル、ルソーの出題科目を見ていきましょう。

例1：フレーベルの出題（過去5年）

令和6年前期保育原理、令和6年前期教育原理、令和5年前期保育原理、令和4年後期保育原理、令和3年後期保育原理、令和3年後期教育原理、令和3年前期保育原理、令和3年前期教育原理、令和2年後期保育原理

➡「保育原理」と「教育原理」で出題されている。同じ年に「保育原理」「教育原理」の両方で出題されていることもある。

例2：ルソーの出題（過去5年）

令和6年前期保育原理、令和6年前期教育原理、令和6年前期保育実習理論、令和4年後期教育原理、令和4年前期保育原理、令和3年後期保育原理、令和3年前期教育原理、令和3年前期保育実習理論

➡「保育原理」「教育原理」「保育実習理論」の3科目で出題されている。

科目横断的に学習することで、効率よく複数科目の対策ができます。

②テーマごとに覚えることで理解が深まる

さまざまな観点から出題されるテーマは、科目ごとに学習するよりも、テーマごとに学習するほうが、効率的に理解を深めることができます。

例：発達障害

●出題される内容

　症状　心理的な影響　支援に関する制度　法律　発達障害のある子どもへの保育

●出題されたことのある科目

　保育の心理学　子どもの保健　社会福祉　保育原理　子ども家庭福祉　保育実習理論

---

③法律ごとに覚えることで福祉系科目を得意科目にできる

苦手な人が多い「社会福祉」「社会的養護」などの福祉系科目も、法律ごとに見ていくことで内容が整理でき理解が深まり、得意科目になります。

第2章、第3章では法律ごとに正式名称、制定、目的、定義、計画、憲法との関係などを学ぶことができます。いずれの法律も複数の科目で出題されるものなので、効率的に学習しましょう。

第 **1** 章

保育・教育の基礎

第1章では、試験で最も重要な法令である保育所保育指針を中心に、保育・教育の基礎について学んでいきます。

 この章のキーワード

保育所保育指針　保育所　認定こども園　幼稚園　子どもの権利

カリキュラム　少子高齢化　ひとり親　子どもの貧困

1 保育所・幼稚園・幼保連携型認定こども園

関連科目 保育原理　教育原理　子ども家庭福祉

まずは保育の基本となる施設、保育所、幼稚園、幼保連携型認定こども園の基本的な情報について勉強していきましょう！　保育所保育指針の改定のポイントも重要です。

ココをおさえよう！

🔑 キーワード

保育所

児童福祉法に基づく**児童福祉施設**。一方、幼稚園は、学校教育法に基づく学校。

保育所保育指針

保育所における保育の内容や方法などに関することを定めたもので、法的拘束力をもつガイドラインといえる。これを踏まえ、各保育所が保育を行う。

幼保連携型認定こども園

児童福祉法に基づく児童福祉施設であるとともに、教育基本法第6条に基づく**教育施設**でもある。認定こども園の一類型で、ほかに3つの類型がある。

待機児童

保育の必要性が認められ、利用申し込みをしているにもかかわらず保育所に入所できない子どものこと。

▶ 保育所・幼稚園・幼保連携型認定こども園の比較

	保育所	幼稚園	幼保連携型認定こども園
所管	こども家庭庁	文部科学省	こども家庭庁
根拠法令	児童福祉法	学校教育法	認定こども園法・児童福祉法・教育基本法
対象	保育を必要とする乳幼児	満3歳から小学校就学の始期に達するまでの幼児	0歳〜小学校就学の始期に達するまでの乳幼児
教育・保育内容の基準	保育所保育指針	幼稚園教育要領	幼保連携型認定こども園教育・保育要領
教育・保育時間、日数	1日／原則8時間 年間／規定なし	1日／4時間 年間／39週以上	1日／原則8時間 年間／規定なし
施設数（令和5年）	23,806	8,837	6,794

※保育所・幼保連携型認定こども園の所管は、2023年4月より厚生労働省・内閣府からこども家庭庁に移管された。

◉ 利用児童数など

保育所等利用児童数および待機児童数

	利用児童数	待機児童数
3歳未満児（0～2歳）	1,096,589 人（40.4%）	2,436 人（90.9%）
うち0歳児	135,991 人（5.0%）	156 人（5.8%）
うち1・2歳児	960,598 人（35.4%）	2,280 人（85.1%）
3歳以上児	1,620,746 人（59.6%）	244 人（9.1%）
全年齢児計	2,717,335 人（100.0%）	2,680 人（100.0%）

Point
3歳未満児が待機児童の90.9%を占める

保育所等の数と利用児童の状況

	保育所等数		利用児童数	
令和4年	39,244か所		2,729,899人	
	保育所等	30,374か所	保育所等	2,575,402人
	幼稚園型認定こども園等	1,396か所	幼稚園型認定こども園等	62,289人
	地域型保育事業	7,474か所	地域型保育事業	92,208人
令和5年	39,589か所		2,717,335人	
	保育所等	30,600か所	保育所等	2,555,935人
	幼稚園型認定こども園等	1,477か所	幼稚園型認定こども園等	66,876人
	地域型保育事業	7,512か所	地域型保育事業	94,524人

※保育所等には、保育所、幼保連携型認定こども園、幼稚園型認定こども園、地方裁量型認定こども園、小規模保育事業、家庭的保育事業などが含まれる。

出典：こども家庭庁「保育所等関連状況取りまとめ（令和5年4月1日）」を一部改変

◉ 2017（平成29）年告示保育所保育指針改定のポイント

Point
乳児保育のねらいと内容が、3つの視点で整理された。

Point
体系的な研修計画の作成などが求められることになった。

改定の5つの基本的な方向性

①乳児・1歳以上3歳未満児の保育に関する記載の充実

②保育所保育における幼児教育の積極的な位置づけ

③子どもの育ちをめぐる環境の変化を踏まえた健康及び安全の記載の見直し

④保護者・家庭及び地域と連携した子育て支援の必要性

⑤職員の資質・専門性の向上

Point
「幼児教育を行う施設としての共有すべき事項」などが、幼稚園教育要領、幼保連携型認定こども園教育・保育要領と共通して示された。

Point
保護者に対する支援が子育て支援に改められた。

出典：社会保障審議会児童部会保育専門委員会「保育所保育指針の改定に関する中間とりまとめの概要」を一部改変

保育所保育指針①
目標など

関連科目 保育原理　保育実習理論　子どもの保健

ココをおさえよう！

ここでは、保育所保育指針で挙げられている保育の目標や保育の環境、養護の理念をポイントとして示しました。穴埋め問題での出題も多いので、しっかり意味を理解していきましょう。

🔑 キーワード

子どもの最善の利益

児童の権利に関する条約に掲げられている子どもの権利を象徴する言葉。保育所保育指針第1章総則「保育所の役割」にも子どもの最善の利益を考慮することが記されている。

応答的

子どもの問いかけや欲求を心地よくかなえること。「応答的な関わり」「応答的な触れ合い」など、保育所保育指針によく使われている言葉の1つ。

環境

人的環境、物的環境、自然や社会の事象がある。これらが関連し合って子どもの生活が豊かなものになるように計画的に環境を構成する。

▶ 保育所保育指針第1章1（2）保育の目標 [ア（ア）〜（カ）のみ抜粋]

（ア）	十分に養護の行き届いた環境の下に、くつろいだ雰囲気の中で子どもの様々な欲求を満たし、生命の保持及び情緒の安定を図ること。
（イ）	健康、安全など生活に必要な基本的な習慣や態度を養い、心身の健康の基礎を培うこと。
（ウ）	人との関わりの中で、人に対する愛情と信頼感、そして人権を大切にする心を育てるとともに、自主、自立及び協調の態度を養い、道徳性の芽生えを培うこと。
（エ）	生命、自然及び社会の事象についての興味や関心を育て、それらに対する豊かな心情や思考力の芽生えを培うこと。
（オ）	生活の中で、言葉への興味や関心を育て、話したり、聞いたり、相手の話を理解しようとするなど、言葉の豊かさを養うこと。
（カ）	様々な体験を通して、豊かな感性や表現力を育み、創造性の芽生えを培うこと。

● 保育所保育指針第1章1（4）保育の環境［ア～エのみ抜粋］

ア　子ども自らが環境に関わり、自発的に活動し、様々な経験を積んでいくことができるよう配慮すること。

イ　子どもの活動が豊かに展開されるよう、保育所の設備や環境を整え、保育所の保健的環境や安全の確保などに努めること。

> **Point**
> 興味や関心をもって関わりたくなるような環境構成が必要。

ウ　保育室は、温かな親しみとくつろぎの場となるとともに、生き生きと活動できる場となるように配慮すること。

エ　子どもが人と関わる力を育てていくため、子ども自らが周囲の子どもや大人と関わっていくことができる環境を整えること。

> **Point**
> 複数の友だちと遊べるように遊具やコーナーなどを設定。

● 保育所保育指針第1章2（1）養護の理念、（2）養護に関わるねらい及び内容［「ねらい」のみ抜粋］

養護の理念

保育における養護とは、子どもの生命の保持及び情緒の安定を図るために保育士等が行う援助や関わりであり、保育所における保育は、養護及び教育を一体的に行うことをその特性とするものである。保育所における保育全体を通じて、養護に関するねらい及び内容を踏まえた保育が展開されなければならない。

> **Point**
> 心の成長に寄り添い、子どもを主体とした保育を実践する。

ア　生命の保持・（ア）ねらい

①一人一人の子どもが、快適に生活できるようにする。	②一人一人の子どもが、健康で安全に過ごせるようにする。
③一人一人の子どもの生理的欲求が、十分に満たされるようにする。	④一人一人の子どもの健康増進が、積極的に図られるようにする。

イ　情緒の安定・（ア）ねらい

①一人一人の子どもが、安定感をもって過ごせるようにする。	②一人一人の子どもが、自分の気持ちを安心して表すことができるようにする。
③一人一人の子どもが、周囲から主体として受け止められ、主体として育ち、自分を肯定する気持ちが育まれていくようにする。	④一人一人の子どもがくつろいで共に過ごし、心身の疲れが癒されるようにする。

関連科目 保育原理　保育実習理論

保育計画の立案と実践・振り返りを循環させることは、保育の質を高めるために重要な意味をもちます。保育計画の構造や指導計画の作成ポイントを理解していきましょう。

🔑 キーワード

全体的な計画

児童福祉法等関係法令、保育所保育指針、児童の権利に関する条約、各保育所の保育の方針を踏まえ、入所から就学に至るまでの見通しをもって保育の全体像を包括的に示す計画。

保育所の自己評価

保育所保育指針では、保育の内容等についての自己評価と結果の公表が**努力義務**とされている。中立・公正な立場にある第三者による第三者評価の受審も努力義務。

PDCAサイクル

Plan(計画)、Do(実行)、Check(評価)、Action(改善)のプロセスを循環させて保育の質を高めるという考え方。

● 保育所保育指針第1章3(1)全体的な計画の作成

ア　保育所は、1の(2)に示した保育の目標を達成するために、各保育所の保育の方針や目標に基づき、子どもの発達過程を踏まえて、保育の内容が組織的・計画的に構成され、保育所の生活の全体を通して、総合的に展開されるよう、全体的な計画を作成しなければならない。

イ　全体的な計画は、子どもや家庭の状況、地域の実態、保育時間などを考慮し、子どもの育ちに関する長期的見通しをもって適切に作成されなければならない。

ウ　全体的な計画は、保育所保育の全体像を包括的に示すものとし、これに基づく指導計画、保健計画、食育計画等を通じて、各保育所が創意工夫して保育できるよう、作成されなければならない。

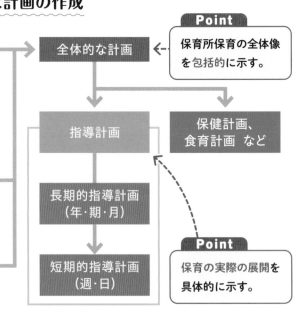

保育所保育指針第1章3（2）指導計画の作成［イ（ア）～キのみ抜粋］

3歳未満児

イ（ア）3歳未満児については、一人一人の子どもの生育歴、心身の発達、活動の実態等に即して、個別的な計画を作成すること。

Point
個別の計画の作成が求められているのは、3歳未満児。

3歳以上児

イ（イ）3歳以上児については、個の成長と、子ども相互の関係や協同的な活動が促されるよう配慮すること。

異年齢

イ（ウ）異年齢で構成される組やグループでの保育においては、一人一人の子どもの生活や経験、発達過程などを把握し、適切な援助や環境構成ができるよう配慮すること。

ねらい及び内容

ウ　指導計画においては、保育所の生活における子どもの発達過程を見通し、生活の連続性、季節の変化などを考慮し、子どもの実態に即した具体的なねらい及び内容を設定すること。また、具体的なねらいが達成されるよう、子どもの生活する姿や発想を大切にして適切な環境を構成し、子どもが主体的に活動できるようにすること。

生活リズム

エ　一日の生活のリズムや在園時間が異なる子どもが共に過ごすことを踏まえ、活動と休息、緊張感と解放感等の調和を図るよう配慮すること。

午睡

オ　午睡は生活のリズムを構成する重要な要素であり、安心して眠ることのできる安全な睡眠環境を確保するとともに、在園時間が異なることや、睡眠時間は子どもの発達の状況や個人によって差があることから、一律とならないよう配慮すること。

長時間保育

カ　長時間にわたる保育については、子どもの発達過程、生活のリズム及び心身の状態に十分配慮して、保育の内容や方法、職員の協力体制、家庭との連携などを指導計画に位置付けること。

障害のある子ども

キ　障害のある子どもの保育については、一人一人の子どもの発達過程や障害の状態を把握し、適切な環境の下で、障害のある子どもが他の子どもとの生活を通して共に成長できるよう、指導計画の中に位置付けること。また、子どもの状況に応じた保育を実施する観点から、家庭や関係機関と連携した支援のための計画を個別に作成するなど適切な対応を図ること。

保育所保育指針第1章3（4）ア保育士等の自己評価

（ア）保育士等は、保育の計画や保育の記録を通して、自らの保育実践を振り返り、自己評価することを通して、その専門性の向上や保育実践の改善に努めなければならない。

（イ）保育士等による自己評価に当たっては、子どもの活動内容やその結果だけでなく、子どもの心の育ちや意欲、取り組む過程などにも十分配慮するよう留意すること。

（ウ）保育士等は、自己評価における自らの保育実践の振り返りや職員相互の話し合い等を通じて、専門性の向上及び保育の質の向上のための課題を明確にするとともに、保育所全体の保育の内容に関する認識を深めること。

4 保育所保育指針③ 幼児期の終わりまでに育ってほしい姿など

関連科目 保育原理 保育実習理論 子どもの保健

ココをおさえよう！

3つの柱は幼児教育の「根っこ」にあるもので、幼児教育によって、「幼児期の終わりまでに育ってほしい姿」が花開くイメージです。「到達目標」ではなく、「方向性」であることを理解しましょう。

 🔑 キーワード ::

3つの柱

保育所保育指針に示されている「育みたい資質・能力」のこと。生きる力の基礎を培うため、3つの資質と能力を一体的に、また保育活動全体によって育むとされている。

10の姿

保育所保育指針で、「3つの柱」の次に示されている「幼児期の終わりまでに育ってほしい姿」のこと。保育士等が指導を行う際に考慮するものとされている。

幼児教育を行う施設

幼稚園などと同様に、保育所も幼児教育を行う施設とされている。保育所保育指針では、「幼児教育を行う施設としての共有すべき事項」に、「3つの柱」「10の姿」が明記されている。

:::

▶ 保育所保育指針第1章4（1）育みたい資質・能力［ア（ア）〜（ウ）のみ抜粋］

ア 保育所においては、生涯にわたる生きる力の基礎を培うため、1の（2）に示す保育の目標を踏まえ、次に掲げる資質・能力を一体的に育むよう努めるものとする。

知識及び技能の基礎

（ア）豊かな体験を通じて、感じたり、気付いたり、分かったり、できるようになったりする

思考力、判断力、表現力等の基礎

（イ）気付いたことや、できるようになったことなどを使い、考えたり、試したり、工夫したり、表現したりする

学びに向かう力、人間性等

（ウ）心情、意欲、態度が育つ中で、よりよい生活を営もうとする

Point

保育活動での体験を通してさまざまな資質や能力を育む。

保育所保育指針第1章4（2）
幼児期の終わりまでに育ってほしい姿

Point
「気付く」「考える」「自分で判断する」「相手の気持ちを大切にする」を重視。

資質・能力が育まれている子どもの小学校就学時の具体的な姿

ア　健康な心と体
保育所の生活の中で、充実感をもって自分のやりたいことに向かって心と体を十分に働かせ、見通しをもって行動し、自ら健康で安全な生活をつくり出すようになる。

イ　自立心
身近な環境に主体的に関わり様々な活動を楽しむ中で、しなければならないことを自覚し、自分の力で行うために考えたり、工夫したりしながら、諦めずにやり遂げることで達成感を味わい、自信をもって行動するようになる。

ウ　協同性
友達と関わる中で、互いの思いや考えなどを共有し、共通の目的の実現に向けて、考えたり、工夫したり、協力したりし、充実感をもってやり遂げるようになる。

エ　道徳性・規範意識の芽生え
友達と様々な体験を重ねる中で、してよいことや悪いことが分かり、自分の行動を振り返ったり、友達の気持ちに共感したりし、相手の立場に立って行動するようになる。また、きまりを守る必要性が分かり、自分の気持ちを調整し、友達と折り合いを付けながら、きまりをつくったり、守ったりするようになる。

オ　社会生活との関わり
家族を大切にしようとする気持ちをもつとともに、地域の身近な人と触れ合う中で、人との様々な関わり方に気付き、相手の気持ちを考えて関わり、自分が役に立つ喜びを感じ、地域に親しみをもつようになる。また、保育所内外の様々な環境に関わる中で、遊びや生活に必要な情報を取り入れ、情報に基づき判断したり、情報を伝え合ったり、活用したりするなど、情報を役立てながら活動するようになるとともに、公共の施設を大切に利用するなどして、社会とのつながりなどを意識するようになる。

カ　思考力の芽生え
身近な事象に積極的に関わる中で、物の性質や仕組みなどを感じ取ったり、気付いたりし、考えたり、予想したり、工夫したりするなど、多様な関わりを楽しむようになる。また、友達の様々な考えに触れる中で、自分と異なる考えがあることに気付き、自ら判断したり、考え直したりするなど、新しい考えを生み出す喜びを味わいながら、自分の考えをよりよいものにするようになる。

キ　自然との関わり・生命尊重
自然に触れて感動する体験を通して、自然の変化などを感じ取り、好奇心や探究心をもって考え言葉などで表現しながら、身近な事象への関心が高まるとともに、自然への愛情や畏敬の念をもつようになる。また、身近な動植物に心を動かされる中で、生命の不思議さや尊さに気付き、身近な動植物への接し方を考え、命あるものとしていたわり、大切にする気持ちをもって関わるようになる。

ク　数量や図形、標識や文字などへの関心・感覚
遊びや生活の中で、数量や図形、標識や文字などに親しむ体験を重ねたり、標識や文字の役割に気付いたりし、自らの必要感に基づきこれらを活用し、興味や関心、感覚をもつようになる。

ケ　言葉による伝え合い
保育士等や友達と心を通わせる中で、絵本や物語などに親しみながら、豊かな言葉や表現を身に付け、経験したことや考えたことなどを言葉で伝えたり、相手の話を注意して聞いたりし、言葉による伝え合いを楽しむようになる。

コ　豊かな感性と表現
心を動かす出来事などに触れ感性を働かせる中で、様々な素材の特徴や表現の仕方などに気付き、感じたことや考えたことを自分で表現したり、友達同士で表現する過程を楽しんだりし、表現する喜びを味わい、意欲をもつようになる。

関連科目 保育原理　保育実習理論　保育の心理学

ココをおさえよう！

2017年告示の保育所保育指針より、「乳児保育に関わるねらい及び内容」として、3つの視点が示されました。この視点が1歳以上の5領域へとつながっていくのです！

 キーワード

3つの視点

　乳児保育について示されている**身体的発達、社会的発達、精神的発達**に関する視点をいう。生命の保持、情緒の安定に関わる保育の内容と一体となって展開される。

ねらい

　保育の目標をより具体化したもの。子どもが保育所で安定した生活を送り、充実した活動ができるように、保育士等が行わなければならない事項および子どもが身につけることが望まれる心情、意欲、態度などの事項がある。

内容

「ねらい」を達成するために、子どもの生活や状況に応じて保育士等が適切に行う事項と、保育士等が援助して子どもが環境に関わって経験する事項がある。

▶保育所保育指針第2章1（2）ア（身体的発達に関する視点）
「健やかに伸び伸びと育つ」[「ねらい」「内容」のみ抜粋]

Point

乳児期から食育が始まっている。

ア　健やかに伸び伸びと育つ		

ねらい	①身体感覚が育ち、快適な環境に心地よさを感じる。	②伸び伸びと体を動かし、はう、歩くなどの運動をしようとする。	③食事、睡眠等の生活のリズムの感覚が芽生える。

内容	①保育士等の愛情豊かな受容の下で、生理的・心理的欲求を満たし、心地よく生活をする。	②一人一人の発育に応じて、はう、立つ、歩くなど、十分に体を動かす。	③個人差に応じて授乳を行い、離乳を進めていく中で、様々な食品に少しずつ慣れ、食べることを楽しむ。	④一人一人の生活のリズムに応じて、安全な環境の下で十分に午睡をする。	⑤おむつ交換や衣服の着脱などを通じて、清潔になることの心地よさを感じる。

● 保育所保育指針第2章1（2）イ（社会的発達に関する視点）「身近な人と気持ちが通じ合う」［「ねらい」「内容」のみ抜粋］

Point
関わりを深めることが、愛着関係の形成につながる。

イ　身近な人と気持ちが通じ合う

ねらい

①安心できる関係の下で、身近な人と共に過ごす喜びを感じる。

②体の動きや表情、発声等により、保育士等と気持ちを通わせようとする。

③身近な人と親しみ、関わりを深め、愛情や信頼感が芽生える。

内容

①子どもからの働きかけを踏まえた、応答的な触れ合いや言葉がけによって、欲求が満たされ、安定感をもって過ごす。

②体の動きや表情、発声、喃語（なんご）等を優しく受け止めてもらい、保育士等とのやり取りを楽しむ。

③生活や遊びの中で、自分の身近な人の存在に気付き、親しみの気持ちを表す。

④保育士等による語りかけや歌いかけ、発声や喃語等への応答を通じて、言葉の理解や発語の意欲が育つ。

⑤温かく、受容的な関わりを通じて、自分を肯定する気持ちが芽生える。

● 保育所保育指針第2章1（2）ウ（精神的発達に関する視点）「身近なものと関わり感性が育つ」［「ねらい」「内容」のみ抜粋］

Point
さまざまな感覚を育むことが大切。

ウ　身近なものと関わり感性が育つ

ねらい

①身の回りのものに親しみ、様々なものに興味や関心をもつ。

②見る、触れる、探索するなど、身近な環境に自分から関わろうとする。

③身体の諸感覚による認識が豊かになり、表情や手足、体の動き等で表現する。

内容

①身近な生活用具、玩具や絵本などが用意された中で、身の回りのものに対する興味や好奇心をもつ。

②生活や遊びの中で様々なものに触れ、音、形、色、手触りなどに気付き、感覚の働きを豊かにする。

③保育士等と一緒に様々な色彩や形のものや絵本などを見る。

④玩具や身の回りのものを、つまむ、つかむ、たたく、引っ張るなど、手や指を使って遊ぶ。

⑤保育士等のあやし遊びに機嫌よく応じたり、歌やリズムに合わせて手足や体を動かして楽しんだりする。

> 試験には、5領域の「ねらい」や「内容」の文章と混合して出題されることがあります。乳児保育の特徴を覚えるときには、実際の乳児を保育しているイメージをもって考えると、覚えやすいかもしれませんね。

保育所保育指針⑤
1歳以上3歳未満児の保育

関連科目 保育原理　保育実習理論　保育の心理学

ここからは5領域に入ります。「1歳以上3歳未満児」と、次節「3歳以上児」の文章を見比べて、赤字部分の表現の違いに注目していきましょう。

🔑 キーワード

自発的な活動

自分からしようとすること。保育所保育指針解説では、「子どもの意欲や主体性に基づく自発的な活動としての生活と遊びを通して、様々な学びが積み重ねられていくことが重要」とある。

5領域

保育所保育指針では、保育の内容を「健康」「人間関係」「環境」「言葉」「表現」の5つの領域によって示している。乳児保育の内容の3つの視点と連続している。

言葉遊び

言葉の響き、イメージなどを楽しむ遊び。保育所保育指針解説には、領域「言葉」の説明で「言葉のもつ響きやリズムの面白さや美しさ、言葉を交わすことの楽しさなどを感じ取り、十分に味わえるようにしていくことが重要」と書かれている。

▶ 保育所保育指針第2章2（2）ねらい及び内容
［ア〜オのみ抜粋］

Point

乳児期の「3つの視点」が「5領域」に発展。

ア　健康
健康な心と体を育て、自ら健康で安全な生活をつくり出す力を養う。

オ　表現
感じたことや考えたことを自分なりに表現することを通して、豊かな感性や表現する力を養い、創造性を豊かにする。

5領域

イ　人間関係
他の人々と親しみ、支え合って生活するために、自立心を育て、人と関わる力を養う。

エ　言葉
経験したことや考えたことなどを自分なりの言葉で表現し、相手の話す言葉を聞こうとする意欲や態度を育て、言葉に対する感覚や言葉で表現する力を養う。

ウ　環境
周囲の様々な環境に好奇心や探究心をもって関わり、それらを生活に取り入れていこうとする力を養う。

保育所保育指針第2章2（2）ねらい及び内容［「ねらい」のみ抜粋］

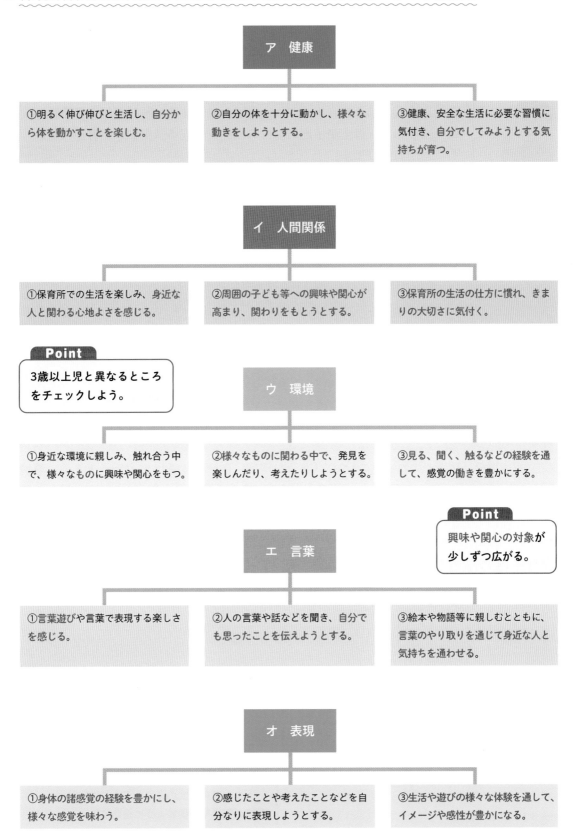

ア　健康

①明るく伸び伸びと生活し、自分から体を動かすことを楽しむ。

②自分の体を十分に動かし、様々な動きをしようとする。

③健康、安全な生活に必要な習慣に気付き、自分でしてみようとする気持ちが育つ。

イ　人間関係

①保育所での生活を楽しみ、身近な人と関わる心地よさを感じる。

②周囲の子ども等への興味や関心が高まり、関わりをもとうとする。

③保育所の生活の仕方に慣れ、きまりの大切さに気付く。

Point
3歳以上児と異なるところをチェックしよう。

ウ　環境

①身近な環境に親しみ、触れ合う中で、様々なものに興味や関心をもつ。

②様々なものに関わる中で、発見を楽しんだり、考えたりしようとする。

③見る、聞く、触るなどの経験を通して、感覚の働きを豊かにする。

Point
興味や関心の対象が少しずつ広がる。

エ　言葉

①言葉遊びや言葉で表現する楽しさを感じる。

②人の言葉や話などを聞き、自分でも思ったことを伝えようとする。

③絵本や物語等に親しむとともに、言葉のやり取りを通じて身近な人と気持ちを通わせる。

オ　表現

①身体の諸感覚の経験を豊かにし、様々な感覚を味わう。

②感じたことや考えたことなどを自分なりに表現しようとする。

③生活や遊びの様々な体験を通して、イメージや感性が豊かになる。

関連科目 保育原理 保育実習理論 保育の心理学

似たような文言が続きますが、3歳以上児になると子ども個人へのフォローよりも、保育士が子どもたちの成長を見守るスタンスで書かれていることがわかります。

ココをおさえよう！

 🔑 キーワード

個と集団

3歳以上の時期には、生活習慣がほぼ自立し、語彙数も急激に増加するとともに、仲間のなかの一人という自覚が生じる。このため、個の成長をはかるだけでなく、集団としての活動の充実をはかる。

協同的な活動

仲間で協力し、役割分担しながら、遊びや活動をやり遂げるようになる。そうした達成感を味わうことが、子どもに自信や自己肯定感を育むことにもなる。

環境に関わる態度

3歳以上児の「環境」のねらいの1つに「身近な環境に自分から関わり（略）」とある。環境を通じて、気づく、発見する、もっと面白くなる方法を考える、さらにそのなかで体験したことを別のところで活用するなどの態度を育てることが大切とされる。

▶ 保育所保育指針第2章3（1）基本的事項［アのみ抜粋］

この時期においては、運動機能の発達により、基本的な動作が一通りできるようになるとともに、基本的な生活習慣もほぼ自立できるようになる。

→

理解する語彙数が急激に増加し、知的興味や関心も高まってくる。仲間と遊び、仲間の中の一人という自覚が生じ、集団的な遊びや協同的な活動も見られるようになる。

→

これらの発達の特徴を踏まえて、この時期の保育においては、個の成長と集団としての活動の充実が図られるようにしなければならない。

 Point

一人ひとりの自我の育ちを支え、集団としての高まりを促すように援助する。

▶ 保育所保育指針第2章3(2)ねらい及び内容[ア〜オと「ねらい」のみ抜粋]

| **ア　健康** | 健康な心と体を育て、自ら健康で安全な生活をつくり出す力を養う。 |

①明るく伸び伸びと行動し、充実感を味わう。

②自分の体を十分に動かし、進んで運動しようとする。

③健康、安全な生活に必要な習慣や態度を身に付け、見通しをもって行動する。

| **イ　人間関係** | 他の人々と親しみ、支え合って生活するために、自立心を育て、人と関わる力を養う。 |

①保育所の生活を楽しみ、自分の力で行動することの充実感を味わう。

②身近な人と親しみ、関わりを深め、工夫したり、協力したりして一緒に活動する楽しさを味わい、愛情や信頼感をもつ。

③社会生活における望ましい習慣や態度を身に付ける。

| **ウ　環境** | 周囲の様々な環境に好奇心や探究心をもって関わり、それらを生活に取り入れていこうとする力を養う。 |

①身近な環境に親しみ、自然と触れ合う中で様々な事象に興味や関心をもつ。

②身近な環境に自分から関わり、発見を楽しんだり、考えたりし、それを生活に取り入れようとする。

③身近な事象を見たり、考えたり、扱ったりする中で、物の性質や数量、文字などに対する感覚を豊かにする。

| **エ　言葉** | 経験したことや考えたことなどを自分なりの言葉で表現し、相手の話す言葉を聞こうとする意欲や態度を育て、言葉に対する感覚や言葉で表現する力を養う。 |

①自分の気持ちを言葉で表現する楽しさを味わう。

Point
1歳以上3歳未満児と異なるところをチェックしよう。

②人の言葉や話などをよく聞き、自分の経験したことや考えたことを話し、伝え合う喜びを味わう。

③日常生活に必要な言葉が分かるようになるとともに、絵本や物語などに親しみ、言葉に対する感覚を豊かにし、保育士等や友達と心を通わせる。

| **オ　表現** | 感じたことや考えたことを自分なりに表現することを通して、豊かな感性や表現する力を養い、創造性を豊かにする。 |

①いろいろなものの美しさなどに対する豊かな感性をもつ。

②感じたことや考えたことを自分なりに表現して楽しむ。

③生活の中でイメージを豊かにし、様々な表現を楽しむ。

保育所保育指針⑦
3歳以上児の保育②

ここでは、3歳以上児の5領域の内容についてふれていきます。科目横断的に出題されますので、しっかりチェックしておきましょう。また、幼・保・小の連携・接続に関するキーワードも大切です！

キーワード

小学校との連携

　保育所保育指針第2章「4保育の実施に関して留意すべき事項」に示されている項目。保育所保育は、小学校以降の生活や学習の基盤の育成につながっており、保育所保育で育まれた資質や能力を踏まえ、小学校教育が円滑に行われるよう、小学校教師と意見交換や研修などを行う。

子どもの育ちを支えるための資料

　保育所保育指針第2章に出てくる言葉で、保育所児童保育要録とよばれる。保育所に通う子どもたちが小学校に就学する際に、市町村の支援の下、保育所から小学校に送付される。

幼児期にふさわしい生活

　小学校との連携では、保育所保育が、小学校以降の生活や学習の基盤の育成につながることに配慮し、幼児期にふさわしい生活を通じて、創造的な思考や主体的な生活態度などの基礎を培うようにすることとしている。

● 保育所保育指針第2章3(2)ねらい及び内容［「内容」のみ抜粋］

ア　健康

Point

子どもをしっかりと受け止め信頼関係を結ぶ。

①保育士等や友達と触れ合い、安定感をもって行動する。

②いろいろな遊びの中で十分に体を動かす。

③進んで戸外で遊ぶ。

④様々な活動に親しみ、楽しんで取り組む。

⑤保育士等や友達と食べることを楽しみ、食べ物への興味や関心をもつ。

⑥健康な生活のリズムを身に付ける。

⑦身の回りを清潔にし、衣服の着脱、食事、排泄などの生活に必要な活動を自分でする。

⑧保育所における生活の仕方を知り、自分たちで生活の場を整えながら見通しをもって行動する。

⑨自分の健康に関心をもち、病気の予防などに必要な活動を進んで行う。

⑩危険な場所、危険な遊び方、災害時などの行動の仕方が分かり、安全に気を付けて行動する。

イ　人間関係

①保育士等や友達と共に過ごすことの喜びを味わう。

②自分で考え、自分で行動する。

③自分でできることは自分でする。

④いろいろな遊びを楽しみながら物事をやり遂げようとする気持ちをもつ。

⑤友達と積極的に関わりながら喜びや悲しみを共感し合う。

⑥自分の思ったことを相手に伝え、相手の思っていることに気付く。

⑦友達のよさに気付き、一緒に活動する楽しさを味わう。

⑧友達と楽しく活動する中で、共通の目的を見いだし、工夫したり、協力したりなどする。

⑨よいことや悪いことがあることに気付き、考えながら行動する。

⑩友達との関わりを深め、思いやりをもつ。

⑪友達と楽しく生活する中できまりの大切さに気付き、守ろうとする。

⑫共同の遊具や用具を大切にし、皆で使う。

⑬高齢者をはじめ地域の人々などの自分の生活に関係の深いいろいろな人に親しみをもつ。

ウ　環境

①自然に触れて生活し、その大きさ、美しさ、不思議さなどに気付く。

②生活の中で、様々な物に触れ、その性質や仕組みに興味や関心をもつ。

③季節により自然や人間の生活に変化のあることに気付く。

④自然などの身近な事象に関心をもち、取り入れて遊ぶ。

⑤身近な動植物に親しみをもって接し、生命の尊さに気付き、いたわったり、大切にしたりする。

⑥日常生活の中で、我が国や地域社会における様々な文化や伝統に親しむ。

⑦身近な物を大切にする。

⑧身近な物や遊具に興味をもって関わり、自分なりに比べたり、関連付けたりしながら考えたり、試したりして工夫して遊ぶ。

⑨日常生活の中で数量や図形などに関心をもつ。

⑩日常生活の中で簡単な標識や文字などに関心をもつ。

⑪生活に関係の深い情報や施設などに興味や関心をもつ。

⑫保育所内外の行事において国旗に親しむ。

エ　言葉

①保育士等や友達の言葉や話に興味や関心をもち、親しみをもって聞いたり、話したりする。

②したり、見たり、聞いたり、感じたり、考えたりなどしたことを自分なりに言葉で表現する。

③したいこと、してほしいことを言葉で表現したり、分からないことを尋ねたりする。

④人の話を注意して聞き、相手に分かるように話す。　←

⑤生活の中で必要な言葉が分かり、使う。

⑥親しみをもって日常の挨拶をする。

⑦生活の中で言葉の楽しさや美しさに気付く。

⑧いろいろな体験を通じてイメージや言葉を豊かにする。

⑨絵本や物語などに親しみ、興味をもって聞き、想像をする楽しさを味わう。

⑩日常生活の中で、文字などで伝える楽しさを味わう。

オ　表現

①生活の中で様々な音、形、色、手触り、動きなどに気付いたり、感じたりするなどして楽しむ。

②生活の中で美しいものや心を動かす出来事に触れ、イメージを豊かにする。

③様々な出来事の中で、感動したことを伝え合う楽しさを味わう。

④感じたこと、考えたことなどを音や動きなどで表現したり、自由にかいたり、つくったりなどする。

⑤いろいろな素材に親しみ、工夫して遊ぶ。

⑥音楽に親しみ、歌を歌ったり、簡単なリズム楽器を使ったりなどする楽しさを味わう。

⑦かいたり、つくったりすることを楽しみ、遊びに使ったり、飾ったりなどする。

⑧自分のイメージを動きや言葉などで表現したり、演じて遊んだりなどの楽しさを味わう。

Point

集団生活を通じて言葉で伝え合うことの必要性を理解していく。

9 保育所保育指針⑧
健康及び安全

関連科目 保育原理　子どもの保健　子どもの食と栄養　保育の心理学

保育所保育指針第3章には、子どもの健康支援や食育の推進、災害への備えといった内容が書かれています。「子どもの保健」や「子どもの食と栄養」での出題も多くみられます。

🔑 キーワード

保健計画

発育及び発達に適した生活を送ることができるようにする保健活動についての計画。全体的な計画に基づいて作成される。これにより健康の保持・増進に努める。

嘱託医

定期健診や予防接種時、子どもの体調不良時などに対応する医師。保育所が、普段は病院や診療所で診療に当たっている医師に依頼し契約する。

食育計画

全体的な計画にもとづき、また指導計画とも関連づけながら食育が展開されるように作成。野菜などの栽培や収穫などの活動などのほか、毎日の食事の提供も含まれる。

▶ 保育所保育指針第3章1子どもの健康支援［（1）のみ抜粋］

（1）子どもの健康状態並びに発育及び発達状態の把握

ア　子どもの心身の状態に応じて保育するために、子どもの健康状態並びに発育及び発達状態について、定期的・継続的に、また、必要に応じて随時、把握すること。

イ　保護者からの情報とともに、登所時及び保育中を通じて子どもの状態を観察し、何らかの疾病が疑われる状態や傷害が認められた場合には、保護者に連絡するとともに、嘱託医と相談するなど適切な対応を図ること。看護師等が配置されている場合には、その専門性を生かした対応を図ること。

ウ　子どもの心身の状態等を観察し、不適切な養育の兆候が見られる場合には、市町村や関係機関と連携し、児童福祉法第25条に基づき、適切な対応を図ること。また、虐待が疑われる場合には、速やかに市町村又は児童相談所に通告し、適切な対応を図ること。

Point
虐待の予防や早期発見につなげる。

● 保育所保育指針第3章2食育の推進

(1) 保育所の特性を生かした食育

ア　保育所における食育は、健康な生活の基本としての「食を営む力」の育成に向け、その基礎を培うことを目標とすること。

イ　子どもが生活と遊びの中で、意欲をもって食に関わる体験を積み重ね、食べることを楽しみ、食事を楽しみ合う子どもに成長していくことを期待するものであること。

ウ　乳幼児期にふさわしい食生活が展開され、適切な援助が行われるよう、食事の提供を含む食育計画を全体的な計画に基づいて作成し、その評価及び改善に努めること。栄養士が配置されている場合は、専門性を生かした対応を図ること。

(2) 食育の環境の整備等

ア　子どもが自らの感覚や体験を通して、自然の恵みとしての食材や食の循環・環境への意識、調理する人への感謝の気持ちが育つように、子どもと調理員等との関わりや、調理室など食に関わる保育環境に配慮すること。

イ　保護者や地域の多様な関係者との連携及び協働の下で、食に関する取組が進められること。また、市町村の支援の下に、地域の関係機関等との日常的な連携を図り、必要な協力が得られるよう努めること。

ウ　体調不良、食物アレルギー、障害のある子どもなど、一人一人の子どもの心身の状態等に応じ、嘱託医、かかりつけ医等の指示や協力の下に適切に対応すること。栄養士が配置されている場合は、専門性を生かした対応を図ること。

● 保育所保育指針第3章4災害への備え[(2)のみ抜粋]

(2) 災害発生時の対応体制及び避難への備え

ア　火災や地震などの災害の発生に備え、緊急時の対応の具体的内容及び手順、職員の役割分担、避難訓練計画等に関するマニュアルを作成すること。

イ　定期的に避難訓練を実施するなど、必要な対応を図ること。

ウ　災害の発生時に、保護者等への連絡及び子どもの引渡しを円滑に行うため、日頃から保護者との密接な連携に努め、連絡体制や引渡し方法等について確認をしておくこと。

災害への備えについては、近年、特に重要視されるようになりました。

保育所保育指針⑨
子育て支援・職員の資質向上

関連科目 保育原理　子ども家庭福祉　子どもの保健　保育実習理論

> 保育所での子育て支援や職員の資質については、事例問題の根拠として参考になります。単なる暗記ではなく、意味をしっかり理解しておきましょう。

 キーワード

守秘義務

　児童福祉法第18条の22に「保育士は、正当な理由がなく、その業務に関して知り得た人の秘密を漏らしてはならない。保育士でなくなつた後においても、同様とする」と規定されている。

こども誰でも通園制度

　保護者の就労に関係なく、保育所等を利用していない6か月～3歳未満のこどもを1か月10時間を限度として預かる制度。2024年度から試行的事業が始まっている。2026年度より全国で実施予定。

▶ 保育所保育指針第4章1保育所における子育て支援に関する基本的事項

Point

保育所を利用していない保護者に対しても支援を行う。

(1) 保育所の特性を生かした子育て支援

　ア　保護者に対する子育て支援を行う際には、各地域や家庭の実態等を踏まえるとともに、保護者の気持ちを受け止め、相互の信頼関係を基本に、保護者の自己決定を尊重すること。

　イ　保育及び子育てに関する知識や技術など、保育士等の専門性や、子どもが常に存在する環境など、保育所の特性を生かし、保護者が子どもの成長に気付き子育ての喜びを感じられるように努めること。

(2) 子育て支援に関して留意すべき事項

　ア　保護者に対する子育て支援における地域の関係機関等との連携及び協働を図り、保育所全体の体制構築に努めること。

　イ　子どもの利益に反しない限りにおいて、保護者や子どものプライバシーを保護し、知り得た事柄の秘密を保持すること。

● 保育所保育指針第4章2保育所を利用している保護者に対する子育て支援 [(1) (2) のみ抜粋]

Point
保護者が発達の見通しなどをもてるようにする。

(1) 保護者との相互理解

ア　日常の保育に関連した様々な機会を活用し子どもの日々の様子の伝達や収集、保育所保育の意図の説明などを通じて、保護者との相互理解を図るよう努めること。

イ　保育の活動に対する保護者の積極的な参加は、保護者の子育てを自ら実践する力の向上に寄与することから、これを促すこと。

(2) 保護者の状況に配慮した個別の支援

ア　保護者の就労と子育ての両立等を支援するため、保護者の多様化した保育の需要に応じ、病児保育事業など多様な事業を実施する場合には、保護者の状況に配慮するとともに、子どもの福祉が尊重されるよう努め、子どもの生活の連続性を考慮すること。

イ　子どもに障害や発達上の課題が見られる場合には、市町村や関係機関と連携及び協力を図りつつ、保護者に対する個別の支援を行うよう努めること。

ウ　外国籍家庭など、特別な配慮を必要とする家庭の場合には、状況等に応じて個別の支援を行うよう努めること。

Point
個々の家庭環境に対応した支援が必要。

● 保育所保育指針第5章1職員の資質向上に関する基本的事項

(1) 保育所職員に求められる専門性

子どもの最善の利益を考慮し、人権に配慮した保育を行うためには、職員一人一人の倫理観、人間性並びに保育所職員としての職務及び責任の理解と自覚が基盤となる。 各職員は、自己評価に基づく課題等を踏まえ、保育所内外の研修等を通じて、保育士・看護師・調理員・栄養士等、それぞれの職務内容に応じた専門性を高めるため、必要な知識及び技術の修得、維持及び向上に努めなければならない。

(2) 保育の質の向上に向けた組織的な取組

保育所においては、保育の内容等に関する自己評価等を通じて把握した、保育の質の向上に向けた課題に組織的に対応するため、 保育内容の改善や保育士等の役割分担の見直し等に取り組むとともに、それぞれの職位や職務内容等に応じて、各職員が必要な知識及び技能を身につけられるよう努めなければならない。

Point
体系的な研修機会の充実などが求められている。

保育所での「人を育てる人」を育てるための仕組みを、キャリアパスといいます。

子どもに関わる人物・歴史（日本）

関連科目 保育原理　教育原理　子ども家庭福祉　社会的養護　社会福祉

歴史上の人物はさまざまな科目で出題されます。保育に関する基礎知識として、人物名や内容、その年代などを出来事の流れとともに正確に覚えていきましょう。

ココをおさえよう！

キーワード

倉橋惣三

児童中心主義の立場をとり、誘導保育を実践した。子どもの生活が充実するように保育者が導くことを提唱し、「生活を、生活で、生活へ」という言葉を残している。

城戸幡太郎

倉橋惣三の児童中心主義を批判し、子どもは社会が育てるとする社会中心主義を提唱した。保育問題研究会の創設に関わる。保育所と幼稚園の教育内容の統一を唱えた。

野口幽香

東京女子師範学校卒業後、同校附属幼稚園の保母となる。1900年に東京の麹町に、貧しい子どもを対象とする二葉幼稚園を創設して、フレーベルの精神を基本とする保育を行った。

橋詰良一

露天保育を提唱し、園舎をもたず、自然のなかで子どもたちを遊ばせる家なき幼稚園を1922（大正11）年にはじめた。

▶ 教育・保育に関する事項

Point
綜芸種智院と空海はセットで覚える。

いつ	事項	内容・人物など
828年	綜芸種智院	空海が、階級などを問わない庶民のために設立し、総合的な人間教育を目指した
鎌倉時代中期	金沢文庫	武士のための書庫。北条（金澤）実時が設けた
江戸時代	寺子屋	庶民のための教育施設。往来物が教科書として使用された。はじまりは中世末期の寺院教育とされる
江戸時代	陽明学	儒学者の中江藤樹が、知行合一説を唱え、知識と実践の一致を重んじる陽明学を広めた

いつ	事項	内容・人物など
江戸時代	古学	儒学の一学派として「論語」などの本文を研究して解釈する古学が起こる。山鹿素行、伊藤仁斎、荻生徂徠などにより広められた
江戸時代	私塾	西洋諸国の学問である洋学（蘭学）、古典研究や日本の歴史、日本人らしさを研究する国学などが導入され、私塾とよばれる教育機関が多く開設された 緒方洪庵（適塾・蘭学）／本居宣長（鈴屋・国学）／吉田松陰（松下村塾・儒学など）／広瀬淡窓（咸宜園・漢学）／石田梅岩（心学舎・心学）
江戸時代	和俗童子訓	日本で初めての体系的な教科書とされる。「日本のロック」とよばれることがある貝原益軒が、6〜20歳までの発達に応じた教材や教授法である随年教法を提唱し、性善説の立場から幼児教育や家庭教育の大切さを説いた
1872 （明治5）年	学制制定	明治政府が、日本初の教育法規である学制を制定。同時に「被仰出書」を公布し「必ず邑に不学の戸なく、家に不学の人なからしめん事を期す」と義務教育の思想を明確にする
	学問のすゝめ	福沢諭吉が刊行。人間の平等、個人の自由などを説いた
1876 （明治9）年	東京女子師範学校附属幼稚園	日本初の官立（国立）幼稚園。関信三を初代園長として開設され、フレーベル理論に基づいた保育が行われた。松野クララが主席保母
1886 （明治19）年	小学校令	初代文部大臣の森有礼が、中学校令などとともに定めた。これにより小学校が教育機関として位置づけられ、義務教育制度が確立された
1889 （明治22）年	頌栄幼稚園	アメリカの婦人宣教師であるハウによって設立。頌栄保姆（ほぼ）伝習所も開設し、保母を養成
1890 （明治23）年	守孤扶独幼稚児保護会	赤沢鍾美、仲子が、私塾である新潟静修学校に開設した附設託児所。貧しい子どもたちのきょうだいを預かった。日本初の常設託児所
	農繁期託児所	筧雄平が開設。日本初の季節託児所で、保護者が多忙な時期だけ保育を行う
	教育勅語	道徳教育・国民教育の基礎を示した国家の方針のようなもの。井上毅、元田永孚などが起草し、発布された
1895 （明治28）年	善隣幼稚園	トムスン婦人によって開設。後に、「日本のペスタロッチ」とよばれ、子どもの権利擁護を掲げる賀川豊彦が引き継ぎ、友愛幼児園とした。「6つの子どもの権利」「9つの子どもの権利」を提言

いつ	事項	内容・人物など
1900 （明治33）年	二葉幼稚園	野口幽香と森島峰が貧困地域の子どもたちのために二葉幼稚園（のちの二葉保育園）を開設。保母の徳永恕は、「二葉の大黒柱」とよばれる
1904 （明治37）年	幼稚園保育法	東基吉の著書。東京女子師範学校附属幼稚園で子どもの自由な発想を尊重する保育への改善を行った
1917 （大正6）年	誘導保育	東京女子高等師範学校附属幼稚園の主事を務める倉橋惣三が、形式にしばられていた恩物中心主義を批判し、子どもの遊び中心の自然な生活を尊重する誘導保育を提唱する。子どもの生活を重視する考え方を「生活を、生活で、生活へ」と訴えた（児童中心主義）。ほかに倉橋は、保育所保育指針の原型となる1948年刊行「保育要領」作成に関わり、「幼稚園保育法真諦」「育ての心」「幼稚園雑草」なども著した
1922 （大正11）年	家なき幼稚園	橋詰良一が開設。露天保育を提唱し、自然のなかで子どもたちを自由に遊ばせるために、自動車で郊外に連れ出して保育を行った
大正時代	児童中心主義	アメリカやヨーロッパで起こった新教育運動の影響によって提唱された考え方 澤柳政太郎（成城小学校）／木下竹次（合科学習）／小原國芳（玉川学園）／野口援太郎（池袋児童の村小学校）／鈴木三重吉（『赤い鳥』の創刊）／土川五郎（律動遊戯）
大正時代	社会中心主義	城戸幡太郎が、倉橋惣三の児童中心主義を批判して主張した考え方。大人が、子どもの利己的生活を共同的生活へ導くとし、集団生活を重んじた
1947 （昭和22）年	学校教育法	第二次世界大戦後の教育の枠組みとなる法律で、「教育基本法」とともに公布される。坂元彦太郎が草案を作成

● 児童福祉に関する事項

いつ	事項	内容・人物など
1871 （明治4）年	養育米支給規則	棄児・孤児を育てる者にその子が15歳になるまで養育米を支給するという規則が設けられた
1874 （明治7）年	恤救規則	貧困対策として、米（救助米）を支給するという規則が設けられた。救済の対象は労働能力と身寄りのない者（無告の窮民）。13歳以下の孤児を含む
	浦上養育院	岩永マキ、ド・ロ神父が設立。カトリックにもとづく孤児のための施設

いつ	事項	内容・人物など
1887 （明治20）年	岡山孤児院	石井十次が孤児などを対象として設立。家族主義、密室主義など岡山孤児院12則を定める。1つの小舎に子ども十数人が暮らした（小舎制）
1891 （明治24）年	孤女学院	石井亮一が設立。知的障害のある子どもに養護と教育を行う。のちの滝乃川学園
1899 （明治32）年	巣鴨家庭学校	留岡幸助が開設。非行少年を対象とし、現在の児童自立支援施設に当たる
1900 （明治33）年	感化法	不良行為を行った8歳以上16歳未満の少年の感化院（現在の児童自立支援施設）への入所などを定めた法律
1917 （大正6）年	済世顧問制度	岡山県知事の笠井信一が創設。防貧対策として地域の貧民の相談に乗る制度
1918 （大正7）年	方面委員制度	大阪府知事林市蔵と小河滋次郎が創設。ドイツのエルバーフェルト制度を参考にした制度で、ボランティアが地域社会ごとに援助する。その後全国に広がり、民生委員活動のもととなった
1921 （大正10）年	柏学園	柏倉松蔵が創設。肢体不自由児のための施設
1929 （昭和4）年	救護法	病気や貧困などで生活できない者に対する総合的な救貧対策を定めた法律（施行は1932年）。4つの公的扶助、居宅救護、孤児院などの救護施設などを規定。これにともない恤救規則は廃止
1933 （昭和8）年	児童虐待防止法(旧)	児童の労働の規制を目的として制定
	少年教護法	懲罰的要素の強かった感化法に代わって成立。教育的保護、少年救教院などを規定（1947年の児童福祉法の制定により廃止）
1942 （昭和17）年	整肢療護園	高木憲次が開設。肢体不自由児施設
1946 （昭和21）年	近江学園	糸賀一雄が知的障害児施設として開設。著書で「この子らを世の光に」と訴える。1963年には重症心身障害児施設のびわこ学園も開設する
	旧生活保護法	無差別平等を謳って公布。1950年に全面的に改め、現生活保護法が制定される
1947 （昭和22）年	児童福祉法	児童福祉施設、児童相談所などを規定して公布
1964 （昭和39）年	母子福祉法	母子家庭の福祉を定める法律として公布（現母子及び父子並びに寡婦福祉法）

Point

現在の「児童虐待の防止等に関する法律」ではないことに注意。

子どもに関わる人物・歴史（外国）

外国の保育、教育の歴史や実践についても、さまざまな科目から出題されています。まずはここに記載されている事項について理解していきましょう。

 キーワード

フレーベル

ドイツ出身で、キンダーガルテンの創始者として知られる。遊びを子どもの創造的な自己活動ととらえ、子どもは遊びのなかで育つものであるとした。遊びを豊かにするための遊具である恩物（ガーベ）を制作した。著作に『人間の教育』『母の歌と愛撫の歌』などがある。

モンテッソーリ

イタリアで女性初の医学博士。障害児教育の実践経験をもとに、ローマのスラム街に設立された「子どもの家」の監督に就任した。そこでの取り組みはモンテッソーリ教育として理論化され、世界中の教育界に大きな影響を与えた。

敏感期

モンテッソーリ教育では、乳幼児期の子どもには、ある特定のことに対する感受性が特に高まる時期があるとし、その時期を敏感期という。たとえば言語の敏感期には言語に関することを大いに吸収し能力が高まるとしている。

● 保育・教育に関する事項

いつ	事項	内容・人物など
17世紀	直観教授	チェコ（モラヴィア）出身の教育者、コメニウスが取り入れた教育方法。コメニウスは、世界初の絵入り教科書といわれる『世界図絵』を著した。また、すべての人間は教育可能であるとし、「すべての人にすべてのことを教える」という言葉を残した
17世紀	鍛錬主義	イギリスの哲学者ロックの考え方。「健全な身体に宿る健全な精神」とし、子どもの身体と心を鍛えることを教育の目的としている

いつ	事項	内容・人物など
18世紀	児童中心主義	フランスの思想家である**ルソー**は、子どもは生まれたときには「善」なる者であるとして性善説を唱えた。子どもには本来、自然性が存在し、それをそのまま引き出せば立派な人間になるとし、子どもの自然な成長段階に合わせて教育する消極的教育を主張した。著作『エミール』において子ども時代の価値を唱え、「子どもの発見者」とよばれた
1779年	幼児保護所	フランスの牧師である**オーベルラン**が幼児に基本的な生活習慣や道徳、言語などを教える施設をアルザス=ロレーヌ地方に開設した世界で初めての保育施設。6歳からの学校では編み物も教えたため編み物学校ともよばれた
18世紀	直観教授（メトーデ）	スイス出身の教育思想家である**ペスタロッチ**は、頭・心・手を調和的に発展させることを教育の目的とし、それは家庭での日常生活によって育まれるとした。ペスタロッチは「生活が陶冶する」という有名な言葉を残している
1816年	性格形成学院	イギリスの**オーエン**は、幼児期によい環境を与えることで、よい人格形成が促されるとし、自身が営む木綿紡績工場内に成長段階に応じた教育施設を開設した
1840年	キンダーガルテン **Point** フレーベルの遊びを取り入れた教育、恩物（ガーベ）は頻出。	3歳から7歳までの子どもを対象に、子どもの本性に従って育てることが教育本来のあり方であるとして**フレーベル**が開設。幼稚園の原型といわれる。フレーベルは、「庭」の生活を重要視し、園庭には花壇や菜園をつくり、子どもと自然の関わりを大切にした
19世紀前半	ベル・ランカスター法	イギリスで生み出された貧しい人々のための教育方法。生徒集団のなかから優秀な生徒を助教（モニター）に選び、教師の指示を他の生徒に伝えるという方法をいう。一斉授業の起源ともいわれる
19世紀前半	品性の陶冶	ドイツの**ヘルバルト**の教育の考え方。教育の課題は道徳的品性の陶冶であり、多方面への興味を喚起することが必要だとし「教育（訓育）的教授」という概念を提示した
1896年	シカゴ大学附属実験学校	アメリカの哲学者**デューイ**が開設。プラグマティズムによる実験主義、経験主義の教育を行った。デューイは『学校と社会』において、子ども中心の教育への変革の必要性をコペルニクスにたとえて主張した **Point** プラグマティズムは、経験を基本とする考え方。

いつ	事項	内容・人物など
1900年	児童の世紀	スウェーデンの社会思想家、エレン・ケイの著書。冒頭で「20世紀は児童の世紀である」と説き、児童中心主義を広げた
1907年	子どもの家	ローマの貧困家庭の子どものための施設で、モンテッソーリが教育を行った。モンテッソーリは、感覚の訓練を重んじ、モンテッソーリ教具を開発
1919年	自由ヴァルドルフ学校	旧オーストリア出身、ドイツで活躍した思想家のシュタイナーが設立。子どもの自由と個性を尊重する芸術教育を行った
1935年	フレネ学校	フランスの教師フレネが創設。「自由作文」を柱とし、子どもの興味を大切にした個別学習を基本とする
1950年代半ば	森の幼稚園	デンマークで保護者が自主的に始めた活動が発祥。子どもたちは朝集合し、必要なものをかばんに入れて支度し、1日野外で過ごす。その後ドイツなど世界中に広がる
1965年	ヘッドスタート計画	アメリカのリンドン・ジョンソン政権下で開始された、教育機会に恵まれない貧困家庭の子どもを対象とした就学前準備教育
1971年	脱学校の社会	オーストリア生まれの哲学者、イリイチの著書（邦訳は1977年）。学校制度による子どもの主体的な学びの喪失を批判した
1997年	シュア・スタート	イギリスのブレア政権下で開始された、就学前の貧困家庭の子どもを対象とした教育支援政策

● 児童福祉に関する事項

いつ	事項	内容・人物など
1601年	エリザベス救貧法	社会福祉の法律の原点とされる法律で、イギリスで成立。救済対象は労働能力のない者と貧困者に限定され、子どもも含まれた
1869年	慈善組織協会（COS）	イギリスのロンドンに設立。貧困家庭を尋ね、調査のための友愛訪問を行った。ケースワークの先駆けともいわれる
1870年	バーナードホーム	イギリスの福祉団体代表者のバーナードが開設した小舎制の孤児院。岡山孤児院を開設した石井十次にも影響を与えた。多くは戦災孤児であった

Point

小舎制の施設だったことが重要。

いつ	事項	内容・人物など
1884年	トインビー・ホール	イギリス・ロンドンで、バーネット夫妻が設立したセツルメント活動の拠点（セツルメント・ハウス）。スラムで貧困者とともに生活しながら問題を解決しようとした
1889年	ハル・ハウス	アダムズがアメリカのシカゴに創設した世界最大規模のセツルメント・ハウス
19世紀末〜20世紀初頭	貧困調査	ブースによるロンドン調査で、貧困問題は慈善の対象ではなく、国家施策として取り組むべきものであることが明らかにされた。ラウントリーのヨーク調査では貧困線と最低生活費が測定された
1909年	第1回白亜館会議（ホワイトハウス会議）	第26代アメリカ大統領、ルーズベルトが開催。「児童は緊急なやむを得ない理由がない限り、家庭生活から引き離されてはならない」という趣旨の、児童福祉の基本原理が示された
1917年	社会的診断論	メアリー・リッチモンドの著書。このほかのさまざまな著書でケースワーク論を確立し、ケースワークの母とよばれる
1942年	ベヴァレッジ報告	イギリス政府に提出された報告書。5つの巨人（貧困・疾病・不潔・無知・怠惰）が社会生活を脅かすとし、これを解消することが社会保障の目的とした。そのスローガンが「ゆりかごから墓場まで」で、一生安心して暮らすことができることを表現した言葉
1951年	母性的養育の剥奪（はくだつ）	イギリス出身の精神科医、ボウルビィが提唱。母性的養育の剥奪が子どもにとって深刻な影響をもたらすとした
1950年代	ノーマライゼーション	障害のある人もない人も、一般の人々と同じようにノーマル（当たり前）に生活することができる社会をつくるという考え方。デンマークのバンク＝ミケルセンが提唱。理論化したのがスウェーデンのニィリエ

Point

貧困線は収入や支出の一定の水準で、これを下回る世帯や個人を貧困と判断。

外国の児童福祉については、その時代背景もセットで覚えたほうが理解しやすいものです。キーワードをていねいに調べていくことをオススメします。

諸外国の保育の状況

関連科目 関連科目 保育原理 教育原理

諸外国の保育は、日本でも参考になるものが多くあります。保育士試験にも例年どこかで出題されますので、ここに記載されている国の保育の特徴については理解しておきましょう。

ココをおさえよう！

キーワード

ヘッドスタート計画

アメリカの貧困家庭向けの就学前教育支援のこと。日本でも放送されたテレビ番組「セサミストリート」もその1つ。

レッジョ・エミリア

イタリアの北部の都市。イタリアでは、幼児教育が各自治体ごとに進められており、この都市の実践が知られている。街全体ですべての子どもを育てようという考え方のもと、子どもの主体的な活動が重視されている。子どもの日々の活動や学びの記録「ドキュメンテーション」も特徴の1つ。

▶ 就学前の保育・教育の比較

Point

フランスの義務教育は、3歳からはじまる。

★は施設・学校種名、☆は通常の在籍年齢を示す。

日本

★保育所、幼稚園、幼保連携型認定こども園
☆幼稚園／3〜5歳、保育所と幼保連携型認定こども園／0〜5歳

アメリカ

★保育学校、幼稚園
☆3〜5歳

イギリス

★保育学校（ナーサリー・スクール）、保育所（デイ・ナーサリー）、初等学校付設の就学1年前の学級（レセプションクラス）など
☆0〜5歳（保育学校の主な対象は3〜4歳）

フランス

★幼稚園、小学校付設の幼児学級・幼児部
☆2〜5歳

ドイツ

★保育所、幼稚園
☆保育所／2歳以下、幼稚園／満3歳以上

韓国

★保育所、幼稚園
☆保育所／0〜5歳、幼稚園／3〜5歳

中国

★幼稚園
☆3〜6歳、幼稚園（幼児園）または小学校付設の幼児学級

出典：文部科学省「諸外国の教育統計」令和5（2023）年版を一部改変

各国の保育の特徴

国	特徴
アメリカ	階層間格差・貧困対策として就学前児童のいる貧困家庭向けに、ヘッドスタート計画を1965年から実施。就学準備教育といえるもので、小学校就学時に通常の家庭の子どもたちと同じレベルに達することを目指している
イギリス	0〜5歳児の「学びの発達」「ケア」の指針として「乳幼児基礎段階(EYFS)」を定め、すべての施設がこれに沿って活動している。EYFSには、コミュニケーション、運動、読み書き、数的思考、表現、環境への関心という各領域で5歳までに獲得すべき目標が示されている
ドイツ	2000年代に教育改革が行われ、就学前教育の段階から言語能力の獲得、学校教育との接続について検討され、各年齢で獲得すべき能力が設定されている。また、人格形成に向けた知識・能力の獲得が重視されている
フランス	0〜2歳は福祉、3歳以上は教育と年齢で区分されている。3〜5歳が通うエコール・マテルネルでは、就学準備のための言語、読み書き、運動、環境への関心、創造性などを指導している
イタリア	一人ひとりの子どもの興味や関心に沿って活動するレッジョ・エミリアの幼児教育が注目されている。レッジョ・エミリアでは、幼児期を生涯学習の基盤として位置づけ、ケア・養育・教育を包括的に行う。表現活動の拠点となるアトリエがあり、芸術教師(アトリエリスタ)も配置されている。子どもの行動や言葉をメモや写真などのさまざまな手段を用いて記録しながら作成するドキュメンテーションで実践の振り返りを行っている **Point** 第二次世界大戦後、ローリス・マラグッツィがリーダーシップをとり推進。
フィンランド	0〜5歳は自治体が実施する保育や民間保育、家庭保育サービスを利用し、5歳になるとほとんどが就学前教育のエシコウルに通う。エシコウルでは子どもの主体性を尊重するとともに、成長・発展、学習の前提になる能力の向上を重視している
韓国	幼稚園は教育、保育所(オリニジップ)は福祉と分かれている。3〜5歳児を対象とする幼保共通のヌリ課程が導入され、幼稚園と保育所の質を揃える努力が行われている
ニュージーランド	0歳から就学までのすべての乳幼児施設で共通のテ・ファリキというカリキュラムに沿って教育・保育が実施される。エンパワメント・全体的発達・家族とコミュニティ・関係性を4原則として文化的・社会的な学びなどが重視されている

Point
マーガレット・カーを中心に、写真や文章などの記録から子どもの育ちを理解する「ラーニング・ストーリー」を開発。

ニュージーランドのテ・ファリキは近年特に注目されており、試験にもよく出題されています。

14 子どもの権利①

関連科目 関連科目 保育原理 子ども家庭福祉 教育原理 社会的養護 社会福祉

子どもの権利は重要項目です。歴史的経緯では年代の入れ替え問題も出題されやすいです。同じような名称でややこしいので、正確に覚えましょう。

ココをおさえよう!

🔑 キーワード

能動的権利

能動的とは、自分から取り組む、ほかに働きかけるという意味。子どもは、権利を受容するだけでなく、**自ら権利を主張し行使する主体である**として、児童の権利に関する条約では、意見表明権、表現の自由、集会の自由などが明記されている。

子どもの権利ノート

児童福祉施設に入所している児童や**里親等に委託**されている児童に、自治体が配布している冊子。施設内などで子どもの権利が守られることや相談窓口などについて説明されている。

▶ 子どもの権利(人権)に関する歴史的経緯

1924年 ジュネーヴ宣言
国際連盟による最初の子どもの人権宣言。子どもの権利保障。

1948年 世界人権宣言
子どもだけでなくあらゆる人々の人権を対象としている。国際連合総会で採択。

1951年 児童憲章
日本で最初の子どもの人権宣言。法律ではない。

1959年 児童権利宣言
国際連合が子どもの人権について宣言。児童の最善の利益を優先することを基本理念にしている。国際連合総会で採択。

1966年 国際人権規約
世界人権宣言の内容を基礎として、条約化。社会権規約と自由権規約がある。国際連合総会で採択。

1979年 国際児童年
児童権利宣言から20年の節目として定められた。国際連合総会で採択。

**1989年 児童の権利に関する条約
（子どもの権利に関する条約）**
児童を権利の主体であり、能動的存在と位置づけた。児童の権利と保護に関する総括的な国際条約。国際連合総会で採択。

 Point
日本は、1994年5月に批准。

 Point
子どもの最善の利益が謳われた。

◉ 児童憲章

児童は

- 人として尊ばれる
- 社会の一員として重んぜられる
- よい環境のなかで育てられる

児童憲章は日本国憲法の精神にしたがい、1951年5月5日に宣言されました。前文の3つ(左図)は暗記しておきましょう。

すべての児童は……

①心身ともに、健やかにうまれ、育てられ、その生活を保障される。

②家庭で、正しい愛情と知識と技術をもつて育てられ、家庭に恵まれない児童には、これにかわる環境が与えられる。

③適当な栄養と住居と被服が与えられ、また、疾病と災害からまもられる。

④個性と能力に応じて教育され、社会の一員としての責任を自主的に果たすように、みちびかれる。

⑤自然を愛し、科学と芸術を尊ぶように、みちびかれ、また、道徳的心情がつちかわれる。

⑥就学のみちを確保され、また、十分に整つた教育の施設を用意される。

⑦職業指導を受ける機会が与えられる。

⑧その労働において、心身の発育が阻害されず、教育を受ける機会が失われず、また児童としての生活がさまたげられないように、十分に保護される。

⑨よい遊び場と文化財を用意され、悪い環境からまもられる。

⑩虐待・酷使・放任その他不当な取扱からまもられる。あやまちをおかした児童は、適切に保護指導される。

⑪身体が不自由な場合、または精神の機能が不充分な場合に、適切な治療と教育と保護が与えられる。

⑫愛とまことによつて結ばれ、よい国民として人類の平和と文化に貢献するように、みちびかれる。

◉ 児童権利宣言

前文
(略) 人類は、児童に対し、最善のものを与える義務を負うものであるので、よって、ここに、国際連合総会は、児童が、幸福な生活を送り、かつ、自己と社会の福利のためにこの宣言に掲げる権利と自由を享有することができるようにするため、この児童権利宣言を公布(略)

第2条
児童は、特別の保護を受け、また、健全、かつ、正常な方法及び自由と尊厳の状態の下で身体的、知能的、道徳的、精神的及び社会的に成長することができるための機会及び便益を、法律その他の手段によって与えられなければならない。この目的のために法律を制定するに当っては、児童の最善の利益について、最高の考慮が払われなければならない。

Point
児童権利宣言の内容は、児童の権利に関する条約に引き継がれる。

第4条
児童は、社会保障の恩恵を受ける権利を有する。児童は、健康に発育し、かつ、成長する権利を有する。(略)

第7条
児童は、教育を受ける権利を有する。その教育は、少なくとも初等の段階においては、無償、かつ、義務的でなければならない。児童は、その一般的な教養を高め、機会均等の原則に基づいて、その能力、判断力並びに道徳的及び社会的責任感を発達させ、社会の有用な一員となりうるような教育を与えられなければならない。(略)

15 子どもの権利②

関連科目 保育原理　子ども家庭福祉　教育原理　社会的養護　社会福祉

児童の権利に関する条約は、その後の改正児童福祉法やこども基本法にも影響を与える大切な国際条約です。児童権利宣言からの30周年に合わせて1989年に国連総会で採択されました。

ココをおさえよう！

 キーワード

ユニセフ

国連児童基金。すべての子どもの命と権利を守るための組織。保健・栄養・衛生・教育・搾取からの保護など、さまざまな支援活動を行う。児童の声を代弁する機関として、子どもの権利条約（児童の権利に関する条約）の草案作成に関わった。

国連・子どもの権利委員会

条約に基づいて設置された委員会。条約批准国は、定期的に国内での実施状況を報告する。NGOやユニセフからも報告され、委員会と政府代表とが話し合った後、評価、改善勧告が行われる。

児童の権利に関する条約

国連が、子どもの権利を守るためにつくった条約。「子どもの権利条約」ともよばれる。1989年に国連で採択され、日本は1994年に批准した。

▶ 児童の権利に関する条約

> **Point**
> 「できる限りその父母を知りかつその父母によって養育される権利」を含む。

第2条1　締約国は、その管轄の下にある児童に対し、児童又はその父母若しくは法定保護者の人種、皮膚の色、性、言語、宗教、政治的意見その他の意見、国民的、種族的若しくは社会的出身、財産、心身障害、出生又は他の地位にかかわらず、いかなる差別もなしにこの条約に定める権利を尊重し、及び確保する。

1	2	3	4	5	6	7
児童の定義	差別の禁止	子どもの最善の利益	国の義務	親の指導を尊重	生きる権利・育つ権利	名前・国籍をもつ権利

第3条1　児童に関するすべての措置をとるに当たっては、公的若しくは私的な社会福祉施設、裁判所、行政当局又は立法機関のいずれによって行われるものであっても、児童の最善の利益が主として考慮されるものとする。

第6条1　締約国は、すべての児童が生命に対する固有の権利を有することを認める。
2　締約国は、児童の生存及び発達を可能な最大限の範囲において確保する。

第9条1　締約国は、児童がその父母の意思に反してその父母から分離されないことを確保する。ただし、権限のある当局が司法の審査に従うことを条件として適用のある法律及び手続に従いその分離が児童の最善の利益のために必要であると決定する場合は、この限りでない。(略)

第12条1　締約国は、自己の意見を形成する能力のある児童がその児童に影響を及ぼすすべての事項について自由に自己の意見を表明する権利を確保する。この場合において、児童の意見は、その児童の年齢及び成熟度に従って相応に考慮されるものとする。

第13条1　児童は、表現の自由についての権利を有する。この権利には、口頭、手書き若しくは印刷、芸術の形態又は自ら選択する他の方法により、国境とのかかわりなく、あらゆる種類の情報及び考えを求め、受け及び伝える自由を含む。

8	9	10	11	12	13	14
名前・国籍・家族関係が守られる権利	親と引き離されない権利	別々の国にいる親と会える権利	よその国に連れ去られない権利	意見を表す権利	表現の自由	思想・良心・宗教の自由

15	16	17	18	19	20	21
結社・集会の自由	プライバシー・名誉の保護	情報へのアクセス	親の第一義的養育責任	虐待・放任からの保護	代替的養護	養子縁組

22	23	24	25	26	27	28
難民の子ども	障害のある子ども	健康・医療への権利	施設に入っている子ども	社会保障への権利	生活水準への権利	教育を受ける権利

29	30	31	32	33	34	35
教育の目的	少数民族・先住民の子ども	休み・遊ぶ権利	経済的搾取からの保護	麻薬・覚せい剤などからの保護	性的搾取からの保護	誘拐・売買からの保護

36	37	38	39	40	41	
あらゆる搾取からの保護	拷問・死刑の禁止	戦争からの保護	心身の回復と社会復帰	少年司法	既存の権利の確保	

※42条以降は省略

Point
初等教育は、義務的なもの、すべての者に対して無償のもの。

第31条1　締約国は、休息及び余暇についての児童の権利並びに児童がその年齢に適した遊び及びレクリエーションの活動を行い並びに文化的な生活及び芸術に自由に参加する権利を認める。

第18条1　締約国は、児童の養育及び発達について父母が共同の責任を有するという原則についての認識を確保するために最善の努力を払う。父母又は場合により法定保護者は、児童の養育及び発達についての第一義的な責任を有する。児童の最善の利益は、これらの者の基本的な関心事項となるものとする。

「批准」とは、条約を認めて実行するという、国の同意手続きを意味します。

第19条1　締約国は、児童が父母、法定保護者又は児童を監護する他の者による監護を受けている間において、あらゆる形態の身体的若しくは精神的な暴力、傷害若しくは虐待、放置若しくは怠慢な取扱い、不当な取扱い又は搾取(性的虐待を含む。)からその児童を保護するためすべての適当な立法上、行政上、社会上及び教育上の措置をとる。

教育の理論と実践

関連科目 教育原理

ココをおさえよう！

> 近年、教育現場ではカリキュラム・マネジメントの重要性が問われるようになり、保育士試験にも出題されています。ほかにも「カリキュラム」の名のつく専門用語が多いので、区別して理解しましょう。

🔑 キーワード

カリキュラム

教育課程ともいい、教育目標を達成するために各学校が行う教育活動全般を指す。

カリキュラム・マネジメント

カリキュラムの質を上げるため、PDCAサイクルの考え方で見直したり、改善を図ったりすること。

潜在的カリキュラム

学校の文化や近代社会の文化としての価値、態度、規範や慣習などを知らず知らず身につけていく一連のはたらきのこと。目に見えない形で子どもたちに影響を及ぼす。

▶ 教育課程と学習指導要領

学習指導要領とは

子どもたちの発達に合わせてどのように指導するかを教科ごとに定めたもので、教育課程の基準。「学校教育法施行規則」等に基づいて文部科学大臣が告示し、法的拘束力をもつ。小学校、中学校、高等学校、特別支援学校の学校種別に策定される（幼稚園は幼稚園教育要領）。

教育課程とは

各学校での教育活動をどのように進めていくかを決めた指導計画。各学校の教育目的や目標に合わせて構成されている。

育成すべき資質・能力の三つの柱

**学びに向かう力
人間性等**
どのように社会・世界と関わり、
よりよい人生を送るか

「確かな学力」「健やかな体」「豊かな心」を
総合的にとらえて構造化

何を理解しているか
何ができるか
知識・技能

理解していること・できる
ことをどう使うか
思考力・判断力・表現力等

Point

現在の学習指導要領は、2018年4月から2022年4月に順次施行された。

▶ カリキュラムの類型

教科カリキュラム

教師や大人が子どもに学ばせたいと考える内容を、系統化したもの。教師など大人の興味や関心が中心になりやすい。

経験カリキュラム

主に活動や経験を通して学びを進めるように編成する。子どもの興味や関心が中心になり、習得する知識・技能などが偏ることがある。

相関カリキュラム

生物と化学というように関連性がある2つ以上の教科の共通の内容を関連させたもの。

コアカリキュラム

中心となるテーマを決め、それを子ども一人ひとりが考え、解決していくもの。

融合カリキュラムと広域カリキュラム

融合カリキュラムは、教科の枠をなくして複数の教科の共通の内容を統合するもの。たとえば、日本史、世界史、地理、政治経済などをまとめた社会科など。広域カリキュラムは、融合カリキュラムの領域をさらに広げたもの。

潜在的カリキュラムと顕在的カリキュラム

潜在的カリキュラムは、日常生活のなかで無意識のうちに受ける影響によって、子どものなかに組み込まれていくもの。たとえば、男の子は黒、女の子は赤というような意識。顕在的カリキュラムは、意図的に構成された一般的なカリキュラムのこと。

Point
幼稚園教育要領の5領域は、広域カリキュラム。

教科カリキュラムと経験カリキュラムの違いについて、出題されることが多いです。

▶ 教育評価の類型

絶対評価

目標到達度（その子どもの目標への取り組みや結果）で評価する。目標準拠評価ともいう。

相対評価

クラス全体のなかで、子どもがどのレベルにあるかを表す。5段階評価のように、レベルごとに全体に対する割合を決め、成績上位の子どもから割り振る。

形成的評価

指導するなかで、子どもが指導内容をどの程度理解しているかを評価する。

Point
1単元の学習途中に行われる。

診断的評価

子どもたちのレベルに合わせた指導計画を立てるための評価で、指導を始める前に行う。

ポートフォリオ評価

点数で表すことができない学習内容について、提出したレポートや作品などを子どもが集め、教師と子どもで評価する。保護者が加わることもある。

総括的評価

子どもたちが最終的にどの程度理解しているかによって評価する。教師自身が自分の指導を振り返る際に行う。

17 教育の潮流①

関連科目 教育原理

その時期ごとに「旬」なキーワードがあり、出題されることがあります。概要はこのページで把握し、さらなる詳細は文部科学省のホームページなどで確認するとよいでしょう。

🔑 キーワード

キャリア教育

中央教育審議会により「一人一人の社会的・職業的自立に向け、必要な基盤となる能力や態度を育てることを通して、キャリア発達を促す教育」と定義されている。

リカレント教育

学校教育を終え就職するなどして社会活動に参加したあと、自分の必要性に応じて教育を再度受け、また社会活動に戻るなど社会と学校を交互に行きかう教育をいう。

生涯学習

仕事上必要な知識や技能習得のため、あるいは自分自身の興味や関心について生涯を通じて学ぼうとすること。学び直しという意味でリスキリングという言葉も使われている。

Point
生涯学習を支援する仕組みをつくることを目指している。

▶ 生涯学習

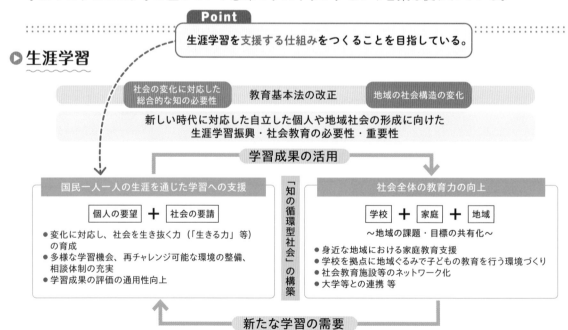

出典：中央教育審議会「新しい時代を切り拓く生涯学習の振興方策について～知の循環型社会の構築を目指して～（答申）」（平成20年2月19日）を一部改変

● GIGAスクール構想

GIGAスクール構想

1人1台端末と、高速大容量の通信ネットワークを一体的に整備することで、特別な支援を必要とする子どもを含め、多様な子どもたちを誰一人取り残すことなく、公正に個別最適化され、資質・能力が一層確実に育成できる教育ICT環境を実現する

これまでの我が国の教育実践と最先端のICTのベストミックスを図ることにより、教師・児童生徒の力を最大限に引き出す

Point

ICT環境整備状況は、世界に遅れをとり、地域間格差も大きいのが現状。

| これまでの教育実践の蓄積 | × | ICT | = | 学習活動の一層の充実
主体的・対話的で深い学びの視点からの授業改善 |

	「1人1台端末」ではない環境		「1人1台端末」の環境
一斉学習	●教師が大型提示装置等を用いて説明し、子どもたちの興味関心意欲を高めることはできる	学びの深化	●教師は授業中でも一人一人の反応を把握できる ➡子どもたち一人一人の反応を踏まえた、双方向型の一斉授業が可能に
個別学習	●全員が同時に同じ内容を学習する（一人一人の理解度等に応じた学びは困難）	学びの転換	●各人が同時に別々の内容を学習 ●個々人の学習履歴を記録 ➡一人一人の教育的ニーズや、学習状況に応じた個別学習が可能
協働学習	●意見を発表する子どもが限られる		●一人一人の考えをお互いにリアルタイムで共有 ●子ども同士で双方向の意見交換が可能に ➡各自の考えを即時に共有し、多様な意見にも即時に触れられる

出典：文部科学省「GIGA スクール構想の実現へ」を一部改変

● アクティブ・ラーニング

主体的・対話的で深い学びの実現
（「アクティブ・ラーニング」の視点からの授業改善）について

「主体的・対話的で深い学び」の視点に立った授業改善を行うことで、学校教育における質の高い学びを実現し、学習内容を深く理解し、資質・能力を身に付け、生涯にわたって能動的（アクティブ）に学び続けるようにすること

主体的な学び

学ぶことに興味や関心を持ち、自己のキャリア形成の方向性と関連付けながら、見通しを持って粘り強く取り組み、自己の学習活動を振り返って次につなげる「主体的な学び」が実現できているか。

対話的な学び

子ども同士の協働、教職員や地域の人との対話、先哲の考え方を手掛かりに考えること等を通じ、自己の考えを広げ深める「対話的な学び」が実現できているか。

深い学び

習得・活用・探究という学びの過程のなかで、各教科等の特質に応じた「見方・考え方」を働かせながら、知識を相互に関連付けてより深く理解したり、情報を精査して考えを形成したり、問題を見いだして解決策を考えたり、思いや考えを基に創造したりすることに向かう「深い学び」が実現できているか。

Point

能動的学習法ともいい、自分で課題をみつけ解決していく。

出典：文部科学省「新しい学習指導要領の考え方－中央教育審議会における議論から改訂そして実施へ－」をもとに作成

関連科目 教育原理

ココをおさえよう！

ここでも、教育界で近年注目されているキーワードを解説しています。保育・幼児教育というより、小学校以上の教育のキーワードですが、出題実績もあるので知識として覚えておきましょう。

🔑 キーワード

ESD

持続可能な開発のための教育。現代社会の課題を自分の問題としてとらえ、身近なところから取り組むことで課題の解決につながる新たな価値観や行動を生み出し、それによって持続可能な社会を目指して学習や活動を行う。

SDGs

2015年の国連サミットで採択された「持続可能な開発のための2030アジェンダ」に盛り込まれた持続可能な世界を実現するための2016〜2030年までの国際目標。

Society5.0(超スマート社会)

ICTを最大限に活用し、サイバー空間（仮想空間）とフィジカル空間（現実空間）とを融合させたシステムにより、経済発展と社会的課題の解決を両立させる人間中心の社会。

▶ ESD（持続可能な開発のための教育）

2002年	ESDを日本が初めて提唱。その後、ユネスコを主導機関として国際的に推進
2014年	ESD世界会議を日本で開催
2015年	国連においてSDGsが採択
2019年	公正で持続可能な世界を目指す「ESD for 2030」という新たな国際枠組みを国連総会が採択
2021年	ESD世界会議をキックオフとして「ESD for 2030」が本格始動

Point

環境、貧困、人権、平和、開発など世界のさまざまな課題を解決する人材を育成する。

地域の多様な関係者（学校、教育委員会、大学、企業、NPO、社会教育施設など）の協働など、さまざまな方策によりESDの実践を促進

持続可能な社会の創り手を育む

出典：文部科学省・環境省「我が国における「持続可能な開発のための教育（ESD）」に関する実施計画（第2期ESD国内実施計画）の策定について」（令和3年5月）を一部改変

▶ SDGs（持続可能な開発目標）

持続可能な開発目標（SDGs）

■ 2015年9月の国連サミットで全会一致で採択。「誰一人取り残さない」持続可能で多様性と包摂性のある社会の実現のため、2030年を年限とする17の国際目標（その下に、169のターゲット、231の指標が決められている）。

すべての女性・女児に対するあらゆる差別をなくす、政治や経済や社会での物事の決定に女性も男性と同じように参加したりリーダーになったりできるようにするなどの目標がある。

世界の子どもの6人に1人（3億5,600万人）が極度に貧しい暮らしをしているとされ、そうした人々をなくすことなどを目指している。

この項目の目標の1つは、販売店・消費者によって捨てられる食料（1人当たりの量）を、2030年までに半分に減らすこと。

▶ STEAM教育

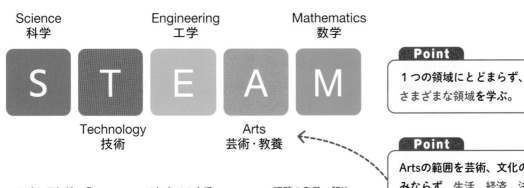

Science
科学

Engineering
工学

Mathematics
数学

Technology
技術

Arts
芸術・教養

Point
1つの領域にとどまらず、さまざまな領域を学ぶ。

Point
Artsの範囲を芸術、文化のみならず、生活、経済、法律、政治、倫理等を含めた広い範囲（リベラルアーツ）で定義し、推進することが重要とされている。

AIやIoTなどの急速な技術の進展により社会が激しく変化し、多様な課題が生じている → これまでの文系・理系といった枠にとらわれない能力を、STEAM教育で育成 → 課題の発見・解決や社会的な創造

19 社会の現状① 少子高齢化

関連科目　子ども家庭福祉　社会福祉　保育の心理学　教育原理

ココをおさえよう！

日本の少子高齢化に関する資料です。深刻な社会問題であると同時に、福祉系の科目では頻繁に出題されています。最新の情報、数値をチェックしておきましょう。

🔑 キーワード

合計特殊出生率

15～49歳までの女性の年齢別出生率の合計。言い換えると1人の女性が一生の間に産む子どもの数とされる。

高齢化率

65歳以上の人口が総人口に占める割合をいう。7％を超えると高齢化社会、14％を超えると高齢社会、21％を超えると超高齢社会とよばれる。日本の高齢化率は29.1％（2023年10月1日現在推計）。

人口置換水準

現在の人口を維持していくうえで必要な合計特殊出生率のこと。現在の日本では、2.07とされる。

▶ 合計特殊出生率の推移

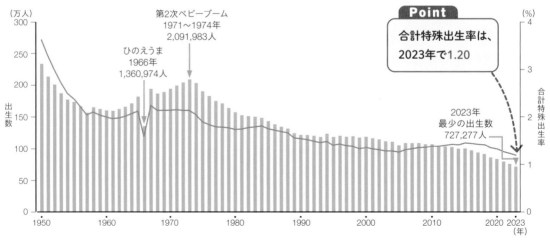

出典：厚生労働省「令和4年（2022）人口動態統計（確定数）の概況」を一部改変

● 年齢（5歳階級）別未婚率の推移

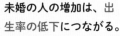

Point
未婚の人の増加は、出生率の低下につながる。

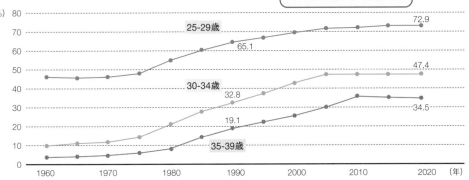

出典：こども家庭庁「令和6年版こども白書」を一部改変

● 諸外国における年齢3区分の人口割合

国名	年齢（3区分）別割合（%）		
	0〜14歳	15〜64歳	65歳以上
世界	25.4	65.2	9.3
日本	11.9	59.5	28.6
シンガポール	12.3	74.3	13.4
韓国	12.5	71.7	15.8
イタリア	13.0	63.7	23.3
ドイツ	14.0	64.4	21.7
スペイン	14.4	65.6	20.0
ポーランド	15.2	66.0	18.7
カナダ	15.8	66.1	18.1
スウェーデン	17.6	62.0	20.3
フランス	17.7	61.6	20.8
イギリス	17.7	63.7	18.7

Point
他国に比べ、日本の0〜14歳の割合は11.9％と低いが、65歳以上の割合は28.6％と高い（2020年）。

国名	0〜14歳	15〜64歳	65歳以上
中国	17.7	70.3	12.0
ロシア	18.4	66.1	15.5
アメリカ合衆国	18.4	65.0	16.6
アルゼンチン	24.4	64.2	11.4
インド	26.2	67.3	6.6
南アフリカ共和国	28.8	65.7	5.5

資料：United Nations"World Population Prospects 2019"を基に作成。
諸外国は2020年の数値、日本は総務省「令和2年国勢調査」の結果（不詳補完値）による。

出典：内閣府「令和4年版少子化社会対策白書」を一部改変

社会の現状② ひとり親家庭など

関連科目　子ども家庭福祉　社会福祉　保育の心理学　教育原理

ココをおさえよう！

2022年の離婚件数は約18万組となっています。ひとり親になると、生活の維持と子どもの養育という2つの責任を担うため、さまざまな支援制度が必要となります。

 キーワード

核家族

夫婦のみ、夫婦と未婚の子どものみ、ひとり親と未婚の子どものみの世帯をいう。日本では、世帯総数の約60％（2022年）を占める。

ひとり親世帯

父親または母親と未婚の子どものみの世帯をいう。2016年までの約30年間で母子世帯は約1.5倍、父子世帯は約1.1倍に増加。2022年には「児童のいる世帯」の6.3％を占めた。

ステップファミリー

子どもと一緒に結婚や同居（事実婚）してできた新しい家族や家庭をいう。子どもにとっては、親の新たなパートナーやその子どもなどと関係を結ぶことで大きな変化を経験する。

▶ 家族の人数の変化（家族類型別世帯割合）

Point

単独世帯や核家族が多い。平均世帯人員は、1953年：5人から2022年：2.25人に減少。

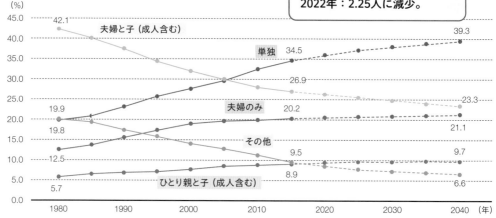

備考　1.国立社会保障・人口問題研究所「人口統計資料集（2020）」、「日本の世帯数の将来推計（全国推計）（2018（平成30）年推計）」より内閣府男女共同参画局作成。
　　　2.「子」とは親族内の最も若い「夫婦」からみた「子」にあたる続き柄の世帯員であり、成人を含む。

出典：内閣府男女共同参画局「結婚と家族をめぐる基礎データ」（令和4年2月）を一部改変

● ひとり親家庭

ひとり親世帯の状況

	母子世帯	父子世帯	一般世帯（参考）
就業率	81.8%	85.4%	女性70.9% 男性84.2%
雇用者のうち正規	47.7%	89.7%	女性46.5% 男性82.4%
雇用者のうち非正規	52.3%	10.3%	女性53.5% 男性17.6%
平均年間就労収入	200万円 正規：305万円 パート・アルバイト等：133万円	398万円 正規：428万円 パート・アルバイト等：190万円	平均給与所得 女性296万円 男性540万円
養育費受取率	24.3%	3.2%	―

> **Point**
> 平均年間就労収入は一般世帯より低い。特に母子家庭で顕著。

※母子世帯及び父子世帯は厚生労働省「全国ひとり親世帯等調査（平成28年度）」、一般世帯は総務省「労働力調査（令和元年）15〜64歳」、国税庁「民間給与実態統計調査（令和元年）」

出典：内閣府男女共同参画局「結婚と家族をめぐる基礎データ」（令和4年2月）を一部改変

小学校入学前児童の保育状況

> **Point**
> 母子世帯、父子世帯ともに保育所の利用が多い。

※令和3年推計値。世帯数、（ ）%。

	総数	母・父	家族	親戚	保育所	幼稚園	認定こども園	保育ママ ベビー シッター	その他	不詳
母子世帯	269,880 (100.0)	44,110 (16.3)	3,720 (1.4)	408 (0.2)	134,046 (49.7)	20,691 (7.7)	39,034 (14.5)	0 (0.0)	841 (0.3)	27,029 (10.0)
父子世帯	13,376 (100.0)	731 (5.5)	1,179 (8.8)	0 (0.0)	4,902 (36.7)	1,685 (12.6)	1,501 (11.2)	0 (0.0)	0 (0.0)	3,378 (25.3)

出典：厚生労働省「令和3年度全国ひとり親世帯等調査結果報告」を一部改変

● 離婚・再婚とステップファミリー

> **Point**
> 未成年の子どもがいる世帯の離婚件数は、9万4,565件（2022年）で、離婚全体の約5割。また、全婚姻件数のうち、約4分の1が再婚。

> ステップファミリーという家族形態は、まだまだ認知度が低いといえます。

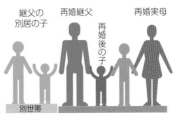

再婚実父　初婚継母　再婚実母　初婚継父　再婚後の子　子連れ同士　継父の別居の子　再婚継父　再婚後の子　再婚実母　別世帯

出典：SAJ・野沢慎司編、緒倉珠巳・野沢慎司・菊地真理『ステップファミリーのきほんをまなぶ—離婚・再婚と子どもたち』（金剛出版、2018年）をもとに作成

21 社会の現状③ ワンオペ育児など

関連科目 子ども家庭福祉 保育の心理学 保育原理 社会福祉

ワンオペ（ワンオペレーション＝一人作業）育児は、当事者たちが使う俗語でしたが、2017年に流行語大賞にノミネートされて以降、一般的な用語として定着しました。

ココをおさえよう！

🔑 キーワード

ワンオペ育児

パートナーの単身赴任や残業などによって、夫婦のどちらか一方が一人で家事や育児を行っている状態のこと。

ダブルケア

親の介護と育児を行ったり、障害のある子どもの介護と他の子どもの育児を行っている状態のこと。

多文化共生

国籍や民族が異なる人々が、お互いの文化的違いを認め、対等な関係を築く努力をしながら地域社会の構成員としてともに生きていくことをいう。

▶ ワンオペ育児

共働き世帯の増加

共働き世帯数と専業主婦世帯数の推移（妻が64歳以下の世帯）

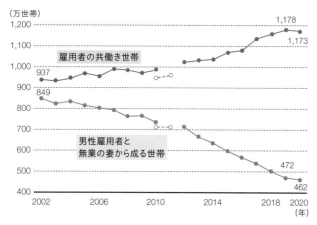

出典：内閣府男女共同参画局「結婚と家族をめぐる基礎データ」（令和4年2月）を一部改変

家事・育児関連の時間

6歳未満の子どもを持つ夫婦の家事・育児関連の1日当たりの時間（2021年）

	妻	夫
家事・育児関連時間	7時間28分	1時間54分
上記のうちの育児の時間	3時間54分	1時間5分

出典：総務省「令和3年社会生活基本調査」を一部改変

Point

共働き世帯が増加。家事・育児の時間は、妻と夫で大きな差がある。

▶ ダブルケア

ダブルケアを行う者の人数(平成24年)

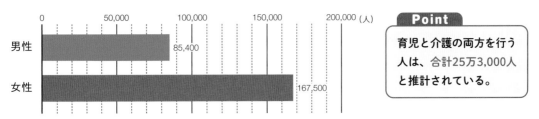

Point

育児と介護の両方を行う人は、合計25万3,000人と推計されている。

ダブルケアのイメージ

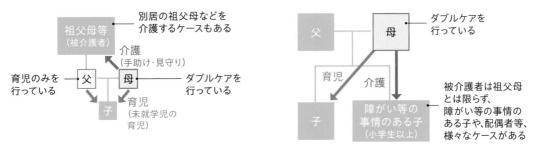

出典：内閣府「育児と介護のダブルケアの実態に関する調査報告書」平成28年を一部改変

▶ 外国籍・外国にルーツのある子ども

保育所における在園時の課題(あてはまるものすべて)

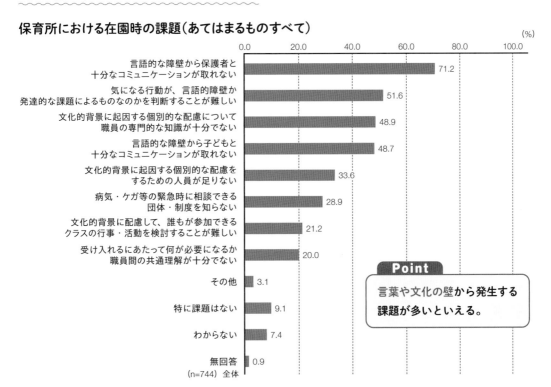

Point

言葉や文化の壁から発生する課題が多いといえる。

出典：三菱ＵＦＪリサーチ＆コンサルティング「令和元年度子ども・子育て支援推進調査研究事業　保育所等における外国籍等の子ども・保護者への対応に関する調査研究事業報告書」(令和2(2020)年3月)を一部改変

関連科目 子ども家庭福祉　社会福祉　保育の心理学

日本では、7人に1人の子どもが貧困状態にあるといわれています。「子どもの貧困」とは、「相対的貧困」のことをいいます。ここでは貧困に関係するさまざまな調査を紹介していきます。

🔑 キーワード

相対的貧困率

　貧困線に満たない世帯員の割合。2018年は15.4％。貧困線とは、等価可処分所得の**中央値**の半分の額で、2018年の貧困線は127万円。等価可処分所得は、税金などを差し引いた世帯の年間可処分所得、その世帯の人員（所得のない子どもも含む）から算出される。

子どもの貧困率

　17歳以下の子ども全体に占める、貧困線に満たない子どもの割合。子どもの貧困率は、相対的貧困率とともに2012年まで上昇し、2013年に「子どもの貧困対策の推進に関する法律」が制定された。

貧困の連鎖

　親の貧困が子どもの貧困につながっていくこと。所得格差が教育格差や健康格差などを生じさせ、成人後の就業の選択肢が狭められ、貧困から抜け出すことが難しくなる。

▶ 貧困率の年次推移

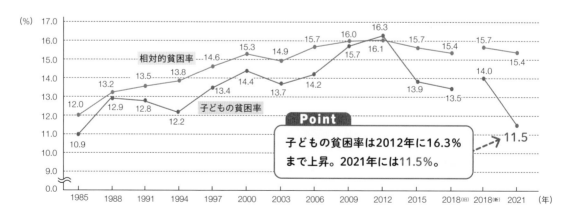

※OECDの所得定義の新基準に基づいて算出した場合、2018年の「相対的貧困率」は15.7％、「子どもの貧困率」は14.0％になる。

出典：厚生労働省「2022（令和4）年　国民生活基礎調査の概況」を一部改変

生活の状況

暮らしの状況についての認識（等価世帯収入の水準別）

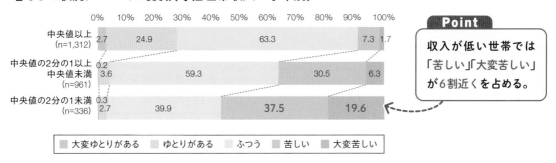

Point
収入が低い世帯では「苦しい」「大変苦しい」が6割近くを占める。

凡例： ■ 大変ゆとりがある ■ ゆとりがある ■ ふつう ■ 苦しい ■ 大変苦しい

等価世帯収入の水準別、食料が買えなかった経験

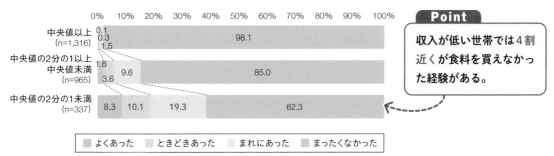

Point
収入が低い世帯では4割近くが食料を買えなかった経験がある。

凡例： ■ よくあった ■ ときどきあった ■ まれにあった ■ まったくなかった

子供が小さいころ絵本の読み聞かせをしたか
（等価世帯収入の水準別、絵本の読み聞かせについて子供との関わり方）

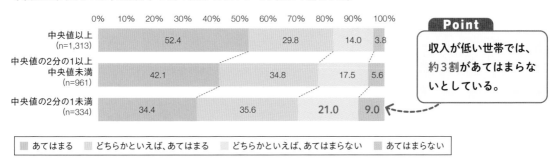

Point
収入が低い世帯では、約3割があてはまらないとしている。

凡例： ■ あてはまる ■ どちらかといえば、あてはまる ■ どちらかといえば、あてはまらない ■ あてはまらない

等価世帯収入の水準別、保護者の心理的な状態（K6のスコア）

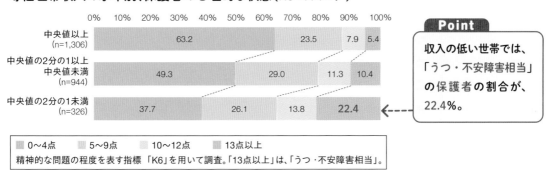

Point
収入の低い世帯では、「うつ・不安障害相当」の保護者の割合が、22.4%。

凡例： ■ 0〜4点 ■ 5〜9点 ■ 10〜12点 ■ 13点以上
精神的な問題の程度を表す指標「K6」を用いて調査。「13点以上」は、「うつ・不安障害相当」。

出典：内閣府「令和3年 子供の生活状況調査の分析 報告書」を一部改変

年齢階級別被保護人員の年次推移

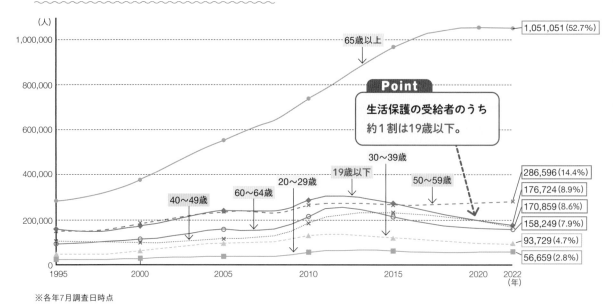

※各年7月調査日時点

出典：厚生労働省「社会・援護局関係主管課長会議資料　令和6年3月」2024年をもとに作成

高等学校等、大学等進学率の推移

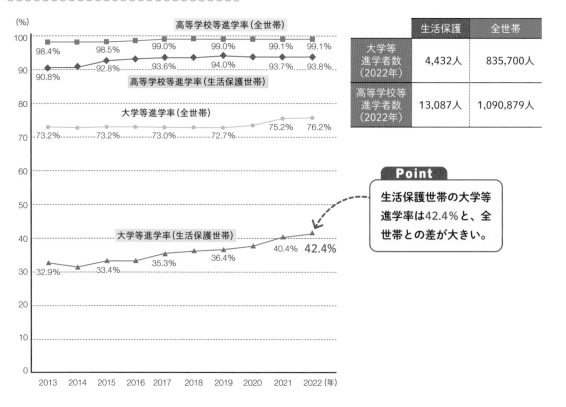

	生活保護	全世帯
大学等 進学者数 （2022年）	4,432人	835,700人
高等学校等 進学者数 （2022年）	13,087人	1,090,879人

出典：厚生労働省「社会・援護局関係主管課長会議資料　令和6年3月」2024年をもとに作成

第 2 章

保育・教育・児童福祉に関する法律と制度

第2章では、保育・教育に関する法律と、福祉系科目で扱う領域の法律について学んでいきます。法律ごとにコンパクトにまとめてあるので、苦手な人はとくによく確認しましょう！

 この章のキーワード

教育基本法　学校教育法　幼稚園教育要領　子ども・子育て支援新制度

こども基本法　児童福祉法　社会的養護　児童福祉施設　児童虐待

教育基本法

関連科目 教育原理 保育原理

教育基本法は、教育の根幹をなす法律になります。抽象的な文言が多いのですが、保育士試験では条文の抜粋や、学校教育法や幼稚園教育要領と混在した紛らわしい問題が出題されています。

🔑 キーワード

教育基本法

第二次世界大戦後の1947（昭和22）年に旧教育基本法が制定された。2006（平成18）年の大改正で現在の教育基本法になり、「家庭教育」「幼児期の教育」についての内容が加わった。

家庭教育（第10条）

父母やその他の保護者は、子どもの教育について第一義的責任があること、そして、生活のために必要な習慣を身につけさせることや自立心の育成などを家庭教育として規定した。

幼児期の教育（第11条）

幼児期の教育を「生涯にわたる人格形成の基礎を培う重要なものである」と規定した。国および地方公共団体には幼児期の教育の振興の努力義務がある。

義務教育（第5条）

日本国憲法でいう普通教育は、教育基本法では義務教育とされている。小学校、中学校での教育が当てはまる。国と地方公共団体は実施に責任を負っている。

▶ 教育基本法の基礎知識

制定　1947（昭和22）年（学校教育法と同年）

教育の目的　人格の完成、心身ともに健康な国民の育成（第1条）

計画　教育振興基本計画（政府に策定義務。地方公共団体は努力義務）（第17条）

概要　教育の目的（第1条）、教育の目標（第2条）、生涯学習の理念（第3条）、教育の機会均等（第4条）、義務教育（第5条）、家庭教育（第10条）、幼児期の教育（第11条）、社会教育（第12条）などについて規定し、日本の教育の基本方針を確立

Point

幼児期の教育の振興は、国と地方公共団体の努力義務。

憲法との関係　日本国憲法第26条第1項「すべて国民は、（中略）ひとしく教育を受ける権利を有する。」、同条第2項「すべて国民は、（中略）普通教育を受けさせる義務を負ふ。義務教育は、これを無償とする。」という規定に則っている

教育基本法の重要条文

| 第1章　教育の目的及び理念 | 第1条 教育の目的 | 教育は、人格の完成を目指し、平和で民主的な国家及び社会の形成者として必要な資質を備えた心身ともに健康な国民の育成を期して行われなければならない。 |

第2条 教育の目標

教育は、その目的を実現するため、学問の自由を尊重しつつ、次に掲げる目標を達成するよう行われるものとする。

一　幅広い知識と教養を身に付け、真理を求める態度を養い、豊かな情操と道徳心を培うとともに、健やかな身体を養うこと。

二　個人の価値を尊重して、その能力を伸ばし、創造性を培い、自主及び自律の精神を養うとともに、職業及び生活との関連を重視し、勤労を重んずる態度を養うこと。

三　正義と責任、男女の平等、自他の敬愛と協力を重んずるとともに、公共の精神に基づき、主体的に社会の形成に参画し、その発展に寄与する態度を養うこと。

四　生命を尊び、自然を大切にし、環境の保全に寄与する態度を養うこと。

五　伝統と文化を尊重し、それらをはぐくんできた我が国と郷土を愛するとともに、他国を尊重し、国際社会の平和と発展に寄与する態度を養うこと。

第3条 生涯学習の理念

国民一人一人が、自己の人格を磨き、豊かな人生を送ることができるよう、その生涯にわたって、あらゆる機会に、あらゆる場所において学習することができ、その成果を適切に生かすことのできる社会の実現が図られなければならない。

第4条 教育の機会均等

第1項　すべて国民は、ひとしく、その能力に応じた教育を受ける機会を与えられなければならず、人種、信条、性別、社会的身分、経済的地位又は門地によって、教育上差別されない。

> 憲法第26条第1項の規定による。

第2項　国及び地方公共団体は、障害のある者が、その障害の状態に応じ、十分な教育を受けられるよう、教育上必要な支援を講じなければならない。

第3項　国及び地方公共団体は、能力があるにもかかわらず、経済的理由によって修学が困難な者に対して、奨学の措置を講じなければならない。

Point

憲法第26条第2項の規定による、教育を受けさせる義務。

| 第2章　教育の実施に関する基本 | 第5条 義務教育 | 第1項　国民は、その保護する子に、別に法律で定めるところにより、普通教育を受けさせる義務を負う。 |

第10条 家庭教育

第1項　父母その他の保護者は、子の教育について第一義的責任を有するものであって、生活のために必要な習慣を身に付けさせるとともに、自立心を育成し、心身の調和のとれた発達を図るよう努めるものとする。

第11条 幼児期の教育

幼児期の教育は、生涯にわたる人格形成の基礎を培う重要なものであることにかんがみ、国及び地方公共団体は、幼児の健やかな成長に資する良好な環境の整備その他適当な方法によって、その振興に努めなければならない。

2 学校教育法

関連科目 教育原理　保育原理

> 学校教育法は、教育基本法よりも具体的な内容が記されています。保育士試験では、学校の定義や右ページに示した重要条文からの抜粋が出題されやすいので、しっかり理解しておきましょう。

🔑 キーワード

学校教育法

　教育基本法の理念、考え方をもとに、学校教育制度について具体的に定めた法律で、1947（昭和22）年に教育基本法と同時に制定された。

学校の定義（第1条）

　学校とは、幼稚園、小学校、中学校、義務教育学校、高等学校、中等教育学校、特別支援学校、大学、高等専門学校をいい、**幼稚園も含まれている**。義務教育学校は9年の小中一貫校（第49条の2）、中等教育学校は6年の中高一貫校（第63条）。

幼稚園教育の5つの目標（第23条）

　義務教育以降の教育の基礎を培うという幼稚園教育の目的を達成するための目標を、健康・人間関係・環境・言葉・表現の5つの領域で規定している（領域は「保育所保育指針」「幼稚園教育要領」「幼保連携型認定こども園教育・保育要領」と共通）。

▶ 学校教育法の基礎知識

制定　1947（昭和22）年（教育基本法と同年）

概要　学校の定義（第1条）、各学校の目的、目標、教育内容、修業年限、就学年齢、人員配置、授業料（第6条）、入学資格などを具体的に規定。小学校は6年（第32条）、中学校は3年（第47条）と規定

憲法との関係　日本国憲法第26条第1項、第2項の規定に則って定められた教育基本法の理念をもとに、学校制度を具体的に定めた法律が学校教育法
学校教育法は、第16条において、保護者には子どもに9年の普通教育（義務教育）を受けさせる義務があることを規定しており、憲法の理念が具体化された法律

> **Point**
> 幼稚園は、満3歳～小学校就学の始期に達するまでの幼児が入園できる。

68

学校教育法の重要条文

| 第1章 総則 | 第11条 体罰禁止 | 校長及び教員は、教育上必要があると認めるときは、文部科学大臣の定めるところにより、児童、生徒及び学生に懲戒を加えることができる。ただし、体罰を加えることはできない。 |

Point いかなる場合も体罰禁止。

| 第1章 総則 | 第12条 健康診断等 | 学校においては、別に法律で定めるところにより、幼児、児童、生徒及び学生並びに職員の健康の保持増進を図るため、健康診断を行い、その他その保健に必要な措置を講じなければならない。 |

Point 健康診断の内容は、学校保健安全法施行規則に規定。

| 第2章 義務教育 | 第16条 義務教育 | 保護者（子に対して親権を行う者（親権を行う者のないときは、未成年後見人）をいう。以下同じ。）は、次条に定めるところにより、子に9年の普通教育を受けさせる義務を負う。 |

| 第3章 幼稚園 | 第22条 幼稚園の目的 | 幼稚園は、義務教育及びその後の教育の基礎を培うものとして、幼児を保育し、幼児の健やかな成長のために適当な環境を与えて、その心身の発達を助長することを目的とする。 |

Point 義務教育以降の教育の基礎にもなる。

| 第3章 幼稚園 | 第23条 幼稚園教育の目標 | 幼稚園における教育は、前条に規定する目的を実現するため、次に掲げる目標を達成するよう行われるものとする。 |

一　健康、安全で幸福な生活のために必要な基本的な習慣を養い、身体諸機能の調和的発達を図ること。

二　集団生活を通じて、喜んでこれに参加する態度を養うとともに家族や身近な人への信頼感を深め、自主、自律及び協同の精神並びに規範意識の芽生えを養うこと。

三　身近な社会生活、生命及び自然に対する興味を養い、それらに対する正しい理解と態度及び思考力の芽生えを養うこと。

四　日常の会話や、絵本、童話等に親しむことを通じて、言葉の使い方を正しく導くとともに、相手の話を理解しようとする態度を養うこと。

五　音楽、身体による表現、造形等に親しむことを通じて、豊かな感性と表現力の芽生えを養うこと。

Point 地域住民からの幼児教育に関する相談への対応も幼稚園の役割。

| 第3章 幼稚園 | 第24条 幼児期の教育の支援 | 幼稚園においては、第22条に規定する目的を実現するための教育を行うほか、幼児期の教育に関する各般の問題につき、保護者及び地域住民その他の関係者からの相談に応じ、必要な情報の提供及び助言を行うなど、家庭及び地域における幼児期の教育の支援に努めるものとする。 |

3 幼稚園教育要領

ココをおさえよう！

学校教育法にあった幼稚園の目的や目標を、さらに具体化して示したものが幼稚園教育要領です。保育所保育指針と共通するところが多いため、ここは勉強しやすいと思います。

🔑 キーワード

幼稚園教育要領（大臣告示）

学校教育法第25条の規定により、**幼稚園の教育課程の基準を文部科学大臣が定め**、官報を通じて国民に公表したもの。従わなければならないという**法的拘束力**をもつ。

幼稚園教育

学校教育法に規定されている目的・目標を達成するために**幼児期の特性**を踏まえて**環境**を通して行われる。

教育課程

幼稚園は、教育課程に沿って教育を**年間39週以上**行わなければならない。また、1日の教育時間は4時間を標準としている。

▶ 幼稚園教育要領の基礎知識

制定 1948（昭和23）年保育要領-幼児教育の手引き-として制定。1956（昭和31）年に幼稚園教育要領となる。1964（昭和39）年改訂から大臣告示になり、法的拘束力をもった。現在は2017（平成29）年告示が施行

概要 幼稚園教育の基本、「幼児期の終わりまでに育ってほしい姿」、教育課程の役割と編成等、指導計画の作成と評価、特別な配慮を必要とする幼児への指導、教育時間終了後等に行う教育活動など（第1章）、ねらい及び内容（第2章）を規定

Point

ねらい及び内容の5領域は保育所保育指針、学校教育法、幼保連携型認定こども園教育・保育要領と共通。

▶ 幼稚園教育要領前文（抜粋）

　これからの幼稚園には、学校教育の始まりとして、こうした教育の目的及び目標の達成を目指しつつ、一人一人の幼児が、将来、自分のよさや可能性を認識するとともに、あらゆる他者を価値のある存在として尊重し、多様な人々と協働しながら様々な社会的変化を乗り越え、豊かな人生を切り拓き、持続可能な社会の創り手となることができるようにするための基礎を培うことが求められる。

● 幼稚園教育の基本（第1章総則　第1より）

教師は、幼児との信頼関係を十分に築き、幼児が身近な環境に主体的に関わり、環境との関わり方や意味に気付き、これらを取り込もうとして、試行錯誤したり、考えたりするようになる幼児期の教育における見方・考え方を生かし、幼児と共によりよい教育環境を創造するように努めるものとする。

重視する事項

Point
幼児の一人一人の特性に応じた指導が重要。

1 幼児は安定した情緒の下で自己を十分に発揮することにより発達に必要な体験を得ていくものであることを考慮して、幼児の主体的な活動を促し、幼児期にふさわしい生活が展開されるようにすること。

2 幼児の自発的な活動としての遊びは、心身の調和のとれた発達の基礎を培う重要な学習であることを考慮して、遊びを通しての指導を中心として第2章に示すねらいが総合的に達成されるようにすること。

3 幼児の発達は、心身の諸側面が相互に関連し合い、多様な経過をたどって成し遂げられていくものであること、また、幼児の生活経験がそれぞれ異なることなどを考慮して、幼児一人一人の特性に応じ、発達の課題に即した指導を行うようにすること。

● 指導計画の作成上の留意事項（第1章総則　第4より）

（1）長期的に発達を見通した年、学期、月などにわたる長期の指導計画やこれとの関連を保ちながらより具体的な幼児の生活に即した週、日などの短期の指導計画を作成し、適切な指導が行われるようにすること。特に、週、日などの短期の指導計画については、幼児の生活のリズムに配慮し、幼児の意識や興味の連続性のある活動が相互に関連して幼稚園生活の自然な流れの中に組み込まれるようにすること。

（2）幼児が様々な人やものとの関わりを通して、多様な体験をし、心身の調和のとれた発達を促すようにしていくこと。その際、幼児の発達に即して主体的・対話的で深い学びが実現するようにするとともに、心を動かされる体験が次の活動を生み出すことを考慮し、一つ一つの体験が相互に結び付き、幼稚園生活が充実するようにすること。

（3）言語に関する能力の発達と思考力等の発達が関連していることを踏まえ、幼稚園生活全体を通して、幼児の発達を踏まえた言語環境を整え、言語活動の充実を図ること。

（4）幼児が次の活動への期待や意欲をもつことができるよう、幼児の実態を踏まえながら、教師や他の幼児と共に遊びや生活の中で見通しをもったり、振り返ったりするよう工夫すること。

（5）行事の指導に当たっては、幼稚園生活の自然の流れの中で生活に変化や潤いを与え、幼児が主体的に楽しく活動できるようにすること。なお、それぞれの行事についてはその教育的価値を十分検討し、適切なものを精選し、幼児の負担にならないようにすること。

（6）幼児期は直接的な体験が重要であることを踏まえ、視聴覚教材やコンピュータなど情報機器を活用する際には、幼稚園生活では得難い体験を補完するなど、幼児の体験との関連を考慮すること。

Point
コンピュータは幼児の体験と関連させて活用する。

（7）幼児の主体的な活動を促すためには、教師が多様な関わりをもつことが重要であることを踏まえ、教師は、理解者、共同作業者など様々な役割を果たし、幼児の発達に必要な豊かな体験が得られるよう、活動の場面に応じて、適切な指導を行うようにすること。

（8）幼児の行う活動は、個人、グループ、学級全体などで多様に展開されるものであることを踏まえ、幼稚園全体の教師による協力体制を作りながら、一人一人の幼児が興味や欲求を十分に満足させるよう適切な援助を行うようにすること。

4 少子化社会対策基本法

関連科目 子ども家庭福祉　保育原理　社会福祉

1.57ショック以降、約30年にわたって少子化対策として国が取り組んできた内容についてです。法律や大綱、具体的な数値などからの正誤問題や年代別の施策など、幅広く出題されています。

 キーワード

少子化社会対策基本法

　21世紀に入り、少子化の進展に歯止めをかけることが必要となったため、少子化対策に関する施策の基本理念を明らかにする基本法として2003（平成15）年に成立。国、地方公共団体、事業主の責務に加え国民の責務も規定。

こども大綱

　こどもまんなか社会（すべてのこども・若者が身体的・精神的・社会的に幸福な生活を送ることができる社会）を目指して策定された大綱。以前は「少子化社会対策大綱」「子供・若者育成支援推進大綱」「子供の貧困対策の推進に関する大綱」だったものが、こども基本法に基づき一本化された。

こども白書

　以前は、「少子化社会対策白書」「子供・若者白書」「子供の貧困の状況及び子供の貧困対策の実施の状況」だったものが一本化され、令和6年6月に閣議決定された。日本におけるこどもをめぐる状況や政府のこども施策の実施状況について報告されている。

▶ 少子化社会対策基本法の基礎知識

制定　2003（平成15）年

目的　少子化に対処するための施策を総合的に推進し、国民が豊かで安心して暮らすことのできる社会の実現に寄与すること（第1条）。

概要　少子化社会対策施策の基本理念を明らかにして、少子化に的確に対応するための施策を総合的に推進するための法律。雇用環境の整備（第10条）、保育サービス等の充実（第11条）、地域社会における子育て支援体制の整備（第12条）、母子保健医療体制の充実等（第13条）などを基本的施策として規定

大綱　少子化社会対策大綱（国に策定の義務）（第7条）

少子化社会対策基本法の重要条文

第2条　施策の基本理念

> **Point**
> 保護者に子育ての第一義的責任があるとしている。

少子化に対処するための施策は、父母その他の保護者が子育てについての第一義的責任を有するとの認識の下に、国民の意識の変化、生活様式の多様化等に十分留意しつつ、男女共同参画社会の形成とあいまって、家庭や子育てに夢を持ち、かつ、次代の社会を担う子どもを安心して生み、育てることができる環境を整備することを旨として講ぜられなければならない。

伴走型相談支援と経済的支援による少子化対策のイメージ

> **Point**
> 妊娠期から子育て期にわたる切れ目のない支援を目指す。

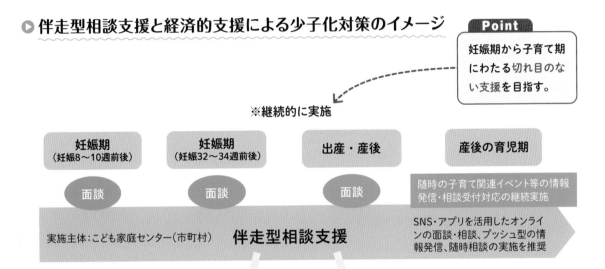

出典：こども家庭庁ホームページ「出産・子育て応援交付金」を一部改変

こども大綱の数値目標と指標（少子化対策関連を抜粋）

【目標】

項目	目標	現状
「こども政策に関して自身の意見が聴いてもらえている」と思うこども・若者の割合	70%	20.3%（2023年）
「結婚、妊娠、こども・子育てに温かい社会の実現に向かっている」と思う人の割合	70%	27.8%（2023年）
「こどもの世話や看病について頼れる人がいる」と思う子育て当事者の割合	90%	83.1%（2022年）

【指標】

項目	現状
夫婦の平均理想こども数	2.25人（2021年）
夫婦の平均予定こども数	2.01人（2021年）
未婚者の平均希望こども数	男性1.82人 女性1.79人（2021年）
「保護者の子育てが地域で支えられている」と思う人の割合	30.7%（2023年）

出典：こども家庭庁「こども大綱」2023年

◉ 少子化対策の歩み

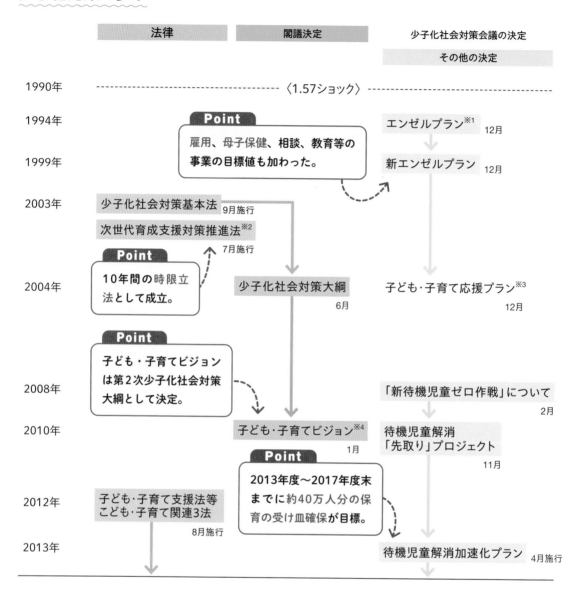

法律	閣議決定	少子化社会対策会議の決定
		その他の決定

1990年 ·········〈1.57ショック〉·········

1994年
Point
雇用、母子保健、相談、教育等の事業の目標値も加わった。

エンゼルプラン※1 12月

1999年
新エンゼルプラン 12月

2003年
少子化社会対策基本法 9月施行
次世代育成支援対策推進法※2 7月施行

Point
10年間の時限立法として成立。

2004年
少子化社会対策大綱 6月
子ども・子育て応援プラン※3 12月

Point
子ども・子育てビジョンは第2次少子化社会対策大綱として決定。

2008年
「新待機児童ゼロ作戦」について 2月

2010年
子ども・子育てビジョン※4 1月
待機児童解消「先取り」プロジェクト 11月

Point
2013年度〜2017年度末までに約40万人分の保育の受け皿確保が目標。

2012年
子ども・子育て支援法等こども・子育て関連3法 8月施行

2013年
待機児童解消加速化プラン 4月施行

※1　エンゼルプラン（1995〜1999年度）
出生率の低下と子どもの数の減少を問題としてとらえ、今後10年間に取り組むべき基本的方向と重点施策を定めた。エンゼルプランを実施するため、「緊急保育対策等5か年事業」が策定された。

※2　次世代育成支援成対策推進法（2003年7月施行）
子供を育成する家庭を社会全体で支援する観点から、地方公共団体・企業における10年間の集中的・計画的な取組みを促進するための法律。地方公共団体と事業主がそれぞれ行動計画を策定し実施することとなった。

※3　子ども・子育て応援プラン（2005〜2009年度）
少子化社会対策大綱に盛り込まれた施策の効果的な推進を図るために決定された。国が5年間に講ずる具体的な施策内容と目標を掲げた。

※4　子ども・子育てビジョン（新たな大綱）（2010年1月〜2015年3月）
3つの大切な姿勢として「生命（いのち）と育ちを大切にする」「困っている声に応える」「生活（くらし）を支える」を示し、これらを踏まえ「目指すべき社会への政策4本柱」と「12の主要施策」にしたがって、具体的な取り組みを進めることとされた。

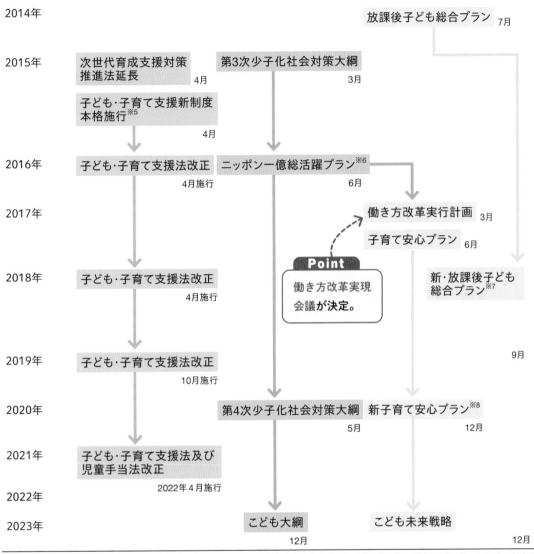

出典：内閣府「令和4年版少子化社会対策白書」第1部第2章　第1-2-5図を一部改変

※5　子ども・子育て支援新制度
2012年に成立した子ども・子育て関連3法に基づく制度が2015年4月から本格施行された。この制度では、認定こども園・幼稚園・保育所に共通の給付（施設型給付）が創設された。同時に内閣府に「子ども・子育て本部」が設置された。

※6　ニッポン一億総活躍プラン（2016〜2025年度）
「希望出生率1.8」の実現に向け、若者の雇用安定・待遇改善、多様な保育サービスの充実、働き方改革の推進など2016〜2025年度の10年間のロードマップを示した。

※7　新・放課後子ども総合プラン（2019〜2023年度）
共働き家庭等の「小1の壁」を打破し、放課後児童クラブの待機児童を解消するため、2019〜2023年度末までに約30万人分の受け皿を整備するとした計画。整備にあたっては、約80％を小学校内で実施することを目指すとしている。

※8　新子育て安心プラン（2021〜2024年度）
できるだけ早く待機児童の解消を目指すとともに、女性（25〜44歳）の就業率の上昇（82％）に対応するために、2021〜2024年度末の4年間で約14万人分の保育の受け皿を整備するとした計画。

子ども・子育て支援法と 子ども・子育て支援の施策

ココをおさえよう！

幼保一元化を断念し、認定こども園を中心に幅広い子育て支援を実現しようと考えられた新しい制度です。「給付」という言葉は「サービス」と言いかえたほうがわかりやすいかもしれません。

 キーワード

子ども・子育て支援法

　幼児教育・保育、地域の子ども・子育て支援を総合的に推進するための法律で、施設型給付、地域型保育給付が創設された。この法律に基づく子ども・子育て支援制度が2015（平成27）年度から実施されている。

施設型給付

　認定こども園、幼稚園、保育所を対象とした共通の給付で、現物給付。利用する年齢の区分が設けられており、認定こども園と保育所は0～5歳、幼稚園は3～5歳。

地域型保育給付

　市町村による認可事業として児童福祉法に位置づけられている4つの地域型保育事業（小規模保育、家庭的保育、居宅訪問型保育、事業所内保育）を対象とする現物給付。都市部での待機児童の解消を目的として創設されたもので、3歳未満児が対象。

▶ 子ども・子育て支援法の基礎知識

制定　2012（平成24）年（施行は2015〔平成27〕年）

目的　急速な少子化の進行、家庭及び地域を取り巻く環境の変化に鑑み、子ども・子育て支援給付等必要な支援を行って子どもが健やかに成長することができる社会の実現（第1条）

計画　子ども・子育て支援のための施策を総合的に推進するための基本的な指針（内閣総理大臣が定める）（第60条）
市町村子ども・子育て支援事業計画（第61条）
都道府県子ども・子育て支援事業支援計画（第62条）

基本理念　子ども・子育て支援は、父母その他の保護者が子育てについての第一義的責任を有するという基本的認識の下に、家庭、学校、地域、職域その他の社会のあらゆる分野におけるすべての構成員が、各々の役割を果たすとともに、相互に協力して行われなければならない（第2条にて規定）

審議会　こども家庭審議会（市町村に設置の努力義務）（第72条第1項）

Point

市町村、都道府県の計画は5年に一度見直される。

子ども・子育て支援法の給付（現物給付）

施設型給付（対象年齢）	
①認定こども園 幼稚園と保育所の両方の機能や特徴をあわせもつ（0〜5歳）	②幼稚園 小学校以降の教育の基礎をつくる幼児教育を行う（3〜5歳）
幼保連携型　幼稚園型 保育所型　地方裁量型	③保育所 保育を必要とする保護者にかわって保育を行う（0〜5歳）

地域型保育給付（3歳未満児が対象）	
①小規模保育 定員6人以上19人以下の保育所	②家庭的保育 定員5人以下で、家庭的な雰囲気のもとできめ細かな保育を行う
③事業所内保育 会社内に設けられた保育施設などで、主として従業員の子どもを保育する	④居宅訪問型保育 障害や疾患があり個別のケアが必要な場合や、地域に施設がなくなった場合に保護者の自宅で1対1で保育を行う

地域子ども・子育て支援事業（現物給付）

Point
地域子ども・子育て支援事業は子ども・子育て支援法に規定されている。

利用者支援事業	子育て支援事業等の利用についての情報提供・相談・助言等を行う
延長保育事業	通常の利用日・利用時間以外に認定こども園、保育所等で保育を実施する
子育て短期支援事業	保護者が疾病等の場合に、児童を児童養護施設等で預かる。短期入所生活援助（ショートステイ）事業と夜間養護等（トワイライトステイ）事業がある。保護者がともに入所することも可能
地域子育て支援拠点事業	乳幼児と保護者が相互交流を行う場を提供し、子育ての相談・情報提供・助言等の援助を行う
一時預かり事業	家庭での保育が一時的に困難になった乳児・幼児を認定こども園、保育所等で一時的に預かる。子育て負担軽減のための利用も可能
病児保育事業	病児を病院等の専用スペース等で、看護師等が一時的に保育等する
子育て援助活動支援事業	子育て中の保護者を会員として、児童の預かり等の援助を受ける者と行う者の相互援助活動に関する連絡・調整を行う（ファミリー・サポート・センター事業）
放課後児童健全育成事業	小学校に就学する児童に対し、授業終了後に小学校の余裕教室や児童館等を利用して遊び・生活の場を与える（放課後児童クラブ）
妊婦健康診査	妊婦に対して健康診査を実施する
乳児家庭全戸訪問事業	生後4か月までの乳児のいる家庭を家庭訪問し、子育て支援の情報提供を行い、養育環境等を把握する
養育支援訪問事業	乳児家庭全戸訪問事業などにより把握した要支援児童等の居宅において、養育に関する相談・指導・助言等を行う
その他	子どもを守る地域ネットワーク機能強化事業、実費徴収に係る補足給付を行う事業、多様な事業者の参入促進・能力活用事業、子育て世帯訪問支援事業、児童育成支援拠点事業、親子関係形成支援事業

Point
妊婦健診については母子保健法に規定されている。

認定こども園法

関連科目 保育原理　子ども家庭福祉　教育原理

近年、認定こども園が増加しています。特に、幼保連携型認定こども園はこの10年間で飛躍的に数が増えているため、詳細を理解しておきましょう。ほかにも、幼稚園型や保育所型、地域裁量型それぞれの違いや概要、在園児数といった点についてもチェックが必要です。

ココをおさえよう！

 キーワード ....

認定こども園

　教育と保育を一体的に行う施設で、保護者が働いている場合も、働いていない場合も利用できる。幼保連携型、幼稚園型、保育所型、地方裁量型の4類型がある。利用するためには、市町村から1号～3号の認定を受けることが必要。

幼保連携型認定こども園

　幼稚園的機能と保育所的機能の両方の機能をあわせもち、1つの施設で認定こども園としての機能を果たすタイプ。

幼稚園型認定こども園、保育所型認定こども園

　認可幼稚園が、保育が必要な子どものための保育時間を確保するなど保育所的な機能を備えたタイプが幼稚園型、認可保育所が保育が必要な子ども以外も受け入れるなど幼稚園的な機能を備えたタイプが保育所型。

地方裁量型認定こども園

　幼稚園・保育所どちらの認可もない地域の教育・保育施設が認定こども園として必要な機能を果たすタイプ。

▶ 認定こども園法の基礎知識

制定 2006（平成18）年

正式名称 就学前の子どもに関する教育、保育等の総合的な提供の推進に関する法律

目的 多様化する小学校就学前の子どもに対する教育・保育・保護者に対する子育て支援の総合的な提供を推進し、地域において子どもが健やかに育成される環境を整備する（第1条にて規定）

概要 保育所、幼稚園が認定こども園になる手続き（第3条、第4条）、幼保連携型認定こども園の教育・保育の内容（第10条）、入園資格（第11条）、設置者（第12条）、設置・運営の基準（第13条）などを規定

▶ 認定こども園の概要

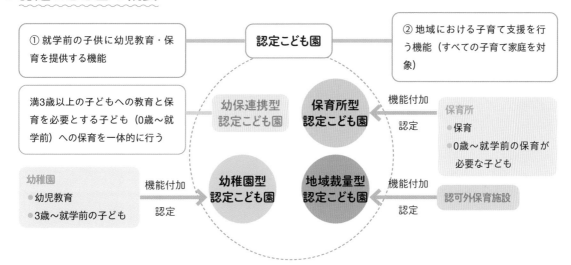

▶ 幼保連携型認定こども園の設置主体と設置基準

設置主体	国、地方公共団体、学校法人、社会福祉法人
教育週数	年間39週（原則）を下回ってはならない
教育・保育時間	1日8時間（原則）、最大11時間 満3歳以上児についてはこの中に4時間の教育時間が含まれる
園児数	1学級35人以下（原則）、同じ年齢の園児で編成する
職員の数	満1歳未満児：おおむね3人につき1人以上 満1歳以上満3歳未満児：おおむね6人につき1人以上 満3歳以上満4歳未満児：おおむね15人につき1人以上 満4歳以上児：おおむね25人につき1人以上 園長、各学級ごとに専任の主幹保育教諭が必置

▶ 認定の種類と利用可能施設

1号認定	保育を必要としない3歳～5歳	幼稚園、認定こども園の利用可
2号認定	保育を必要とする3歳～5歳	保育所、認定こども園の利用可
3号認定	保育を必要とする0歳～2歳	保育所、認定こども園、地域型保育の利用可

▶ 認定こども園の支給認定別在籍園児数（2022年4月1日現在）

類型	1号認定子ども	2号認定子ども	3号認定子ども	合計
幼保連携型	198,642	385,750	228,711	813,103
幼稚園型	104,463	46,130	12,389	162,982
保育所型	11,683	71,271	44,061	127,015
地方裁量型	1,423	2,408	1,249	5,080
合計	316,211	505,559	286,410	1,108,180

(人)

Point

類型別では幼保連携型が最も多く、認定別では2号認定が最も多い。

出典：内閣府「認定こども園に関する状況について（令和4年4月1日現在）」

子ども・若者育成支援の施策

保育士試験の出題範囲は広く、「若者」に関するテーマからも出題されます。「子ども・若者育成支援推進法」を含めた、子ども・若者支援の施策についての流れを知るとともに、最新の「こども大綱」についても理解を深めていきましょう。

🔑 キーワード

子ども・若者育成支援推進法

　児童虐待、いじめ、少年による重大事件発生など子ども・若者をめぐる環境の悪化、若年無業者やひきこもりなど子ども・若者の抱える問題の深刻化を背景に、子ども・若者育成支援施策の総合的推進と、子ども・若者を支援するためのネットワーク整備を目的に制定された。

子ども・若者支援地域協議会（第19条）

　困難を有する子ども・若者に対し、地域の関係機関が連携し、重層的・継続的に支援するためのネットワーク。

ヤングケアラー

「家族の介護その他の日常生活上の世話を過度に行っていると認められる子ども・若者」と定義される。近年ヤングケアラーの増加が問題となっており、「子ども・若者育成支援推進法」に支援の対象として明記された。

◉ 子ども・若者育成支援推進法の基礎知識

制定 2009（平成21）年

目的 日本国憲法と児童の権利に関する条約の理念にのっとり、子ども・若者育成支援についての基本理念、国・地方公共団体の責務と施策の基本となる事項を定め、総合的に子ども・若者育成支援施策を推進する（第1条）

大綱 子供・若者育成支援推進大綱（政府に策定の義務）（第8条）

子ども・若者支援地域協議会 地方公共団体単独で又は共同して設置（努力義務）（第19条）

計画 市町村子ども・若者計画の作成（努力義務）、都道府県子ども・若者計画の作成（努力義務）（第9条）

Point
基本指針の作成はなく、子ども・若者計画はこども大綱に基づき作成される。

▶ 子ども・若者支援の施策のあゆみ

| 2003年 | 青少年育成推進本部設置（内閣府） |
| | 青少年育成施策大綱策定 |

Point 2010年、子ども・若者育成支援推進本部の設置に伴い廃止。

| 2008年 | 新しい「青少年育成施策大綱」策定 |

基本理念 ①青少年の立場を第一に考える
②社会的な自立と他者との共生を目指して、青少年の穏やかな成長を支援
③青少年一人一人の状況に応じた支援を社会総がかりで実施

2009年	子ども・若者育成支援推進法制定
2010年	子ども・若者育成支援推進本部設置（内閣府）
	子ども・若者ビジョン策定

Point 2023年、こども政策推進会議の設置に伴い廃止。

Point 「子ども・若者ビジョン」が最初の大綱。

2016年	子供・若者育成支援推進大綱策定
2021年	第3次子供・若者育成支援推進大綱策定
2023年	こども政策推進会議設置（こども家庭庁）　こども大綱策定

▶ こども基本法、こども大綱における「こども」「若者」の定義

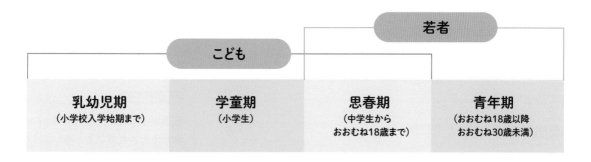

こども		若者	
乳幼児期（小学校入学始期まで）	**学童期**（小学生）	**思春期**（中学生からおおむね18歳まで）	**青年期**（おおむね18歳以降おおむね30歳未満）

▶ こども大綱が目指す20代、30代の姿

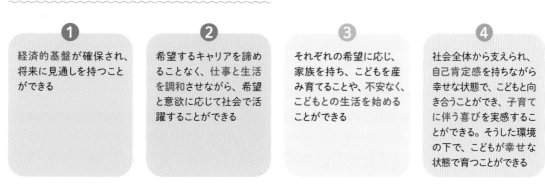

❶ 経済的基盤が確保され、将来に見通しを持つことができる

❷ 希望するキャリアを諦めることなく、仕事と生活を調和させながら、希望と意欲に応じて社会で活躍することができる

❸ それぞれの希望に応じ、家族を持ち、こどもを産み育てることや、不安なく、こどもとの生活を始めることができる

❹ 社会全体から支えられ、自己肯定感を持ちながら幸せな状態で、こどもと向き合うことができ、子育てに伴う喜びを実感することができる。そうした環境の下で、こどもが幸せな状態で育つことができる

出典：こども家庭庁「こども大綱」

8 中央教育審議会答申

関連科目 教育原理　子ども家庭福祉　社会福祉

教育関係者には「中教審答申」と略されることが多いです。日本の教育の方向性を示す大切な意見となります。答申の内容をいくつかピックアップしましたので、概要を理解しておきましょう。

キーワード

中央教育審議会（中教審）

1952（昭和27）年に旧文部省に設置。2001（平成13）年に、中央省庁等改革により新たに文部科学省に設置。文部科学大臣の諮問（問いかけ）に応じて**教育の振興、生涯学習の推進**などに関する重要事項を**調査審議**し、文部科学大臣や関係行政機関の長に**意見を述べる**。

中央教育審議会答申

文部科学大臣の諮問に対する**審議会の意見**をまとめたもの。この答申に基づき、文部科学大臣が教育施策を決めるため、答申は日本の**教育の方向性**を左右する。

共生社会

これまで必ずしも十分に**社会参加**できるような環境になかった障害者等が、積極的に**参加・貢献**していくことができる社会のこと。

> **Point**
> 直近ではなく、少し前の答申が出題されることが多い。

▶過去に出題された答申

年	答申
2003（平成15）年	初等中等教育における当面の教育課程及び指導の充実・改善方策について
2005（平成17）年	子どもを取り巻く環境の変化を踏まえた今後の幼児教育の在り方について
2008（平成20）年	新しい時代を切り拓く生涯学習の振興方策について〜知の循環型社会の構築を目指して〜
2011（平成23）年	今後の学校におけるキャリア教育・職業教育の在り方について
2014（平成26）年	道徳に係る教育課程の改善等について
2015（平成27）年	チームとしての学校の在り方と今後の改善方策について
2016（平成28）年	幼稚園、小学校、中学校、高等学校及び特別支援学校の学習指導要領等の改善及び必要な方策等について
2021（令和3）年	「令和の日本型学校教育」の構築を目指して〜全ての子供たちの可能性を引き出す、個別最適な学びと、協働的な学びの実現〜
2023（令和5）年	学びや生活の基盤をつくる幼児教育と小学校教育の接続について〜幼保小の協働による架け橋期の教育の充実〜

▶ 主な答申のポイント

2005（平成17）年
特別支援教育を推進するための制度の在り方について

特別支援教育の理念と基本的な考え方において、「我が国が目指すべき社会は、障害の有無にかかわらず、誰もが相互に人格と個性を尊重し支え合う共生社会である。その実現のため、障害者基本法や障害者基本計画に基づき、ノーマライゼーションの理念に基づく障害者の社会への参加・参画に向けた総合的な施策が政府全体で推進されており、その中で、学校教育は、障害者の自立と社会参加を見通した取組を含め、重要な役割を果たすことが求められている。」とした。

Point
共生社会、参加・参画はキーワード。

2012（平成24）年
学校安全の推進に関する計画の策定について

安全教育の方向性について「進んで安全で安心な社会づくりに参加し、貢献できる力をつける教育を進めていくべきあり、自助だけでなく、共助、公助（自分自身が、社会の中で何ができるのかを考えさせること等も含む）に関する教育も重要である。その上で、家族、地域、社会全体の安全を考え、安全な社会づくりに参画し、自分だけでなく他の人も含め安全で幸せに暮らしていく社会づくりを目指すところまで安全教育を高めていくことが望ましい。」とした。

Point
自助・共助・公助はキーワード。

2015（平成27）年
新しい時代の教育や地方創生の実現に向けた学校と地域の連携・協働の在り方と今後の推進方策について

社会全体で子供たちを守り、安心して子育てできる環境を整備するという観点を踏まえ、「学校と地域は、お互いの役割を認識しつつ、共有した目標に向かって、対等な立場の下で共に活動する協働関係を築くことが重要であり、パートナーとして相互に連携・協働していくことを通じて、社会総掛かりでの教育の実現を図っていくことが必要である。」とした。

Point
学校と地域の連携・協働により社会全体で子育てをする環境整備ができる。

「令和の日本型学校教育」は、近年の答申でも注目度が高いものです。これまでの日本の教育の成果と問題点がまとめられ、個に応じた指導と協働的な学びを両立する姿勢を示しました。また、ICTの活用が不可欠であることにも言及しています。

2021（令和3）年
「令和の日本型学校教育」の構築を目指して
～全ての子供たちの可能性を引き出す、個別最適な学びと、協働的な学びの実現～

この答申において、目指すべき「令和の日本型学校教育」の姿を「全ての子供たちの可能性を引き出す、個別最適な学びと、協働的な学びの実現」とした。そして、幼児教育で実現を目指す学びの姿を、「幼稚園等の幼児教育が行われる場において、小学校教育との円滑な接続や特別な配慮を必要とする幼児への個別支援、質の評価を通じたPDCAサイクルの構築が図られるなど、質の高い教育が提供され、良好な環境の下、身近な環境に主体的に関わり様々な活動を楽しむ中で達成感を味わいながら、全ての幼児が健やかに育つことができる。」とした。

第4期教育振興基本計画

関連科目 教育原理　社会福祉

教育基本法の理念を実現するために作成された基本計画になります。第4期では予測困難な時代に対応できる人材の育成や「教育DX」が注目されています。専門用語を確認していきましょう。

🔑 キーワード

教育振興基本計画（教育基本法第17条第1項）

教育基本法に示された理念の実現と教育振興に関する施策の総合的・計画的な推進を図るために政府が策定。今後の教育についての基本的な方針が示されている。5年を1期として策定し、公表される。第4期計画の期間は、2023（令和5）〜2027（令和9）年度。

ウェルビーイング（Well-being）

第4期計画では、身体的・精神的・社会的に良い状態にあること。短期的な幸福のみならず、生きがいや人生の意義などの将来にわたる持続的な幸福を含む概念としている。

教育デジタルトランスフォーメーション（DX）

デジタルデータとデジタル技術の活用によって教育を変革すること。DXは、デジタイゼーション（アナログな情報をデジタル化すること）、デジタライゼーション（サービスや業務プロセスをデジタル化すること）につづくデジタル化の第3段階とされている。

▶ 我が国の教育をめぐる現状・課題・展望より

教育の普遍的な使命（抜粋）

教育基本法の理念・目的・目標・機会均等の実現を目指すことは、先行きが不透明で将来の予測が困難な時代においても変わることのない、立ち返るべき教育の「不易」である。教育振興基本計画は、「不易」を普遍的な使命としつつ、社会や時代の「流行」の中で、我が国の教育という大きな船の羅針盤となるものと言えよう。「流行」を取り入れてこそ「不易」としての普遍的使命が果たされるものであり、不易流行の元にある教育の本質的価値を実現するために、羅針盤の指し示す進むべき方向に向けて必要な教育政策を着実に実行していかなければならない。

Point

不易とは、いつまでも変わらないこと。不変と同義語。流行とは、時代の変化とともに変えていく必要があるもの。

▶ 第4期教育振興基本計画のコンセプト

2040年以降の社会を見据えた 持続可能な社会の創り手の育成	日本社会に根差したウェルビーイングの向上
● 自らが社会の創り手となり持続可能な社会を維持・発展させていく ● 社会課題の解決をイノベーションにつなげる取組や、活力ある社会の実現に向けて「人への投資」が必要 ● Society5.0で活躍する人材の育成	● 多様な個人が幸せや生きがいを感じるとともに、地域や社会が幸せや豊かさを感じられるものとなるための教育の在り方 ● 学校や地域でのつながり、自己肯定感などが含まれ、協調的幸福と獲得的幸福のバランスを重視 ● 日本発の調和と協調に基づくウェルビーイングを発信

▶ 今後の教育政策に関する5つの基本的な方針

① グローバル化する社会の持続的な発展に向けて学び続ける人材の育成

将来の予測が困難なVUCAと言われる時代の中で、個人と社会のウェルビーイングを実現していくためには、社会の持続的な発展に向けて学び続ける人材の育成が必要である

Point
VUCA（ブーカ）とは、将来の予測が困難な状況を表す造語。

② 誰一人取り残されず、全ての人の可能性を引き出す共生社会の実現に向けた教育の推進

一人一人の多様なウェルビーイングの実現のためには、誰一人取り残されず、全ての人の可能性を引き出す学びを、学校をはじめとする教育機関の日常の教育活動に取り入れていく必要がある

③ 地域や家庭で共に学び支え合う社会の実現に向けた教育の推進

地域と学校をつなぐ地域学校協働活動推進員等のコーディネーターの育成とともに、コミュニティ・スクールと地域学校協働活動の一体的推進など、社会教育の充実による地域の教育力の向上や地域コミュニティの基盤強化を図ることが求められる

Point
生涯学習社会の実現や、障害者の生涯学習の推進も求められている。

④ 教育デジタルトランスフォーメーション(DX)の推進

教育の分野において、ICTを活用することが特別なことではなく「日常化」するなど、デジタル化をさらに推進していくことが不可欠である。DXの推進に当たっては、デジタル機器・教材の活用はあくまで手段であることに留意することが必要である。教育DXを進めた上で、デジタルも活用して問題解決や価値創造ができる人材の育成こそが目指されるべきである

Point
初等中等教育では、デジタル教科書・教材・学習支援ソフトの活用に向けた取組の推進が必要。

⑤ 計画の実効性確保のための基盤整備・対話

本計画の実効性を確保するためには、経済的・地理的状況によらず子供たちの学びを確保するための支援、指導体制・ICT環境の整備、地方教育行政の充実、安全安心で質の高い教育研究環境の整備、大学の経営基盤の確立、各高等教育機関の機能強化などを図ることが重要である

10 文部科学省の通知など

文部科学省の通知からも出題があります。特に教育問題として「いじめ」「体罰」「虐待」「障害」といったテーマからは頻出だといえます。いくつかピックアップしたのでチェックしておきましょう。

 キーワード ::

いじめ問題への取り組み

文部科学省では、いじめの問題に対する施策として、「いじめの防止等のための基本的な方針」「いじめの重大事態の調査に関するガイドライン」のほか、さまざまな通知を発出している。

障害のある児童生徒への教育

文部科学省では、**特別支援教育の推進**について通知するだけでなく、**通常の学級に在籍する障害のある児童生徒への支援**の在り方についても検討会議報告として公表している。

学校における児童虐待の防止

文部科学省では、児童虐待の早期発見と早期対応のために**学校が果たすべき役割**について手引きを示すなど対策を進めている。

インクルーシブ教育システム

障害のある者と障害のない者が共に学ぶ仕組みのこと。障害のある者が、**教育制度一般から排除されないこと**、初等中等教育の機会が与えられること、個人に必要な**合理的配慮が提供されること**が必要とされる。

::

◎これまでに出題された通知など

2007（平成19）年	特別支援教育の推進について（通知）
2010（平成22）年	幼児期の教育と小学校教育の円滑な接続の在り方について（報告）
2012（平成24）年	共生社会の形成に向けたインクルーシブ教育システム構築のための特別支援教育の推進（報告）
2013（平成25）年	体罰根絶に向けた取組の徹底について（通知）
2013（平成25）年	体罰の禁止及び児童生徒理解に基づく指導の徹底について（通知）
2013（平成25）年	学校における「いじめ防止」「早期発見」「いじめに対する措置」のポイント

◉ その他の通知のポイント

2012（平成24）年
幼児期運動指針

幼児期の運動の在り方を年齢ごとに示し、その内容を推進するに当たって以下のような配慮をすることとした
- 一人一人の発達に応じた援助をする
- 自発的に体を動かしたくなる環境の構成を工夫する
- 安全に対する配慮をする
- 家庭や地域にも情報を発信し、ともに育てる姿勢をもてるようにする

> **Point**
> 文部科学省による教育、厚生労働省による福祉、そして家庭との連携についての検討が「トライアングル」プロジェクト。

2018（平成30）年
家庭と教育と福祉の連携「トライアングル」プロジェクト報告

教育と福祉との連携を推進するための方策を示した
- 教育委員会と福祉部局、学校と障害児通所支援事業所との関係構築の「場」の設置
- 学校の教職員等への障害のある子供に係る福祉制度の周知
- 学校と障害児通所支援事業所等との連携の強化
- 個別の支援計画の活用促進
  保護者支援を推進するための方策を示した
- 保護者支援のための相談窓口の整理
- 保護者支援のための情報提供の推進
- 保護者同士の交流の場等の促進
- 専門家による保護者への相談支援

2019（平成31）年
いじめ問題への的確な対応に向けた警察との連携について（通知）

- いじめ事案の早期把握のために、警察との情報共有体制を構築すること、スクールサポーター制度の積極的な受け入れを行うことを求めている
- 重大ないじめ事案（生命、身体又は財産に重大な被害が生じている、又はその疑いのある事案）については、直ちに警察に通報し、警察との連携の下、いじめられている児童生徒の安全の確保のため必要な措置を行い、事案の深刻化の防止を図ることを求めている

> **Point**
> スクールサポーターは、警察官を退職した者等を学校からの要請に応じて派遣し、学校における少年の問題行動等への対応、児童の安全確保対策などを行う。

2023（令和5）年
令和5年7月10日児童生徒の自殺予防に係る取組について（通知）

- 令和4年の児童生徒の自殺者数は514人と過去最多となり、早急な対策が必要
- 18歳以下の自殺は、学校の長期休業明けにかけて増加する傾向がある
- 児童生徒のSOSを早期に把握し、適切な支援につなげることが重要であり、1人1台端末を活用し、児童生徒の心身の状況把握や教育相談を行うことは有効な方策の一つ
- 具体的な自殺予防対策として、アンケートフォーム、「24時間子供SOSダイヤル」、保護者や地域住民・関係機関などによる見守り、ネットパトロールの強化などを行う

2023（令和5）年
通常の学級に在籍する障害のある児童生徒への支援の在り方に関する検討会議報告

通常の学級に在籍する障害のある児童生徒へのより効果的な支援施策の在り方について、その方向性が提言されている
- 校長のリーダーシップの下、校内支援体制を充実させること
- 通級による指導を充実させること
- 通級による指導を担当する教師等の専門性の向上を図ること
- 高等学校における通級による指導の実施体制を充実させること
- 特別支援学校における小中高等学校等への指導助言等のセンター的機能を充実させること
- 特別支援学校を含めた2校以上の学校を一体的に運営するインクルーシブな学校運営モデルを創設すること

11 こども基本法・こども大綱

関連科目 教育原理　子ども家庭福祉

こども基本法は、これまで日本にはなかった子どもの権利を保障する大切な基本法となります。また、それにともなって作成されたこども大綱は、こども施策の基本的な方針を示しているので要チェックです。

キーワード

こども基本法

2022（令和4）年に成立し、2023（令和5）年に施行。少子化の進行・人口の減少、児童虐待や不登校の増加など子どもを取り巻く状況が深刻になっているなか、子どもに関するさまざまな取り組みを実施するための共通の基盤となる、こども施策の基本法として制定。

こども家庭庁

内閣府の外局としてこども基本法の施行と同時に設置された（こども家庭庁設置法）。各府省庁に分かれていたこども政策に関する総合調整権限を一本化し、こども政策を推進するための司令塔としての役割を果たす。

こども施策（こども基本法第2条）

「おとなになるまでの心身の発達の過程を通じて切れ目なく行われるこどもの健やかな成長に対する支援」で、妊娠前、妊娠・出産も支援対象。こどもの養育環境の整備も含まれる。

▶ こども基本法の基礎知識

Point
少子化社会対策白書、子供・若者白書は、こども白書に一本化され、少子化社会対策大綱、子供・若者育成支援推進大綱、子供の貧困対策に関する大綱は、こども大綱に一元化された。

制定 2022（令和4）年

大綱 こども大綱（政府に策定義務）（第9条）

計画 市町村こども計画（努力義務）、都道府県こども計画（努力義務）（第10条）

こども政策推進会議 こども家庭庁に特別の機関として設置。会長は内閣総理大臣（第17条、第18条）

概要 日本国憲法と児童の権利に関する条約の精神にのっとり、こども施策の定義（第2条第2項）、こども施策の基本理念（第3条）、こども白書の策定（第8条）、こどもの意見の反映（第11条）、こども施策に係る支援の総合的かつ一体的な提供のための体制の整備等（第12条）などを規定

目的 こどもの状況にかかわらず、権利擁護が図られ、将来にわたって幸福な生活を送ることができる社会の実現を目指し、こども施策を総合的に推進する（第1条にて規定）

こども基本法の基本理念

全てのこどもについて

全てのこどもについて、個人として尊重されること・基本的人権が保障されること・差別的取扱いを受けることがないようにすること

全てのこどもについて、適切に養育されること・生活を保障されること・愛され保護されること等の福祉に係る権利が等しく保障されるとともに、教育基本法の精神にのっとり教育を受ける機会が等しく与えられること

全てのこどもについて、年齢及び発達の程度に応じ、自己に直接関係する全ての事項に関して意見を表明する機会・多様な社会的活動に参画する機会が確保されること

> **Point**
> 当事者としてのこどもの意見が尊重され、表明する機会が確保される。

全てのこどもについて、年齢及び発達の程度に応じ、意見の尊重、最善の利益が優先して考慮されること

環境

こどもの養育は家庭を基本として行われ、父母その他の保護者が第一義的責任を有するとの認識の下、十分な養育の支援・家庭での養育が困難なこどもの養育環境の確保

家庭や子育てに夢を持ち、子育てに伴う喜びを実感できる社会環境の整備

こども家庭庁の基本姿勢

1 こどもの視点、子育て当事者の視点

2 地方自治体との連携強化

3 NPOをはじめとする市民社会との積極的な対話・連携・協働

出典：こども家庭庁「令和6年版こども白書」をもとに作成

こども大綱における6本の柱

> **Point**
> この6本の柱が政府におけるこども施策の基本的な方針となる。

1 こども・若者を権利の主体として認識し、その多様な人格・個性を尊重し、権利を保障し、こども・若者の今とこれからの最善の利益を図る

2 こどもや若者、子育て当事者の視点を尊重し、その意見を聴き、対話しながら、ともに進めていく

3 こどもや若者、子育て当事者のライフステージに応じて切れ目なく対応し、十分に支援する

4 良好な生育環境を確保し、貧困と格差の解消を図り、全てのこども・若者が幸せな状態で成長できるようにする

5 若い世代の生活の基盤の安定を図るとともに、多様な価値観・考え方を大前提として若い世代の視点に立って結婚、子育てに関する希望の形成と実現を阻む隘路（あいろ）の打破に取り組む

6 施策の総合性を確保するとともに、関係省庁、地方公共団体、民間団体等との連携を重視する

こどもまんなか社会

12 児童福祉法

関連科目 子ども家庭福祉　社会的養護　保育原理　社会福祉

児童福祉法は、子どもの福祉の基礎となる大切な法律で、保育士試験には頻出です。2022年6月には大きく改正された部分があるので、確認しておく必要があります。

🔑 キーワード

良好な家庭的環境（第3条の2）

地域小規模児童養護施設（グループホーム）や小規模グループケアなど、1グループ4〜6人の小規模型の施設のこと。

要保護児童（第6条の3第8項）

保護者のない児童又は保護者に監護させることが不適当であると認められる児童のこと。具体的には、保護者が家出・死亡・離婚・入院・服役している児童、虐待を受けた児童、障害のある子ども、不良行為をする、又はするおそれのある児童などが含まれる。

保育所の定義（第39条）

保育を必要とする乳児・幼児を日々保護者の下から通わせて保育を行うことを目的とする施設。ただし、利用定員が20人以上のもので、幼保連携型認定こども園を除いたもの。

▶ 児童福祉法の基礎知識

制定　1947（昭和22）年

定義　児童➡満18歳に満たない者
乳児➡満1歳に満たない者
幼児➡満1歳から小学校就学の始期に達するまでの者
少年➡小学校就学の始期から満18歳に達するまでの者
障害児➡身体障害、知的障害、精神障害、発達障害、難病等で障害の程度が主務大臣が定める程度の児童（第4条）
妊産婦➡妊娠中又は出産後1年以内の女子（第5条）

Point
児童福祉法の対象には妊産婦が含まれている。

概要　児童が良好な環境で生まれ、かつ、心身ともに健やかに育成されるよう、保育、母子保健、児童虐待防止を含むすべての児童の福祉を支援する法律。国及び地方公共団体の責務（第3条の2, 第3条の3）、福祉の施設、給付内容などを規定

児童福祉審議会　都道府県に設置義務（例外あり）（第8条第1項）。市町村は設置できる（第8条第3項）

障害児福祉計画　市町村障害児福祉計画（第33条の20）、都道府県障害児福祉計画（第33条の22）を内閣総理大臣が策定する基本指針に即して策定

児童福祉法の理念

第1条　全て児童は、児童の権利に関する条約の精神にのっとり、適切に養育されること、その生活を保障されること、愛され、保護されること、その心身の健やかな成長及び発達並びにその自立が図られることその他の福祉を等しく保障される権利を有する。

2016（平成28）年改正により、児童の権利に関する条約の精神に則ること、児童が権利の主体であることが明記された

第2条　第1項　全て国民は、児童が良好な環境において生まれ、かつ、社会のあらゆる分野において、児童の年齢及び発達の程度に応じて、その意見が尊重され、その最善の利益が優先して考慮され、心身ともに健やかに育成されるよう努めなければならない。
第2項　児童の保護者は、児童を心身ともに健やかに育成することについて第一義的責任を負う。
第3項　国及び地方公共団体は、児童の保護者とともに、児童を心身ともに健やかに育成する責任を負う。

2016（平成28）年改正により、子どもの意見を尊重し、子どもの最善の利益のために、社会全体で子どもを育むことが基本理念として明記された。また、保護者に子どもの育成についての第一義的責任があることも明記された

2022年6月改正児童福祉法のポイント

子育て世帯に対する包括的支援のための体制強化・事業の新設

→こども家庭センターの設置（すべての妊産婦、子育て世帯、こどもの包括的な相談支援等を実施・市区町村は設置に努める）
→子育て世帯訪問支援事業、児童育成支援拠点事業、親子関係形成支援事業の新設（地域子ども・子育て支援事業への位置づけ）
→児童発達支援センターの役割・機能強化（福祉型児童発達支援センターと医療型児童発達支援センターの一元化）

児童自立生活援助事業の対象年齢、利用要件の緩和

対象者…①義務教育終了等児童等で満20歳未満、措置等を解除された者
②満20歳以上の措置解除者等で、高等学校の生徒、大学生その他のやむを得ない事情により自立生活援助の実施が必要と都道府県知事が認めた者
年齢……満22歳以降も利用可能

里親支援センターの設置

→家庭養育の推進によって子どもの養育環境を向上させるために児童福祉施設として設置

障害児入所施設入所児童の対象年齢緩和

→障害児入所施設入所児童等について22歳までの入所継続を可能とする

Point
改正により里親支援センターが児童福祉施設に追加され13種類になった。

※主な施行は2024年4月。

▶ 社会的養護に関する規定

第3条の2 国及び地方公共団体は、児童が家庭において心身ともに健やかに養育されるよう、児童の保護者を支援しなければならない。ただし、児童及びその保護者の心身の状況、これらの者の置かれている環境その他の状況を勘案し、児童を家庭において養育することが困難であり又は適当でない場合にあつては児童が家庭における養育環境と同様の養育環境において継続的に養育されるよう、児童を家庭及び当該養育環境において養育されることが適当でない場合にあつては児童ができる限り良好な家庭的環境において養育されるよう、必要な措置を講じなければならない。

家庭における養育環境と同様の養育環境とは、養子縁組、里親制度、ファミリーホームなど
児童が心身ともに健やかに養育されるためには、より家庭に近い環境での養育が必要との考え方が示されている

▶ 児童福祉の行政（第10条、第11条の内容）

市町村の行う業務

1　児童及び妊産婦の福祉に関し、必要な実情の把握に努めること
2　児童及び妊産婦の福祉に関し、必要な情報の提供を行うこと
3　児童及び妊産婦の福祉に関し、家庭その他からの相談に応ずること並びに必要な調査及び指導を行うこと並びにこれらに付随する業務を行うこと
4　児童及び妊産婦の福祉に関し、心身の状況等に照らし包括的な支援を必要とすると認められる要支援児童等その他の者に対して、これらの者に対する支援の種類・内容等を記載した計画の作成その他の包括的・計画的な支援を行うこと
5　その他、児童及び妊産婦の福祉に関し、家庭その他につき、必要な支援を行うこと

Point
都道府県は市町村を支援する役割も担う。

都道府県の行う業務

1　市町村の業務の実施に関し、市町村相互間の連絡調整、市町村に対する情報の提供、市町村職員の研修その他必要な援助を行うこと及びこれらに付随する業務を行うこと

2　児童及び妊産婦の福祉に関する以下の業務を行うこと

① 実情の把握
② 専門的な知識及び技術を必要とする相談に応ずる
③ 児童及びその家庭の調査並びに医学的、心理学的、教育学的、社会学的及び精神保健上の判定を行う
④ 調査又は判定に基づいて指導を行う
⑤ 児童の一時保護を行う
⑥ 一時保護の解除後の家庭その他の環境の調整と児童の安全確保
⑦ 里親に関する次に掲げる業務を行う
　●普及啓発
　●相談、情報の提供、助言、研修その他の援助
　●里親と施設に入所している児童、里親相互の交流の場を提供

　●里親の選定、里親と児童との間の調整
　●里親に委託しようとする児童の養育に関する計画を作成
⑧ 児童の養子縁組に関する相談、情報の提供、助言その他の援助を行う
⑨ 施設入所措置、一時保護措置その他の措置の実施、実施中の処遇に対する児童の意見または意向に関し、都道府県児童福祉審議会その他の機関の調査審議・意見の具申が行われるようにすることその他の児童の権利の擁護に係る環境整備
⑩ 措置解除者等の実情把握、自立のために必要な援助

3　その他につき専門的な知識及び技術を必要とする支援を行うこと

児童福祉司の任用資格

Point

児童相談所には児童福祉司が必置。

児童福祉司は、次のいずれかに該当する者のうちから、任用しなければならない

- 都道府県知事の指定する児童福祉司・児童福祉施設の職員を養成する学校や施設を卒業した者
- 都道府県知事の指定する講習会の課程を修了した者
- 大学において、心理学、教育学若しくは社会学を専修する学科又はこれらに相当する課程を修めて卒業した者であって、内閣府令で定める施設において1年以上相談援助業務に従事したもの

- 医師、社会福祉士、精神保健福祉士、公認心理師
- 社会福祉主事として2年以上相談援助業務に従事した者であって、内閣総理大臣が定める講習会の課程を修了したもの
- 以上の者と同等以上の能力を有すると認められる者であって、内閣府令で定めるもの

要保護児童発見時の通告

第25条 第1項 要保護児童を発見した者は、これを市町村、都道府県の設置する福祉事務所若しくは児童相談所又は児童委員を介して市町村、都道府県の設置する福祉事務所若しくは児童相談所に通告しなければならない。(後略)

要保護児童とは、保護者のない児童又は保護者に監護させることが不適当であると認められる児童

罪を犯した満14歳以上の児童については、家庭裁判所に通告しなければならない

守秘義務に関する法律の規定はこの通告の義務を妨げないとされており、通告したことが守秘義務違反に問われることはない

保育所に関する規定

第39条 第1項 保育所は、保育を必要とする乳児・幼児を日々保護者の下から通わせて保育を行うことを目的とする施設(利用定員が20人以上であるものに限り、幼保連携型認定こども園を除く。)とする。

第48条の4 第1項、第2項 保育所は、当該保育所が主として利用される地域の住民に対してその行う保育に関し情報の提供を行わなければならない。その行う保育に支障がない限りにおいて、乳児、幼児等の保育に関する相談に応じ、及び助言を行うよう努めなければならない。

保育士に関する規定

第18条の4 この法律で、保育士とは、第18条の18第1項の登録を受け、保育士の名称を用いて、専門的知識及び技術をもって、児童の保育及び児童の保護者に対する保育に関する指導を行うことを業とする者をいう。

第48条の4 第3項 保育所に勤務する保育士は、乳児、幼児等の保育に関する相談に応じ、及び助言を行うために必要な知識及び技能の修得、維持及び向上に努めなければならない。

欠格事由(第18条の5)、児童生徒性暴力等を行った者等の登録取り消し(第18条の19)、信用失墜行為の禁止(第18条の21)、守秘義務(第18条の22)、名称の使用制限(第18条の23)などについても規定

13 児童福祉施設

関連科目 子ども家庭福祉　社会的養護　保育原理　社会福祉

児童福祉施設は、福祉系の科目ではどこから出題されてもおかしくありません。施設の特徴と、そこに勤める専門の職員についてしっかり理解しておきましょう。

 キーワード

児童福祉施設

児童福祉を行う施設の総称で、13種類が規定されている（児童福祉法第7条）。法改正により、2024（令和6）年4月から里親支援センターが加わった。

栄養士と調理員の配置基準

栄養士は、児童が40人以下の施設では配置しなくてもよい（乳幼児が10人以上の乳児院、児童心理治療施設は必置）。調理員は、調理業務全部を委託する場合には配置しなくてもよい（乳幼児が10人未満の乳児院、母子生活支援施設では調理員又はこれに代わるべき者が必置）。

心理療法担当職員

虐待等による心的外傷等や夫等からの暴力等による心的外傷等のため心理療法を必要とする児童や母子に、遊戯療法、カウンセリング等の心理療法を実施する。心理的な困難を改善し、安心感・安全感の再形成と人間関係の修正等を図ることが目的。

▶児童福祉施設（13種類）

社会的養護施設	障害児施設	その他の施設
乳児院（第37条）	障害児入所施設（第42条）	助産施設（第36条）
母子生活支援施設（第38条）	（福祉型・医療型がある）	保育所（第39条）
児童養護施設（第41条）	児童発達支援センター（第43条）	幼保連携型認定こども園（第39条の2）
児童心理治療施設（第43条の2）		児童厚生施設（第40条）
児童自立支援施設（第44条）		児童家庭支援センター（第44条の2）
		里親支援センター（第44条の3）

Point
2024（令和6）年4月から児童発達支援センターの福祉型と医療型は一本化された。

Point
2024年4月から、里親支援センターが児童福祉施設に加えられた。

● 児童福祉施設の人員基準（児童福祉施設の設備及び運営に関する基準より）

施設名	人員基準
助産施設（第二種）	医療法に規定する職員のほか、1人以上の専任又は嘱託の助産師
乳児院 （乳幼児10人未満）	嘱託医、看護師、家庭支援専門相談員、調理員又はこれに代わるべき者
乳児院 （乳幼児10人以上）	医師又は嘱託医（小児科の診療経験者）、看護師、個別対応職員、家庭支援専門相談員、栄養士、調理員も必要 心理療法を行う場合：心理療法担当職員
母子生活支援施設	母子支援員、嘱託医、少年を指導する職員、調理員又はこれに代わるべき者 心理療法を行う場合：心理療法担当職員 個別に特別な支援を行う場合：個別対応職員
保育所	保育士、嘱託医、調理員
幼保連携型認定こども園	認定こども園法に定める（本書78頁参照）
児童厚生施設	児童の遊びを指導する者
児童養護施設	児童指導員、嘱託医、保育士、個別対応職員、家庭支援専門相談員、栄養士、調理員 心理療法を行う場合：心理療法担当職員　職業指導を行う場合：職業指導員 乳児が入所している場合：看護師
障害児入所施設 （福祉型）	嘱託医、児童指導員、保育士、栄養士、調理員、児童発達支援管理責任者 心理支援を行う場合：心理担当職員　職業指導を行う場合：職業指導員 主に知的障害児の施設：嘱託医は精神科又は小児科の診療経験者 主に自閉症児の施設：医師（児童を対象とする精神科の診療経験者）、看護職員も必要 主に肢体不自由児の施設：看護職員も必要 ＜ 看護職員とは、保健師、助産師、看護師、准看護師のこと。 主に盲ろうあ児の施設：嘱託医は眼科又は耳鼻咽喉科の診療経験者
障害児入所施設 （医療型）	医療法に規定する病院として必要な職員、児童指導員、保育士、児童発達支援管理責任者 主に肢体不自由児の施設：理学療法士又は作業療法士も必要 主に重症心身障害児の施設：理学療法士又は作業療法士、心理支援担当職員も必要
児童発達支援センター	嘱託医（精神科又は小児科の診療経験者）、児童指導員、保育士、栄養士、調理員、児童発達支援管理責任者 機能訓練を行う場合：機能訓練担当職員　医療的ケアを行う場合：看護職員 肢体不自由児に治療を行う場合は、医療法に規定する診療所としての職員も必要。嘱託医は不要。
児童心理治療施設	医師（精神科又は小児科の診療経験者）、心理療法担当職員、児童指導員、保育士、看護師、個別対応職員、家庭支援専門相談員、栄養士、調理員
児童自立支援施設	児童自立支援専門員、児童生活支援員、嘱託医、精神科の医師又は嘱託医、個別対応職員、家庭支援専門相談員、栄養士、調理員 心理療法を行う場合：心理療法担当職員　職業指導を行う場合：職業指導員
児童家庭支援センター	支援担当職員
里親支援センター	里親制度等普及促進担当者、里親等支援員、里親研修等担当者

14 社会的養護

関連科目　社会的養護　子ども家庭福祉　社会福祉　保育原理

社会的養護の定義や基本理念、その原理については頻出です。保育士資格を取得して、施設保育に進む人は特に理解しておかなければならない大切なテーマです。

 キーワード

社会的養護

保護者のない児童や、保護者に監護させることが適当でない児童を、公的責任で社会的に養育し、保護するとともに、養育に大きな困難を抱える家庭への支援を行うこと。

家庭と同様の環境における養育

養子縁組（特別養子縁組を含む）、小規模住居型児童養育事業（ファミリーホーム）、里親などのもとでの養育のこと。

▶ 社会的養護の基本理念

子どもの最善の利益のために	児童福祉法 第1条	全て児童は、児童の権利に関する条約の精神にのつとり、適切に養育されること、その生活を保障されること、愛され、保護されること、その心身の健やかな成長及び発達並びにその自立が図られることその他の福祉を等しく保障される権利を有する
	児童の権利に関する条約 第3条	児童に関するすべての措置をとるに当たっては、児童の最善の利益が主として考慮されるものとする

社会全体で子どもを育む	社会的養護は、保護者の適切な養育を受けられない子どもを、公的責任で社会的に保護養育するとともに、養育に困難を抱える家庭への支援を行うもの

出典：こども家庭庁「社会的養育の推進に向けて」（令和6年4月）をもとに作成

● 社会的養護の原理

1 家庭養育と個別化

すべての子どもは、適切な養育環境で、安心して自分をゆだねられる養育者によって養育されるべき「あたりまえの生活」を保障していくことが重要

Point
家庭養育と個別化により子どもの健全な成長に必要な愛着関係が構築される。

2 発達の保障と自立支援

未来の人生を作り出す基礎となるよう、子ども期の健全な心身の発達の保障を目指す
愛着関係や基本的な信頼関係の形成が重要。自立した社会生活に必要な基礎的な力を形成していく

3 回復をめざした支援

虐待や分離体験などによる悪影響からの癒しや回復をめざした専門的ケアや心理的ケアが必要
安心感を持てる場所で、大切にされる体験を積み重ね、信頼関係や自己肯定感（自尊心）を取り戻す

4 家族との連携・協働

親と共に、親を支えながら、あるいは親に代わって、子どもの発達や養育を保障していく取り組み

5 継続的支援と連携アプローチ

アフターケアまでの継続した支援と、できる限り特定の養育者による一貫性のある養育
様々な社会的養護の担い手の連携により、トータルなプロセスを確保する

6 ライフサイクルを見通した支援

入所や委託を終えた後も長くかかわりを持ち続ける
虐待や貧困の世代間連鎖を断ち切っていけるような支援

Point
児童養護施設の目的には、退所した者に対する相談、自立援助も含まれる。

出典：こども家庭庁「社会的養育の推進に向けて」（令和6年4月）をもとに作成

● 家庭と同様の環境における養育の推進

里親・ファミリーホームへの委託児童数の推移

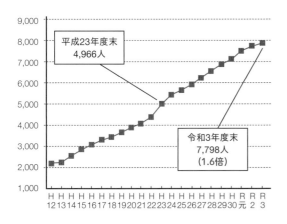

平成23年度末
4,966人

令和3年度末
7,798人
(1.6倍)

大規模な児童養護施設や乳児院などでの養育ではなく、1グループ4〜6人の地域小規模養護施設（グループホーム）や小規模グループケア、さらには、ファミリーホームや里親のもとでの養育が推進されてきている。その結果、里親・ファミリーホームへの委託児童数は、2011（平成23）年度末から2021（令和3）年度末までの10年間で約1.6倍に増加した。一方、児童養護施設の入所児童数は同期間で約0.8倍に減少した。

出典：こども家庭庁「社会的養育の推進に向けて」（令和6年4月）をもとに作成

15

社会的養護の施設①

社会的養護に関連する施設の中から、乳児院・母子生活支援施設・児童養護施設についての解説になります。なじみのない人も多いかもしれませんが、この機会にしっかり理解しましょう。

 キーワード ⋯⋯⋯⋯⋯⋯⋯⋯⋯⋯⋯⋯⋯⋯⋯⋯⋯⋯⋯⋯⋯⋯⋯⋯⋯⋯⋯⋯⋯⋯⋯

乳児院

　乳幼児の基本的な養育機能に加え、被虐待児・病児・障害児等に対応できる専門的養育機能を持つ。児童相談所に代わり、乳児についての一時保護機能も担っている。

母子生活支援施設

　母子がともに生活しながら、ともに支援を受けることができる唯一の児童福祉施設。

児童養護施設

　近年は、虐待を受けた子ども、何らかの障害をもつ子どもの割合が増加している。また、ケア単位の小規模化やグループホーム化などが推進されている。

▶ 乳児院の概要

根拠　児童福祉法第37条

入所施設

第一種社会福祉事業

第三者評価　受審義務有

自立支援計画　策定義務有

目的　乳児（特に必要のある場合には幼児を含む）を入院させて養育する。退院した者について相談その他の援助も行う

> **Point**
> 乳児院の入所児童数は2021年度末までの10年間で約2割減少。

施設数　145か所　**定員**　3,827人　**現員**　2,351人

（2022〔令和4〕年3月末現在）

養育　①乳幼児の心身及び社会性の健全な発達を促進し、その人格の形成に資することとなるものでなければならない
②乳幼児の年齢及び発達の段階に応じて必要な授乳、食事、排泄、沐浴、入浴、外気浴、睡眠、遊び及び運動のほか、健康状態の把握、（中略）健康診断及び必要に応じ行う感染症等の予防処置を含むものとする
③乳児院における家庭環境の調整は、乳幼児の家庭の状況に応じ、親子関係の再構築等が図られるように行わなければならない
（児童福祉施設の設備及び運営に関する基準第23条）

▶ 母子生活支援施設の概要

根拠 児童福祉法第38条

入所施設

第一種社会福祉事業

第三者評価 受審義務有

自立支援計画 策定義務有

目的 配偶者のない女子又はこれに準ずる事情にある女子及びその者の監護すべき児童を入所させて、保護し、自立の促進のためにその生活を支援する。退所した者について相談その他の援助も行う

Point

DVを受けた母子も受け入れている。

施設数 215か所　　**定員** 4,441世帯　　**現員** 3,135世帯・児童5,293人　　（2022〔令和4〕年3月末現在）

生活支援 母子を共に入所させる施設の特性を生かしつつ、親子関係の再構築等及び退所後の生活の安定が図られるよう、個々の母子の家庭生活及び稼働の状況に応じ、就労、家庭生活及び児童の養育に関する相談、助言及び指導並びに関係機関との連絡調整を行う等の支援により、その自立の促進を目的とし、かつ、その私生活を尊重して行わなければならない　　　　　　　　　　　　　　　　　　　　（児童福祉施設の設備及び運営に関する基準第29条より）

▶ 児童養護施設の概要

根拠 児童福祉法第41条

入所施設

第一種社会福祉事業

第三者評価 受審義務有

自立支援計画 策定義務有

目的 保護者のない児童（原則として乳児を除く。）、虐待されている児童その他環境上養護を要する児童を入所させて養護する。退所した者に対する相談その他の自立のための援助も行う

Point

規模によって、定員20人以上が大舎、13〜19人が中舎、12人以下が小舎。

施設数 610か所　　**定員** 30,140人　　**現員** 23,008人　　（2022〔令和4〕年3月末現在）

養護 児童に対して安定した生活環境を整えるとともに、生活指導、学習指導、職業指導及び家庭環境の調整を行いつつ児童を養育することにより、児童の心身の健やかな成長とその自立を支援することを目的として行わなければならない　　　　　　　　　　　　　　　　　　　（児童福祉施設の設備及び運営に関する基準第44条より）

小規模化の推進

児童養護施設数は増えているが、入所児童数は減っている

〈2011（平成23）年度末〉　　〈2021（令和3）年度末〉

施設数　584か所　→　610か所（1.04倍）

児童数　28,803人　→　23,008人（0.8倍）

Point

児童養護施設の入所児童数は2021年度末までの10年間で約2割減少。

出典：数値は、こども家庭庁「社会的養育の推進に向けて」（令和6年4月）をもとに作成

社会的養護の施設②

関連科目 社会的養護　子ども家庭福祉　保育実習理論

社会的養護の施設のつづきです。こちらも普段はなじみがないかもしれませんが、大切な施設です。その特徴や根拠法に加え、施設数や現員数といったおおよその数値も覚えていきましょう。

キーワード

児童心理治療施設

　場面緘黙(かんもく)、チック、不登校、集団不適応、注意欠如・多動症や自閉スペクトラム症など、心理的・精神的問題を抱え日常生活の多岐にわたり支障をきたしている子どもが対象。

児童自立支援施設

　特に非行問題を中心に対応する施設。少年法に基づく家庭裁判所の保護処分により入所する場合もあるため、都道府県等に設置義務が課せられており、大多数が公立施設である。

自立援助ホーム（児童自立生活援助事業）

　児童養護施設等を退所後原則20歳までの間、共同生活を営む住居にて、相談、日常生活上の援助、生活指導、就業の支援を行う。2024（令和6）年4月より年齢要件が緩和された。

▶ 児童心理治療施設の概要

根拠　児童福祉法第43条の2

入所施設

第一種社会福祉事業

第三者評価　受審義務有

自立支援計画　策定義務有

目的　家庭環境、学校における交友関係その他の環境上の理由により社会生活への適応が困難となった児童を、短期間、入所させ、又は保護者の下から通わせて、社会生活に適応するための心理に関する治療及び生活指導を主として行う。退所した者について相談その他の援助も行う

施設数　53か所　　**定員**　2,016人　　**現員**　1,343人　　　　　　　　（2022〔令和4〕年3月末現在）

①心理療法及び生活指導は、児童の社会的適応能力の回復を図り、児童が、当該児童心理治療施設を退所した後、健全な社会生活を営むことができるようにすることを目的として行わなければならない
②家庭環境の調整は、児童の保護者に児童の状態及び能力を説明するとともに、児童の家庭の状況に応じ、親子関係の再構築等が図られるように行わなければならない　　　　　（児童福祉施設の設備及び運営に関する基準第75条より）

▶ 児童自立支援施設の概要

根拠 児童福祉法第44条

入所施設

第一種社会福祉事業

第三者評価 受審義務有

自立支援計画 策定義務有

目的 不良行為をなし、又はなすおそれのある児童、家庭環境その他の環境上の理由により生活指導等を要する児童を入所させ、又は保護者の下から通わせて、必要な指導を行い、その自立を支援する。退所した者についても相談その他の援助を行う

施設数 58か所　**定員** 3,403人　**現員** 1,103人　　　　（2023〔令和5〕年10月1日現在）

①生活指導及び職業指導は、すべて児童がその適性及び能力に応じて、自立した社会人として健全な社会生活を営んでいくことができるよう支援することを目的として行わなければならない
②学科指導については、学校教育法の規定による学習指導要領を準用する
③生活指導、職業指導及び家庭環境の調整については、児童養護施設に準じる
　　　　　　　　　　　　　　　　　　（児童福祉施設の設備及び運営に関する基準第84条より）

▶ 自立援助ホーム(児童自立生活援助事業)の概要

根拠 児童福祉法第6条の3第1項

入所施設

第二種社会福祉事業

第三者評価 受審は努力義務

自立支援計画 策定義務なし

目的 義務教育を終了した児童又は満20歳未満の措置解除者等や、満20歳以上の措置解除者等に対して、共同生活住居で相談、日常生活上の援助、生活指導、就業の支援を行う。自立援助ホームを退去した後も、相談その他の援助を行う

2024（令和6）年4月より、満20歳以上の措置解除者等について、年齢や学生であることなどの要件は緩和され、22歳以上でも、やむを得ない事情があれば利用できるようになった。

施設数 317か所　**定員** 2,032人　**現員** 1,061人　　　　（2023〔令和5〕年10月1日現在）

出典：数値は、こども家庭庁「社会的養育の推進に向けて」（令和6年4月）をもとに作成

▶ 被虐待体験をもつ児童の入所割合

施設	児童養護施設	児童心理治療施設	児童自立支援施設	乳児院	母子生活支援施設	ファミリーホーム	自立援助ホーム
被虐待体験あり	71.7%	83.5%	73.0%	50.5%	65.2%	56.8%	77.7%

出典：数値は、こども家庭庁「児童養護施設入所児童等調査の概要（令和5年2月1日現在）」をもとに作成

17 家庭と同様の養育環境①

関連科目 社会的養護　子ども家庭福祉

大規模な施設を完全に否定するわけではないものの、なるべく子どもは家庭的な環境で育つべきだという方針が国から示されています。そのため近年、国では里親制度の普及に力を入れています。

 キーワード

家庭と同様の養育環境（児童福祉法第3条の2）

社会的養護のうち、養子縁組（特別養子縁組を含む）、小規模住居型児童養育事業、里親のこと。2016（平成28）年児童福祉法改正により、家庭と同様の環境における養育の推進は、国及び地方公共団体の責務として明記された。

要保護児童（児童福祉法第6条の3第8項）

保護者のない児童又は保護者に監護させることが不適当であると認められる児童。両親が死亡・行方不明・入院・服役をしている、子どもが虐待を受けているなどが該当する。

里親制度（児童福祉法第6条の4）

さまざまな事情で家族と離れて暮らす子どもを、自分の家庭に迎え入れ、温かい愛情と正しい理解をもって養育する制度。施設養護と比べて、里親に委託された児童は、特定の大人との安定した愛着形成や児童の自己肯定感の育成が容易になる。

▶ 里親の種類と役割

> **Point**
> 専門里親は養育里親の一類型。委託期間は延長することができる。

養育里親

養子縁組を目的とせずに要保護児童を預かり、実親の下で暮らせるようになるまで養育する
委託児童4人（実子を含め6人）まで

専門里親

被虐待児、非行等の問題を有する児童、障害児など一定の専門的ケアを必要とする児童を預かって養育する
委託期間原則2年以内、委託児童は2人まで

養子縁組里親

養子縁組を前提とする。特別養子縁組では、児童を6か月以上預かり、その結果から判断して養子縁組を結ぶ。戸籍には実子として記載される

親族里親

3親等以内の親族が、児童の保護者が死亡、行方不明などの場合に預かって養育する

◉ 里親の要件

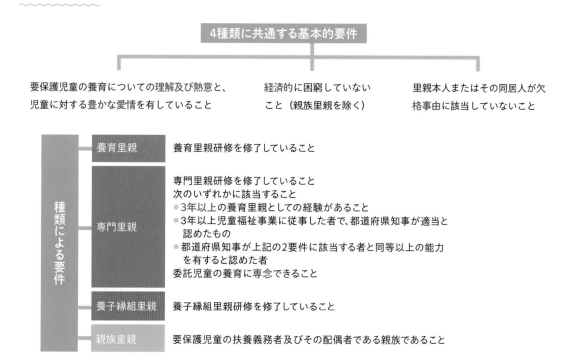

4種類に共通する基本的要件

要保護児童の養育についての理解及び熱意と、児童に対する豊かな愛情を有していること

経済的に困窮していないこと（親族里親を除く）

里親本人またはその同居人が欠格事由に該当していないこと

種類による要件

養育里親	養育里親研修を修了していること
専門里親	専門里親研修を修了していること 次のいずれかに該当すること ● 3年以上の養育里親としての経験があること ● 3年以上児童福祉事業に従事した者で、都道府県知事が適当と認めたもの ● 都道府県知事が上記の2要件に該当する者と同等以上の能力を有すると認めた者 委託児童の養育に専念できること
養子縁組里親	養子縁組里親研修を修了していること
親族里親	要保護児童の扶養義務者及びその配偶者である親族であること

◉ 里親申請から委託までの流れ

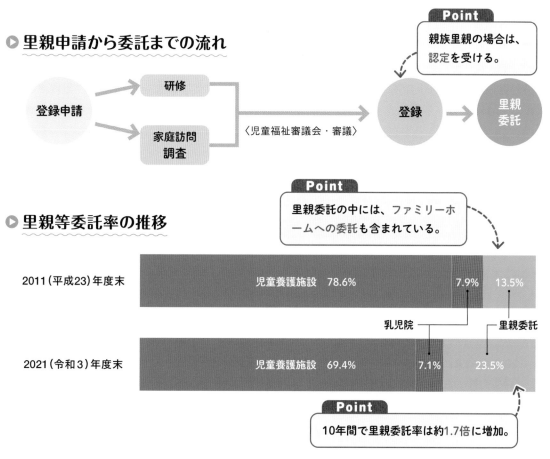

Point
親族里親の場合は、認定を受ける。

登録申請 → 研修 / 家庭訪問調査 → 〈児童福祉審議会・審議〉 → 登録 → 里親委託

◉ 里親等委託率の推移

Point
里親委託の中には、ファミリーホームへの委託も含まれている。

2011（平成23）年度末　児童養護施設 78.6%　7.9%　13.5%

乳児院　　里親委託

2021（令和3）年度末　児童養護施設 69.4%　7.1%　23.5%

Point
10年間で里親委託率は約1.7倍に増加。

出典：数値は、こども家庭庁「里親制度（資料集）」（令和5年10月）をもとに作成

18 家庭と同様の養育環境②

日本ではまだまだ里親養育に関する理解は低いといえます。支援事業やガイドラインなどが積極的に整備されてきていますので覚えていきましょう。また、ここでは養子縁組の知識についても扱います。

🔑 キーワード

里親養育包括支援（フォスタリング）事業

里親のリクルート、研修、マッチング、里親養育への支援等を通じた一貫した里親養育支援及び養子縁組に関する相談・支援を総合的に実施する事業。

ファミリーホーム（小規模住居型児童養育事業）

養育者の住居で複数の児童を養育するもので、里親、養子縁組と同様に家庭と同様の養育環境として推進されている。第二種社会福祉事業。

里親支援センター

児童福祉法第44条の3に基づく第二種社会福祉事業。里親支援事業を行うほか、里親・里親に養育される児童・里親になろうとする者からの相談その他の援助を行う。第三者評価受審は義務。

▶「里親委託ガイドライン」重要規定（抜粋）

1　里親委託の意義

近年、虐待を受けた子どもが増えている。社会的養護を必要とする子どもの多くは、保護者との愛着関係はもとより、他者との関係が適切に築けない、学校等への集団にうまく適応できない、自尊心を持てないなどの様々な課題を抱えている。また、予期せぬ妊娠で生まれて親が養育できない子どもの養育が課題である。子どもを養育者の家庭に迎え入れて養育を行う家庭養護である里親委託が、これまでよりさらに積極的に活用されるべきである

2　里親委託の原則

家族は、社会の基本的集団であり、家族を基本とした家族は子どもの成長、福祉及び保護にとって最も自然な環境である。このため、保護者による養育が不十分又は養育を受けることが望めない社会的養護のすべての子どもの代替的養護は、家庭養護が望ましく、養子縁組里親を含む里親委託を原則として検討する。特に、乳幼児は安定した家族の関係の中で、愛着関係の基礎を作る時期であり、子どもが安心できる、温かく安定した家庭で養育されることが大切である

◉「里親が行う養育に関する最低基準」重要条文

第3条　最低基準と里親

里親は、最低基準を超えて、常に、その行う養育の内容を向上させるように努めなければならない。

第4条　養育の一般原則

第1項　里親が行う養育は、委託児童の自主性を尊重し、基本的な生活習慣を確立するとともに、豊かな人間性及び社会性を養い、委託児童の自立を支援することを目的として行われなければならない。

第2項　里親は、前項の養育を効果的に行うため、都道府県（中略）が行う研修を受け、その資質の向上を図るように努めなければならない。

第5条　児童を平等に養育する原則

里親は、委託児童に対し、自らの子若しくは他の児童と比して、又は委託児童の国籍、信条若しくは社会的身分によって、差別的な養育をしてはならない。

Point
養子縁組成立後の養親や養子への支援はフォスタリング事業には含まれない。

◉里親養育包括支援（フォスタリング）事業の内容

①里親制度等普及促進・リクルート事業
②里親研修・トレーニング等事業
③里親委託推進等事業
④里親訪問等支援事業
⑤里親等委託児童自立支援事業
⑥共働き家庭里親委託促進事業
⑦障害児里親等委託推進モデル事業
⑧里親等委託推進提案型事業

Point
ファミリーホームは、複数の委託児童を受け入れていた里親を社会福祉事業化したもの。

◉ファミリーホーム(小規模住居型児童養育事業)の概要

根拠　児童福祉法第6条の3第8項　　第二種社会福祉事業

事業内容　養育者の家庭に児童を迎え入れて養育を行う。要保護児童間の相互作用を生かしながら、児童の自主性を尊重し、基本的な生活習慣の確立、豊かな人間性と社会性を養い、児童の自立を支援する

職員配置　2人の養育者（夫婦）及び1人の補助者、又は養育者1人と補助者2名。養育者は、ファミリーホームを行う住居に生活の本拠を置くものに限る

第三者評価　受審は努力義務

自立支援計画　児童相談所が作成した計画に従って養育

委託児童数　5～6人

Point
縁組後、普通養子縁組は実子関係が存続するが、特別養子縁組では関係が終了。

◉養子縁組の概要

普通養子縁組	未成年者を養子とする場合には、家庭裁判所の許可が必要。配偶者の子ども、自分の孫を養子にする場合、許可は不要
特別養子縁組	子どもの福祉の増進を図るのために特に必要がある場合に限り、家庭裁判所の手続きにより成立する。養親は配偶者がいる者で、配偶者の一方が25歳以上、もう一方が20歳以上。養子となる者は、原則として15歳未満

Point
養子縁組については、民法に規定されている。

19 新しい社会的養育ビジョン

関連科目 社会的養護　子ども家庭福祉

新しい社会的養育ビジョンは、社会的養護や子ども家庭福祉で頻出の項目です。ビジョンの実現に向けた工程や目標年限についてまとめましたので、確認しておきましょう。

🔑 キーワード ···

新しい社会的養育ビジョン

2016（平成28）年の児童福祉法改正の理念である、社会的養育の充実と家庭養育優先を具体化するために2017（平成29）年に示された。9つの工程について、目標年限を目指して計画的に進めるとしている。

リービング・ケアとアフター・ケア

支援施設入所中に行われる自立に向けた支援をリービング・ケア（退所準備）という。一方、施設退所後の自立支援をアフター・ケアという。

パーマネンシー保障

永続的な家族関係をベースにした家庭という育ちの場の保障。「新しい社会的養育ビジョン」では、実親による養育が困難である場合は特別養子縁組推進でこれを保障するとしている。

···

▶ 新しい社会的養育ビジョンの骨格

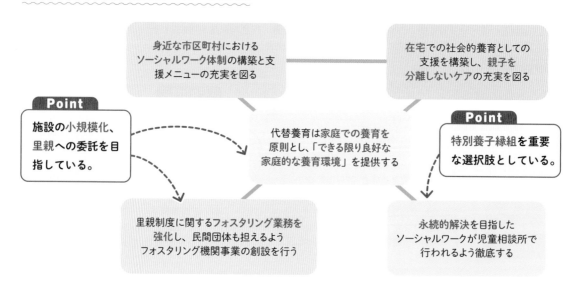

身近な市区町村における
ソーシャルワーク体制の構築と支援メニューの充実を図る

在宅での社会的養育としての
支援を構築し、親子を
分離しないケアの充実を図る

Point
施設の小規模化、里親への委託を目指している。

代替養育は家庭での養育を
原則とし、「できる限り良好な
家庭的な養育環境」を提供する

Point
特別養子縁組を重要な選択肢としている。

里親制度に関するフォスタリング業務を
強化し、民間団体も担えるよう
フォスタリング機関事業の創設を行う

永続的解決を目指した
ソーシャルワークが児童相談所で
行われるよう徹底する

● 新しい社会的養育ビジョンの実現に向けた9つの工程と目標年限

一体的かつ全体として改革を進める

①市区町村の子ども家庭支援体制の構築

- 市区町村子ども家庭総合支援拠点の全国展開と子どものニーズにあったソーシャルワークをできる体制の確保 ➡ 概ね5年以内

②児童相談所・一時保護改革

- 子どもの権利が保障された一時保護を実現。 ➡ 概ね5年以内
- パーマネンシー保障のためのソーシャルワークを行える十分な人材確保 ➡ 概ね5年以内

③里親への包括的支援体制(フォスタリング機能)の抜本的強化と里親制度改革

- フォスタリング機関による質の高い里親養育体制の確立
  - ➡ 平成32年度には全都道府県で行う
- 新しい里親類型を創設・里親の名称変更も行う
  - ➡ 平成33年度を目途

④永続的解決(パーマネンシー保障)としての特別養子縁組の推進

- 児童相談所と民間機関が連携した強固な養親・養子支援体制を構築し、養親希望者を増加させる。現状の約2倍の年間1000人以上の特別養子縁組成立を目指す ➡ 概ね5年以内

⑤乳幼児の家庭養育原則の徹底と、年限を明確にした取組目標

- 就学前の子どもは、原則として施設への新規措置入所を停止。そのためのフォスタリング機関事業の整備 ➡ 平成32年度までに確実に完了
- 3歳未満の里親委託率75%以上を実現 ➡ 概ね5年以内
- それ以外の就学前の子どもの里親委託率75%以上を実現 ➡ 概ね7年以内
- 学童期以降の里親委託率50%以上を実現 ➡ 概ね10年以内を目途

Point
子どもが一定程度自立するまで行う継続的な支援。

⑥子どもニーズに応じた養育の提供と施設の抜本改革

- 全ての施設で、小規模化(最大6人)・地域分散化、常時2人以上の職員配置を実現
  - ➡ 原則として概ね10年以内を目途

⑦自立支援(リービング・ケア、アフター・ケア)

- ケア・リーバー(社会的養護経験者)の実態把握と自立支援ガイドラインの作成
  - ➡ 平成30年度までに

⑧担う人材の専門性の向上など

- 児童福祉審議会による権利擁護の在り方を示し、その体制を全国的に整備する ➡ 3年を目途
- 社会的養護に係わる全ての機関の評価を行う専門的評価機構の創設、アドボケイト制度の構築
  - ➡ 概ね5年以内
- 虐待関連統計の整備、情報共有のためのデータベース構築 ➡ 概ね5年以内

⑨都道府県計画の見直し、国による支援

「社会的養護の課題と将来像」(平成23年)に基づいて策定された都道府県等の計画を「新しい社会的養育ビジョン」に基づいて見直す
➡ 平成30年度末まで

Point
2016(平成28)年改正の児童福祉法の理念。

社会的養育の充実 と 家庭養育優先 の実現

20 障害児施設と障害児サービス

関連科目 子ども家庭福祉 社会的養護 社会福祉 保育実習理論

近年、子どもの発達や障害に悩む保護者が増加しています。保育士として、障害関連の知識は必須だといえます。定義や支援、どのような施設や事業があるのかを確認しておきましょう。

ココをおさえよう！

🔑 キーワード

障害児の定義（児童福祉法第4条第2項）

身体に障害のある児童、知的障害のある児童、精神に障害のある児童（発達障害児を含む）、難病等の児童。児童とは18歳未満。

児童発達支援

集団療育及び個別養育を行う必要があると認められる主に未就学の障害児が対象。医学的な診断名や障害者手帳がなくても利用できる。

障害児入所施設の対象者

身体に障害のある児童、知的障害のある児童、精神に障害のある児童（発達障害児を含む）という3障害対応が原則だが、障害の特性に応じた支援の提供も可能。

● 障害児支援の体系

入所系サービス（障害児入所支援）
〈第一種社会福祉事業〉

- 福祉型障害児入所施設
- 医療型障害児入所施設

通所系サービス（障害児通所支援）
〈第二種社会福祉事業〉

- 児童発達支援
- 放課後等デイサービス

訪問系サービス（障害児通所支援）
〈第二種社会福祉事業〉

- 居宅訪問型児童発達支援
- 保育所等訪問支援

相談支援系サービス
〈第二種社会福祉事業〉

- 障害児相談支援
  （障害児支援利用援助）
  （継続障害児支援利用援助）

Point
居宅訪問型児童発達支援は2018年に新設。

Point
訪問系サービスは、児童福祉法上は障害児通所支援の位置づけであることに注意。

▶ 入所サービス系の内容

福祉型障害児入所施設

施設に入所している障害児に対して、保護、日常生活の指導及び知識技能の付与を行う

医療型障害児入所施設

施設に入所又は指定医療機関に入院している障害児に対して、保護、日常生活の指導及び知識技能の付与並びに治療を行う

Point

入所支援を受けなければ福祉を損なうおそれがあると認めるときは、満20歳に達するまで利用可。

▶ 通所系サービスの内容

児童発達支援

地域の障害児を児童発達支援センターなどの施設に通わせて、日常生活における基本的な動作及び知識技能の習得、集団生活への適応訓練等、また、肢体不自由のある児童に対する治療を実施する

放課後等デイサービス

就学している障害児を、授業終了後や夏休みなどの長期休暇中に、生活能力の向上のために必要な訓練、社会との交流などを実施する

Point

児童発達支援センター以外でも事業を実施できる。

Point

児童発達支援と医療型児童発達支援が2024年4月から一元化された。

Point

学校と事業所の間の送迎も行う。

▶ 訪問系サービスの内容

居宅訪問型児童発達支援

重度の障害等のために児童発達支援等を受けるために外出することが困難な障害児に対して、その居宅を訪問して日常生活における基本的動作の指導、知識技能の付与、その他必要な訓練（児童発達支援又は放課後等デイサービスと同様の支援）を実施する

保育所等訪問支援

保育所等（保育所、幼稚園、認定こども園、小学校、特別支援学校、乳児院、児童養護施設、その他地方自治体が認めたもの）を利用している障害児、又は今後利用する予定の障害児に対して、保育所等を訪問して集団生活の適応のための専門的な支援を実施する

▶ 相談支援系サービス

障害児相談支援

障害児通所支援の申請に係る給付決定の前に、障害児支援利用計画案を作成し、給付決定後に関係者と連絡調整等を行い障害児支援利用計画を作成する。また、継続障害児支援利用計画を作成する

「計画相談支援」というサービスは、障害者総合支援法に規定されているサービスで、児童を対象とするものではないことに注意。

放課後児童健全育成事業（放課後児童クラブ）・児童館

関連科目 子ども家庭福祉　保育実習理論　社会的養護　社会福祉　子どもの保健

放課後児童クラブでは、いまだに解決されていない課題が多いといえます。基礎知識として、事業内容や国の対策を確認していきましょう。また、児童館についてもここで扱います。

 キーワード

小1の壁

小学校入学までは子どもを夕方まで保育所等に預けることができるが、小学校1年生になると預けられる時間が短くなることが、働いている保護者にとって問題になることをいう。

放課後児童支援員

保育士、社会福祉士、大学や大学院などで一定の学科を専修して卒業した者等であって、都道府県知事・指定都市市長・中核市市長が実施する研修を修了した者でなければならない。

放課後子供教室

地域住民や大学生・企業OBなどさまざまな人材の協力を得て、放課後等に全ての児童を対象とした学習や体験・交流活動などを行う事業。文部科学省の管轄。

▶ 放課後児童健全育成事業の基礎知識

Point
特別支援学校小学部の児童も対象。小学生低学年に限られていない。

根拠　児童福祉法第6条の3第2項

経過　1997（平成9）年に児童福祉法に位置付けられる。2015（平成27）年から子ども・子育て支援新制度の地域子ども・子育て支援事業の1つとして実施

実施主体　市町村（市町村が適切と認めた者に委託等を行うことができる）（第21条の10）

開所時間　授業休業日は原則1日8時間以上、それ以外の日は1日3時間以上

通称　放課後児童クラブ

概要　小学校就学児童のうち、保護者が労働等で昼間家庭にいないものに、授業終了後に適切な遊び・生活の場を与えて健全な育成を図る事業（第6条の3第2項にて規定）。小学校の余裕教室、児童館等で実施

設備及び運営の基準　内閣府で定める放課後児童健全育成事業の設備及び運営に関する基準を踏まえて、市町村が条例で基準を定める（義務）

必置職員　支援1単位（概ね40人）あたり放課後児童支援員2人（1人は補助員も可）

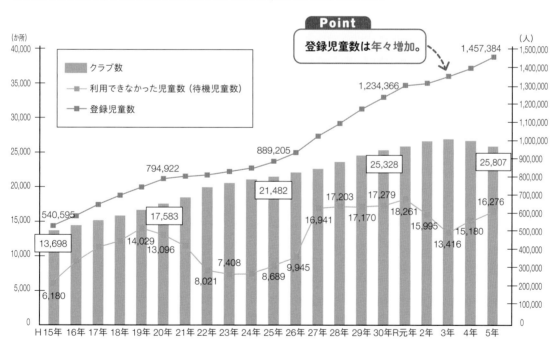

▶ 放課後児童クラブの設置・運営主体別実施状況（令和5年）

民立民営
6,241か所
（24.2%）

公立民営
12,859か所
（49.8%）

公立公営
6,707か所
（26.0%）

Point
公立民営が最も多く
約半分を占めている。

▶ 放課後児童クラブの設置場所の状況（令和5年）

その他
6,646か所
（25.8%）

学校余裕教室
7,041か所
（27.3%）

公的施設等
3,413か所
（13.2%）

学校敷地内
6,321か所
（24.5%）

児童館
2,386か所
（9.2%）

Point
学校余裕教室が最も多い。
学校敷地内と合わせると
約半分を占める。

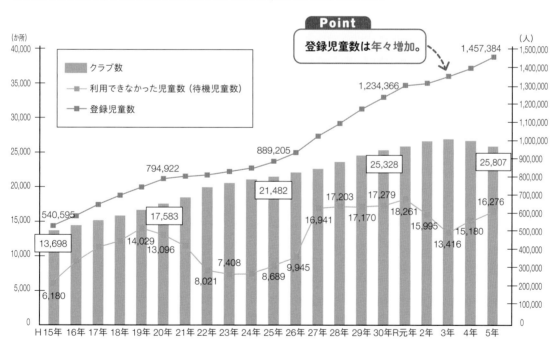

▶ 放課後児童クラブ数、登録児童数、待機児童数の推移

Point
登録児童数は年々増加。

（か所）／（人）

凡例：
- クラブ数
- 利用できなかった児童数（待機児童数）
- 登録児童数

クラブ数：13,698 〜 14,029 〜 13,096 〜 17,583 〜 21,482 〜 25,328 〜 25,807

待機児童数：6,180 〜 8,021 〜 7,408 〜 8,689 〜 9,945 〜 16,941 〜 17,203 〜 17,170 〜 17,279 〜 18,261 〜 15,995 〜 13,416 〜 15,180 〜 16,276

登録児童数：540,595 〜 794,922 〜 889,205 〜 1,234,366 〜 1,457,384

横軸：H15年 16年 17年 18年 19年 20年 21年 22年 23年 24年 25年 26年 27年 28年 29年 30年 R元年 2年 3年 4年 5年

※5月1日現在（令和2年のみ7月1日現在）厚生労働省調査
出典：こども家庭庁「令和5年（2023年）放課後児童健全育成事業（放課後児童クラブ）の実施状況（令和5年（2023年）5月1日現在）」を一部改変

登録児童数が増加し、2023（令和5）年は、
待機児童が16,276人発生している

▶ 放課後児童クラブ運営指針重要条文

第1章　総則　3（1）放課後児童クラブにおける育成支援

　放課後児童クラブにおける育成支援は、子どもが安心して過ごせる生活の場としてふさわしい環境を整え、安全面に配慮しながら子どもが自ら危険を回避できるようにしていくとともに、子どもの発達段階に応じた主体的な遊びや生活が可能となるように、自主性、社会性及び創造性の向上、基本的な生活習慣の確立等により、子どもの健全な育成を図ることを目的とする

第6章　施設及び設備、衛生管理及び安全対策　2（1）衛生管理

- 手洗いやうがいを励行するなど、日常の衛生管理に努める。また、必要な医薬品その他の医療品を備えるとともに、それらの管理を適正に行い、適切に使用する
- 施設設備やおやつ等の衛生管理を徹底し、食中毒の発生を防止する
- 感染症の発生状況について情報を収集し、予防に努める。感染症の発生や疑いがある場合は、必要に応じて市町村、保健所等に連絡し、必要な措置を講じて二次感染を防ぐ。
- 感染症や食中毒等の発生時の対応については、市町村や保健所との連携のもと、あらかじめ放課後児童クラブとしての対応方針を定めておくとともに、保護者と共有しておく

▶ 放課後児童対策パッケージ

2019年に厚生労働省と文部科学省が共同で策定した新・放課後子ども総合プランが2023年度で終了したため、このプランを活用し、引き続きその理念や掲げた目標を踏まえつつ、課題を解決するために2023〜2024年度に取り組む内容をまとめたもの。

趣旨

　「新・放課後子どもプラン」において受け皿確保や待機児童対策に集中的に取り組んできたが、目標の達成は困難だった。今後一層の強化を図るため、こども家庭庁と文部科学省が連携し、予算・運用等の両面から集中的に取り組むべき内容をとりまとめている。「こども未来戦略」における加速化プラン期間中、早期の受け皿整備の達成に向け整備を進める。

具体的な内容

放課後児童クラブを開設する場の確保
・施設整備の補助率の嵩上げ
・学校内における放課後児童クラブの整備推進
・学校外における放課後児童クラブの整備推進
・賃貸物件等を活用した放課後児童クラブの受け皿整備の推進
・学校施設や保育所等の積極的な活用

放課後児童クラブを運営する人材の確保
・常勤職員配置の改善
・職員に対する処遇改善
・ICT化の推進による職員の業務負担軽減
・育成支援の周辺業務を行う職員配置

適切な利用調整（マッチング）
・正確な待機児童把握の推進
・放課後児童クラブ利用調整支援事業や送迎支援の拡充による待機児童と空き定員のマッチングの推進等

児童館の概要

根拠 児童福祉法第40条

実施主体 都道府県、市町村、社会福祉法人等

設置状況 4,301か所（公営2,323か所、民営1,978か所）（令和4年10月1日現在）

必置職員 児童の遊びを指導する者（児童厚生員/保育士、社会福祉士、教員免許状を有する者など）

設備 集会室、遊戯室、図書室、相談室、創作活動室、便所、事務執行に必要な設備（必置）、静養室、放課後児童クラブ室（必要に応じて備える）

概要 児童厚生施設の1つで、地域において児童に健全な遊びを与えて、その健康を増進し、又は情操をゆたかにすることを目的とする児童福祉施設。全ての児童（18歳未満）が対象
小型児童館、大型児童館、児童センターの種別がある

Point
児童厚生員は、法律上では「児童の遊びを指導する者」。

児童館ガイドライン

第1章 総則

1 理念
児童館は、児童の権利に関する条約に掲げられた精神及び児童福祉法の理念にのっとり、子どもの心身の健やかな成長、発達及びその自立が図られることを地域社会の中で具現化する児童福祉施設である
児童館は国及び地方公共団体や保護者をはじめとする地域の人々とともに、年齢や発達の程度に応じて、子どもの意見を尊重し、その最善の利益が優先して考慮されるよう子どもの育成に努めなければならない

2 目的
児童館は、18歳未満のすべての子どもを対象とし、地域における遊び及び生活の援助と子育て支援を行い、子どもの心身を育成し情操をゆたかにすることを目的とする

第3章 児童館の機能・役割
1 遊び及び生活を通した子どもの発達の増進
2 子どもの安定した日常の生活の支援
3 子どもと子育て家庭が抱える可能性のある課題の発生予防・早期発見と対応
4 子育て家庭への支援
5 子どもの育ちに関する組織や人とのネットワークの推進

第4章 児童館の活動内容
1 遊びによる子どもの育成
2 子どもの居場所の提供
3 子どもが意見を述べる場の提供
4 配慮を必要とする子どもへの対応
5 子育て支援の実施
6 地域の健全育成の環境づくり
7 ボランティア等の育成と活動支援
8 放課後児童クラブの実施と連携

Point
障害のある児童も児童館の対象。

関連科目　子ども家庭福祉　社会的養護　保育実習理論　社会福祉

児童相談所に関連する出題は多く、それだけ今注目されている問題であるともいえます。その機能や専門職、設置数など、幅広く知識を蓄えておきましょう。

🔑 キーワード

児童相談所設置市

児童相談所を設置することを申請し、国が設置することを認めた市及び特別区のこと。

相談業務の種類

養護相談、保健相談、障害相談、非行相談、育成相談、その他がある。虐待や養子縁組については養護相談、不登校については育成相談、触法行為や問題行動については非行相談。

児童相談所長の権限

保護者の同意がなくても職権で一時保護を行うことができる。また、一時保護中の児童に親権者や未成年後見人がいない場合には親権を行う。

▶ 児童相談所の概要

根拠　児童福祉法第12条

職員（B級）　所長、児童福祉司、児童福祉司スーパーバイザー、相談員、児童心理司、児童心理司スーパーバイザー、医師、保健師、心理療法担当職員、弁護士

（A級）　B級に加え、理学療法士等（言語治療担当職員を含む。）、臨床検査技師

※A級、B級は、児童相談所の規模の違い。人口150万人以上の地方公共団体の中央児童相談所はA級規模、その他はB級規模を標準とする。

Point

スーパーバイザーは、それぞれ、児童福祉司、児童心理司を指導する立場。

設置義務　都道府県、指定都市、児童相談所設置市。2023（令和5）年4月より、おおむね人口50万人ごとに設置

設置目的　子どもに関する家庭等からの相談に応じ、子どもが有する問題又は子どもの真のニーズ、子どもの置かれた環境の状況等を的確に捉え、個々の子どもや家庭に適切な援助を行うことで子どもの福祉を図るとともに、子どもの権利を擁護すること

児童相談所設置数　234か所
一時保護所設置数　155か所
　　　　　　　　（2024〔令和6〕年4月1日現在）

出典：数値は、こども家庭庁「児童相談所一覧」（令和6年4月1日現在）をもとに作成

● 児童相談所における相談援助の流れと機能

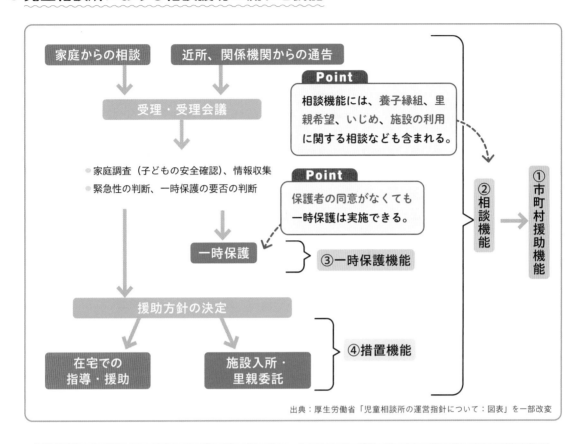

出典：厚生労働省「児童相談所の運営指針について：図表」を一部改変

①市町村援助機能

市町村による児童家庭相談への対応について、市町村相互間の連絡調整、市町村に対する情報提供など必要な援助を行う機能

②相談機能

子どもに関する家庭その他からの相談のうち、専門的な知識及び技術を必要とするものについて専門的な角度から総合的に調査、診断、判定し、それに基づいて援助指針（援助方針）を定め一貫した子どもの援助を行う機能

③一時保護機能

必要に応じて子どもを家庭から離して一時保護する機能。保護している子どもの生活指導、行動観察や行動診断、健康管理も行う

④措置機能

子ども・その保護者を児童福祉司、児童委員、児童家庭支援センター等に指導させる、又は子どもを小規模住居型児童養育事業者・里親に委託し、又は児童福祉施設・指定発達支援医療機関に入所させ、若しくは委託する等の機能

| 児童福祉司の役割 | 児童福祉司は、児童相談所長の命を受けて、児童の保護その他児童の福祉に関する事項について、相談に応じ、専門的技術に基づいて必要な指導を行う等児童の福祉増進に努める（児童福祉法第13条第4項） | 児童福祉司は、その担当区域内における児童に関し、必要な事項につき、その担当区域を管轄する児童相談所長又は市町村長にその状況を通知し、併せて意見を述べなければならない（児童福祉法第14条第2項） |

児童虐待防止法

関連科目 子ども家庭福祉　社会的養護　社会福祉　保育原理

児童虐待に関する知識はそのまま保育に直結しますので、超重要事項といえます。虐待の種類やリスク要因、対応についてしっかり学んでおきましょう。もちろん、試験にも頻出です。

 キーワード

児童虐待の定義（第2条）

保護者（親権を行う者、未成年後見人その他の者で、児童を現に監護するもの）がその監護する児童（18歳未満）について行う行為。身体的虐待、性的虐待、心理的虐待、ネグレクトの4種類が規定されている。

児童に対する虐待の禁止（第3条）

児童虐待防止法では、「何人も、児童に対し、虐待をしてはならない」としている。

通告の義務（第6条）

児童虐待を受けたと思われる児童を発見した者は、速やかに、市町村、福祉事務所、児童相談所に通告しなければならない。

▶ 児童虐待防止法の基礎知識

制定 2000（平成12）年
児童相談所における児童虐待相談の対応件数の増加、児童虐待による死亡事例の発生など、児童虐待の社会問題化を受けて制定

正式名称 児童虐待の防止等に関する法律

目的 児童虐待の禁止、児童虐待の予防及び早期発見等に関する国・地方公共団体の責務、虐待を受けた児童の保護・自立支援のための措置等を定めることにより、児童虐待等に関する施策を促進し、児童の権利擁護に資する（第1条にて規定）

概要 児童虐待の定義（第2条）、禁止（第3条）、通告（第6条）とそれを受けた場合の措置（第8条）、保護者に対する指導等（第11条）などを規定

体罰の禁止 児童の親権を行う者は、児童のしつけに際して、体罰その他児童の心身の健全な発達に有害な言動をしてはならない。また、親権を行う者であっても暴行罪、傷害罪その他の犯罪に問われる（第14条にて規定）

Point
親権者によるしつけと称する体罰を禁止。

▶ 児童虐待の種類（第2条第1号〜第4号より）

Point

児童虐待には、経済的虐待が含まれない。

①身体的虐待

児童の身体に外傷が生じ、又は生じるおそれのある暴行を加えること。殴る、ける、たたく、投げ落とす、やけどを負わせる、おぼれさせる、縄などにより一室に拘束するなど

②性的虐待

児童にわいせつな行為をすること又は児童をしてわいせつな行為をさせること。性的行為を見せる、ポルノグラフィの被写体にするなど

③ネグレクト

児童の心身の正常な発達を妨げるような著しい減食又は長時間の放置など、保護者としての監護を著しく怠ること。家に閉じ込める、食事を与えない、ひどく不潔にする、重い病気になっても病院に連れて行かないなど

④心理的虐待

児童に対する著しい暴言又は著しく拒絶的な対応、配偶者に対する暴力その他の児童に著しい心理的外傷を与える言動を行うこと。言葉によるおどし、無視、きょうだい間での差別的扱い、きょうだいに虐待行為を行うなど

Point

子どもの前で配偶者に暴力をふるうこと（面前DV）も心理的虐待。

▶ 虐待のおそれのある要因（リスク要因）

Point

要因が重なると、発生するリスクが高まる。

保護者

望まぬ妊娠・10代での妊娠
精神障害等
被虐待経験

Point

育てにくさをもっている児童の場合、愛着形成が行われないことがある。

児童

未熟児
障害児
育てにくさ

養育環境

未婚など単身家庭
内縁者や同居人がいる家庭
子ども連れでの再婚家庭
経済不安・夫婦の不和
配偶者暴力

▶ 児童虐待の早期発見に努める者（第5条より）

Point

保育士も含まれる。

学校、児童福祉施設、病院、都道府県警察、女性相談支援センター、教育委員会、配偶者暴力相談支援センター、その他児童の福祉に業務上関係のある団体

努力義務

早期発見

学校の教職員、児童福祉施設の職員、医師、歯科医師、保健師、助産師、看護師、弁護士、警察官、女性相談支援員その他児童の福祉に職務上関係のある者

◉児童虐待の通告（第6条より）

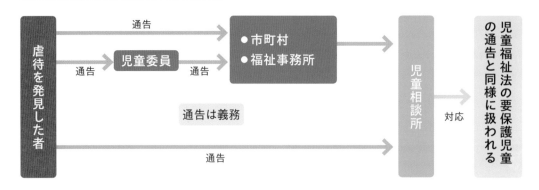

◉被措置児童等虐待の防止（児童福祉法第33条の10、11より）

> 施設職員等は、被措置児童等虐待その他被措置児童等の心身に有害な影響を及ぼす行為をしてはならない。

施設職員等とは

- 小規模住居型児童養育事業に従事する者
- 里親若しくはその同居人
- 乳児院、児童養護施設、障害児入所施設、児童心理治療施設、児童自立支援施設の長、職員、従業者
- 指定発達支援医療機関の管理者、一時保護施設を設けている児童相談所の所長、職員、従業者

被措置児童等とは

- 委託された児童
- 入所する児童
- 一時保護が行われた児童

◉被措置児童等虐待の通告（児童福祉法第33条の12より）

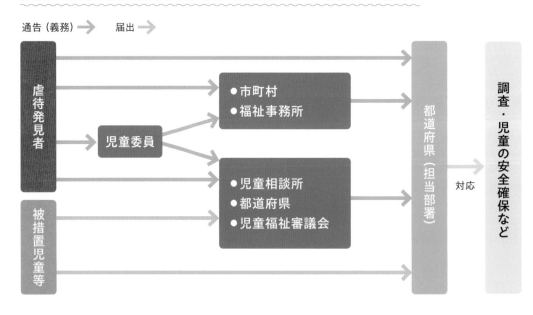

24 児童虐待防止の現状と対策

関連科目 子ども家庭福祉　社会的養護　社会福祉

児童虐待はとても多い現状にあり、児童相談所も対応が間に合わないといわれています。また、施設等にいる児童への虐待(被措置児童等虐待)も問題になっており、防止のためのガイドラインが策定されました。

ココをおさえよう！

🔑 キーワード

児童虐待相談対応件数

　近年、児童相談所に寄せられる虐待相談で最も多いのは**心理的虐待**である。一方、被措置児童に対する虐待では、**身体的虐待**が最も多い。

要保護児童対策地域協議会

　虐待を受けている児童をはじめとする要保護児童の**早期発見**や**適切な保護**を図るために地方公共団体が設置する（努力義務）。複数の市町村による共同設置も可能である。

不適切な保育

　「不適切な保育の未然防止及び発生時の対応についての手引き」では「保育所での保育士等による子どもへの関わりについて、保育所保育指針に示す**子どもの人権・人格の尊重**の観点に照らし、改善を要すると判断される行為」と定義している。また、こども家庭庁は「虐待等と疑われる事案」と定義している。

▶ 児童相談所での児童虐待相談対応件数の推移

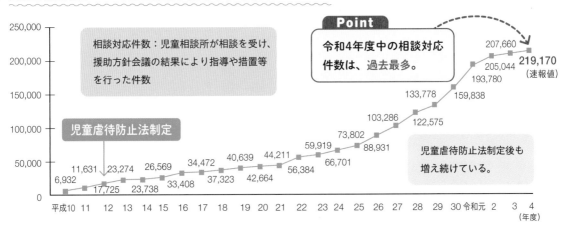

出典：こども家庭庁「令和4年度児童相談所における児童虐待相談対応件数（速報値）」を一部改変

● 児童相談所での虐待相談の内容別件数と割合（令和3年度）

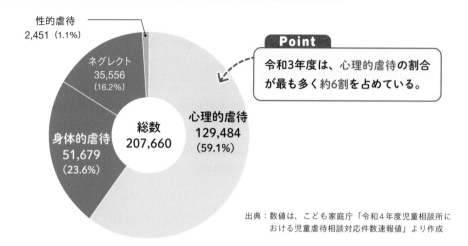

性的虐待
2,451（1.1%）

ネグレクト
35,556
（16.2%）

身体的虐待
51,679
（23.6%）

総数
207,660

心理的虐待
129,484
（59.1%）

Point
令和3年度は、心理的虐待の割合が最も多く約6割を占めている。

出典：数値は、こども家庭庁「令和4年度児童相談所における児童虐待相談対応件数速報値」より作成

● 被措置児童等虐待事例の 施設等種別内訳（令和3年度）

児童相談所
一時保護所
6（4.6%）

乳児院
5（3.8%）

児童心理
治療施設
2（1.5%）

児童自立
支援施設
8（6.1%）

障害児
入所施設等
20（15.3%）

里親・
ファミリー
ホーム
21
（16.0%）

総数
131

児童養護
施設
69
（52.7%）

● 被措置児童等虐待事例の 虐待種別（令和3年度）

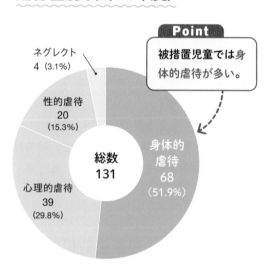

ネグレクト
4（3.1%）

性的虐待
20
（15.3%）

心理的虐待
39
（29.8%）

総数
131

身体的
虐待
68
（51.9%）

Point
被措置児童では身体的虐待が多い。

出典：数値は、こども家庭庁「令和3年度における被措置児童等虐待への各都道府県市等の対応状況について」より作成

● 被措置児童等虐待対応ガイドラインの「基本的な視点」（令和4年6月）

1）虐待を予防するための取組

　施設等での養育実践において負担が大きいと感じている職員や経験の浅い職員などに対し、施設内外からスーパービジョンを受けられるようにすることや、里親に対し、里親支援機関や里親会などが関わること等により、施設職員や里親等が一人で被措置児童等を抱え込まず、複数の関係者や機関が被措置児童等に関わる体制が必要

2) 被措置児童等が意思を表明できる仕組み

　一時保護した際や、入所措置の際に、子どもの意見や意向等をしっかりと受けとめつつ、自分（子ども）の置かれた状況や今後の支援の見通しを可能な限り分かりやすく説明すること、自立支援計画の策定や見直しの際には、子どもの意見や意向等を確認し、確実に反映すること、子どもが理解できていない点があれば、さらに分かりやすく繰り返し説明すること、「子どもの権利ノート」等の活用により、子どもの発達に応じて、被措置児童等が自らの権利や必要なルールについて理解できるよう学習を進めることなどが必要

3) 施設における組織運営体制の整備

　施設運営そのものについては、子どもと施設職員、施設長が意思疎通・意見交換を図りながら方針を定めること、相互理解や信頼関係を築き、チームワークのとれた風通しのよい組織作りを進めること、第三者委員の活用や、第三者評価の積極的な受審・活用など、外部の目を取り入れ、開かれた組織運営としていくことが重要

「保育所等における虐待等の防止及び発生時の対応等に関するガイドライン」（令和5年5月こども家庭庁）より

Point
保育の在り方を点検し、早い段階で改善し、虐待を未然に防ぐ。

不適切な保育
- こども一人一人の人格を尊重しない関わり
- 物事を強要するような関わり・脅迫的な言葉がけ
- 罰を与える・乱暴な関わり
- こども一人一人の育ちや家庭環境への配慮に欠ける関わり
- 差別的な関わり

繰り返しで深刻化 → **虐待**

要保護児童対策地域協議会の概要

根拠 児童福祉法第25条の2

構成員 市町村、警察、保健機関、医療機関、学校・教育委員会、民生・児童委員、保育所、弁護士、児童相談所、民間団体　等

会議 代表者会議、実務者会議、個別ケース検討会議
→調整機関が運営を担当する

設置主体 地方公共団体（努力義務）

役割 要保護児童の早期発見・適切な保護を図るため、関係機関が子ども等に関する情報や考え方を共有し、適切な連携の下で対応していくことによって援助を行う。
支援対象には保護者、要支援児童、特定妊婦も含まれる

Point
要保護児童対策地域協議会の構成員には守秘義務が課せられている。

Point
要支援児童とは、保護者の養育を支援することが特に必要と認められる児童。

関連科目　子ども家庭福祉　社会福祉

> 児童に関する手当として、いくつかの法律が制定されています。いずれも所得制限が課題といわれています。また、ここでは母子及び父子並びに寡婦福祉法の基礎知識についても扱います。

🔑 キーワード

寡婦

　配偶者のない女子で、以前に母子家庭の母親として児童を扶養していたことがある者。

母子・父子福祉施設（母子・父子福祉センター、母子・父子休養ホーム）

　母子家庭の母、父子家庭の父、その子が無料又は低額で利用できる。母子・父子福祉センターは、各種の相談に応じ、生活指導・生業の指導など福祉のための便宜を総合的に供与する。母子・父子休養ホームはレクリエーションその他休養のための便宜を供与する。

母子・父子自立支援員（母子及び父子並びに寡婦福祉法第8条第1項、第2項）

　原則として、福祉事務所に置かれ、相談に応じ、自立に必要な情報提供・指導、職業能力の向上・求職活動に関する支援などを行う。都道府県知事、市長、福祉事務所を管理する町村長が委嘱。

▶ 児童手当法の基礎知識

制定　1971（昭和46）年

定義　児童➡18歳に達する日以後の最初の3月31日までの間にある者（第3条第1項）

児童手当の支給対象　中学校修了前までの児童を監護し、生計を同じくしている父母等。児童が施設に入所している場合は施設の設置者等（第4条に規定）。前年の所得が一定以上ある場合は支給されない（第5条に規定）

> 児童手当は、2024（令和6）年10月分より、対象が高校生までに拡大され、所得制限も撤廃される予定

第1条（目的）　この法律は、子ども・子育て支援法（中略）第7条第1項に規定する子ども・子育て支援の適切な実施を図るため、父母その他の保護者が子育てについての第一義的責任を有するという基本的認識の下に、児童を養育している者に児童手当を支給することにより、家庭等における生活の安定に寄与するとともに、次代の社会を担う児童の健やかな成長に資することを目的とする。

Point

児童手当は、子ども・子育て支援法において「子どものための現金給付」として位置づけられた。

児童扶養手当法の基礎知識

制定 1961（昭和36）年

目的 父又は母と生計を同じくしていない児童が育成される家庭の生活の安定と自立の促進に寄与するため、児童扶養手当を支給し、児童の福祉の増進を図る（第1条にて規定）

定義 児童➡18歳に達する日以後の最初の3月31日までの間にある者又は20歳未満で政令で定める程度の障害の状態にある者（第3条第1項）

児童扶養手当の支給対象 ひとり親の児童を監護する母。監護し、生計を同じくする父または養育する者（祖父母等）（第4条）。前年の所得が一定以上ある場合、一部又は全部が支給されない（第9条にて規定）

> **Point**
> 児童扶養手当法では、自立の促進も目的となっている。

特別児童扶養手当法の基礎知識

制定 1964（昭和39）年

目的 精神又は身体に障害を有する児童に手当を支給することによりこれらの者の福祉の増進を図る（第1条にて規定）

正式名称 特別児童扶養手当等の支給に関する法律

特別児童扶養手当の支給対象 障害児を監護する父母または養育する者（祖父母等）（第3条第1項にて規定）。前年の所得が一定以上ある場合は支給されない（第6条にて規定）

定義 障害児➡20歳未満であって法に規定する障害等級に該当する者（第2条第1項）
重度障害児➡重度の障害のため日常生活において常時介護を必要とする者（第2条第2項）
特別障害者➡20歳以上であって著しく重度の障害のため日常生活において常時介護を必要とする者（第2条第3項）

母子及び父子並びに寡婦福祉法の基礎知識

制定 1964（昭和39）年母子福祉法として制定。2014（平成26）年、現在の名称に

定義 児童➡20歳に満たない者（第6条第3項）

福祉の措置 福祉資金の貸し付け、日常生活支援事業、売店等の設置の許可、製造たばこの小売販売業の許可、就業支援事業、自立支援給付金、生活向上事業（第3章、第4章）

目的 母子家庭、父子家庭、寡婦に対し、生活の安定と向上のために必要な措置を講じることでその福祉を図る（第1条にて規定）

計画 内閣総理大臣は基本指針を定める（第11条第1項）。都道府県・市・福祉事務所を設置する町村は、基本方針に即して自立促進計画を策定する（第12条第1項にて規定）

> **Point**
> 子育て・生活支援として、保育所への優先入所も行われている。

26 その他の子ども・子育てに関連する法律

関連科目 子ども家庭福祉 社会福祉

少年法に関する議論は昔から多く、近年では成人年齢が18歳になったことで、特定少年が規定されるなど多少の変化がありました。育児休業に関する制度も、時代に合わせて少しずつ変わってきています。

 キーワード ⋯⋯⋯⋯⋯⋯⋯⋯⋯⋯⋯⋯⋯⋯⋯⋯⋯⋯⋯⋯⋯⋯⋯⋯⋯⋯⋯⋯⋯⋯⋯⋯

家庭裁判所による少年審判

14歳以上の虞犯少年は児童相談所、家庭裁判所の両方が対応できるが、触法少年と14歳未満の虞犯少年は、児童相談所から送致された場合のみ家庭裁判所の調査・審判の対象。

育児休業給付金

雇用保険の被保険者が、育児休業を取得した場合に育児休業給付金、産後パパ育休（出生時育児休業）を取得した場合に出生時育児休業給付金が、雇用保険から支給される。

女性の第1子出産後の就業継続率

「第16回出生動向基本調査」によれば、第1子が2015〜2019年に生まれた妻の就業継続者割合は53.8％で、出産退職者割合は23.6％である。

⋯⋯⋯

▶ 少年法の基礎知識

制定 1948（昭和23）年

目的 少年の健全な育成を期し、非行のある少年に対して性格の矯正及び環境の調整に関する保護処分を行うとともに、少年の刑事事件について特別の措置を講ずる（第1条にて規定）

少年の定義 20歳未満（第1条）。ただし、18歳以上は特定少年として特例を設けている（実名報道等が可能など）（第5章）

非行少年 犯罪少年→罪を犯した少年
触法少年→14歳未満で刑罰法令に触れる行為をした少年
虞犯少年→性格又は環境に照らして、将来、罪を犯し、又は刑罰法令に触れる行為をする虞のある少年
（第3条第1項）

Point

2022（令和4）年施行の民法改正により成人年齢が18歳になったことに伴い、特定少年の規定が加わった。

少年審判の方式の特徴（第22条）

第1項 審判は、懇切を旨として、和やかに行うとともに、非行のある少年に対し自己の非行について内省を促すものとしなければならない

第2項 審判は、これを公開しない

第3項 審判の指揮は、裁判長が行う

育児・介護休業法の基礎知識

正式名称 育児休業、介護休業等育児又は家族介護を行う労働者の福祉に関する法律

制定 1991（平成3）年

目的 育児又は家族の介護を行う労働者等の職業生活と家庭生活との両立が図られるよう支援することによって福祉を増進し、経済及び社会の発展に資する（第1条にて規定）

育児休業に関する制度

Point
特別養子縁組の監護期間中の子ども、養子縁組里親に委託されている子どもも育児休業の対象。

休業・休暇の制度	育児休業	原則として、1歳に満たない子を養育するための休業。保育所に入れないなどの場合、1歳6か月までの延長、2歳まで再延長可能
	産後パパ育休（出生時育児休業）	産後休業をしていない場合に、原則として出生後8週間以内の子を養育するための休業
	パパ・ママ育休プラス制度	父母が交代で育児休業を取得する場合、子が1歳2か月に達するまで可能とする
	子の看護休暇	小学校就学の始期に達するまでの子がいる場合、1年度につき5日まで取得できる（2人以上の場合は10日。時間単位での取得も可能）
労働時間の制限の制度	所定労働時間の短縮措置（短時間勤務）	3歳に満たない子がいて育児休業をしていない労働者に関して、1日の所定労働時間を原則として6時間とする措置、フレックスタイム制度、事業所内保育施設の設置措置などを講じなければならない
	所定外労働の制限	3歳に達するまでの子がいる労働者が請求した場合、事業主は所定外労働時間を超えて労働させてはならない
	時間外労働の制限	小学校就学の始期に達するまでの子を養育している労働者が請求した場合も1か月24時間、1年150時間を超えて労働時間を延長してはならない
	深夜業の制限	小学校就学の始期に達するまでの子を養育している労働者が請求した場合、事業主は午後10時から午前5時に労働させてはならない

Point
労働時間制限の制度の利用ができる子の年齢に、3歳に達するまでの子、小学校就学前の違いがある。

◉ 育児休業取得率の推移

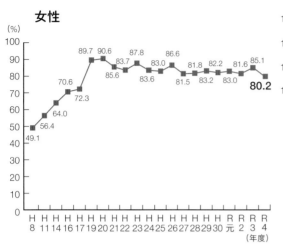

女性

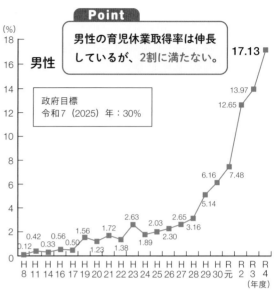

男性

Point

男性の育児休業取得率は伸長しているが、2割に満たない。

政府目標
令和7（2025）年：30%

出典：厚生労働省「令和4年度雇用均等基本調査 結果の概要（事業所調査）」を一部改変

◉ 次世代育成支援対策推進法の基礎知識

制定 2005（平成15）年
2014（平成26）年度末までの10年間の時限立法だったが2015（平成27）年の法改正により2025（令和7）年度末まで有効期限が延長された

目的 次世代育成支援対策に関して、基本理念を定め、行動計画策定指針並びに行動計画の策定その他の次世代育成支援対策を推進するために必要な事項を定めることにより、次代の社会を担う子どもが健やかに生まれ、かつ、育成される社会の形成に資する（第1条にて規定）

◉ 行動計画策定指針・行動計画の内容

行動計画策定指針 （国が策定）	● 次世代育成支援対策の実施に関する基本的事項 ● 次世代育成支援対策の内容に関する事項 ● 次世代育成支援対策の実施に関する重要事項　　　　　　（第7条第2項）
市町村行動計画 （市町村が策定）	● 次世代育成支援対策の実施により達成しようとする目標 ● 実施しようとする次世代育成支援対策の内容及びその実施時期　　（第8条第2項）
都道府県行動計画 （都道府県が策定）	● 次世代育成支援対策の実施により達成しようとする目標 ● 実施しようとする次世代育成支援対策の内容及びその実施時期 ● 次世代育成支援対策を実施する市町村を支援するための措置の内容及びその実施時期 （第9条第2項）
一般事業主行動計画 （常時雇用労働者が100人を超える事業主が策定）	● 計画期間 ● 次世代育成支援対策の実施により達成しようとする目標 ● 実施しようとする次世代育成支援対策の内容及びその実施時期　（第12条第2項）
特定事業主行動計画 （国・地方公共団体の機関が策定）	● 計画期間 ● 次世代育成支援対策の実施により達成しようとする目標 ● 実施しようとする次世代育成支援対策の内容及びその実施時期　（第19条第2項）

第 3 章

社会福祉に関する
法律と制度

「社会福祉」に苦手意識がある人は多い
といいます。関連する法律や制度を図解
でていねいに見て、苦手意識を払拭しま
しょう!

 この章のキーワード

社会福祉法　生活保護法　障害者基本法　福祉計画　社会福祉事業

福祉サービス第三者評価　苦情解決　社会保障制度　ソーシャルワーク

1 社会福祉の基本理念

関連科目 社会福祉　子ども家庭福祉

ココをおさえよう！

社会福祉に関する概念には、イギリスを発祥とする言葉が日本語に訳されず、そのままカタカナ表記の形で用いられているものが多くあります。似たような言葉も多いのですが、大切な概念なので覚えていきましょう。

🔑 キーワード

日本国憲法

日本の法体系の頂点となる最高法規。国の政治のあり方の基本など国が守らなければならないルールとされる。

ニィリエの8原則

ニィリエが提唱した、知的障害者の生活様式を平常化させるためのノーマライゼーションの原則。「1日のノーマルな生活のリズムの確保」などが挙げられた。

公的扶助に関する覚書

第二次世界大戦後、GHQ（連合国最高司令官総司令部）が示した社会救済の基本方針。「無差別平等」「国家責任による最低限の生活保障の実施」など4原則が示された。

● 日本国憲法と社会福祉

憲法とその後の福祉関連の法律（制定年）	
1946年	日本国憲法
1947年	児童福祉法
1949年	身体障害者福祉法
1950年	新生活保護法（旧法を改正）
1951年	社会福祉事業法（現社会福祉法）
1960年	精神薄弱者福祉法（現知的障害者福祉法）
1961年	児童扶養手当法
1963年	老人福祉法
1964年	母子福祉法（現母子及び父子並びに寡婦福祉法）
1971年	児童手当法

Point

「社会福祉」が日本で初めて公的に使われた。

日本国憲法に示された社会福祉の理念		
基本的人権	個人の尊重と生命・自由及び幸福追求権の尊重	国民の生存権と国の保障義務
第11条 国民は、すべての基本的人権の享有を妨げられない。この憲法が国民に保障する基本的人権は、侵すことのできない永久の権利として、現在及び将来の国民に与へられる。	**第13条** すべて国民は、個人として尊重される。生命、自由及び幸福追求に対する国民の権利については、公共の福祉に反しない限り、立法その他の国政の上で、最大の尊重を必要とする。	**第25条** 第1項　すべて国民は、健康で文化的な最低限度の生活を営む権利を有する。 第2項　国は、すべての生活部面について、社会福祉、社会保障及び公衆衛生の向上及び増進に努めなければならない。

● 社会福祉の理念に関する用語（概念）

用語	内容
ソーシャルインクルージョン	すべての人を社会的排除や孤立から守り、社会の構成員として包み込み、共に生き、支え合う。社会的包摂（ほうせつ）ともいわれる
ノーマライゼーション	障害のある人たちも、障害のない人たちと同様に、当たり前の生活を当たり前に過ごすバンク・ミケルセンが提唱 **Point** 知的障害者を対象とする活動からはじまった。
ユニバーサルデザイン	国籍、性別、障害、能力に関係なく、誰もが利用できる製品や施設などをデザインすること
ウェルビーイング	人権を尊重し、自己実現を支援すること。福祉においては、弱者を救済するという意味合いの「ウェルフェア」から、この考え方が重視されるようになっている
エンパワメント	社会的に不利な状況に置かれた人々に対し、能力や長所などに着目して援助することで、本人が主体的に取り組めるようにする
ストレングス	その人の強みや長所のこと
アドボカシー	自分で意思や権利を主張し享受することが難しい人たちのために、権利を擁護すること
QOL	Quality of Lifeの略で、日本語では「生活の質」という。ADL（日常生活動作）の自立や病気を治すことに着目するのではなく、満足して生活すること、自分らしく生活することを重視する考え方
アカウンタビリティ	専門家によるサービスの内容や質、成果などについての説明責任
ソーシャルアクション	社会福祉活動法。問題解決のために必要な社会資源を開発したり、行政に働きかけたりする手法
社会資源	クライエントが抱える問題を解決するために必要な支援。物的、人的などさまざまな資源がある
自立支援	その人自身で、あるいは手助けを受けながら、自分で意思決定したり生活できるように支援すること
ナショナルミニマム	国家が国民に保障する最低生活水準
ワーク・ライフ・バランス	職場環境整備や多様な働き方の推進によって、仕事と生活のバランスをとること
合理的配慮	障害者の障壁を取り除くための対応や調整のこと。障害者権利条約（2006年国連総会で採択）に盛り込まれた考え方。障害者差別解消法（2016年施行）に取り入れられた

社会福祉法

関連科目 社会福祉　子ども家庭福祉

ココをおさえよう！

社会福祉法は、1951年の社会福祉事業法を改正、名称変更して、2000年に公布、施行された法律です。社会福祉法の内容は、どれも試験に出やすいのでよく理解しておきましょう。

🔑 キーワード

社会福祉法

　日本の社会福祉に関連するさまざまな法律の土台となる法律。**福祉サービスの理念**、福祉事務所、社会福祉事業の範囲や経営主体、地域福祉、福祉サービス利用援助事業などについて規定している。

社会福祉基礎構造改革

　多様化する社会福祉の問題に対応するための1998（平成10）年の提言。主な内容は、**行政がサービスを決定するのではなく、利用者がサービスを選択する利用制度化**、**苦情解決の仕組みの導入**、**多様な事業主体の参入促進**など。これを受けて福祉関連の法律が改正された。社会福祉事業法から社会福祉法への改正もその１つ。

運営適正化委員会

　都道府県社会福祉協議会に設置される委員会。**福祉サービス利用援助事業の適正な運営**を確保するとともに、福祉サービスに関係する**苦情処理**を行う。委員は、人格が高潔で、社会福祉・法律・医療に関する学識経験者。

▶ 社会福祉法の基礎知識

制定　社会福祉を目的とするすべての分野の共通的な基本事項を定めるため1951（昭和26）年に社会福祉事業法として制定され、2000（平成12）年に社会福祉法に改称・改正された

目的　利用者の利益の保護、地域福祉の推進、社会福祉事業の公明かつ適正な実施の確保など（第1条）

憲法との関係　第25条の生存権、生活保障の理念に基づいている

計画　市町村地域福祉計画／努力義務（第107条）、都道府県地域福祉支援計画／努力義務（第108条）

Point
どちらも努力義務。

▶ 社会福祉法の主な内容

Point
社会福祉事業には第一種と第二種がある。

社会福祉法

第1章	総則	目的、第一種・第二種社会福祉事業、福祉サービスの基本的理念、地域福祉の推進等について定められている
第2章	地方社会福祉審議会	社会福祉に関する事項を調査審議するための審議会について、委員や委員長、民生委員審査専門分科会などの専門分科会等について定められている
第3章	福祉に関する事務所	福祉事務所の設置、組織、所員の定数等について。指導監督を行う所員・現業を行う所員は社会福祉主事でなければならないことも定められている
第4章	社会福祉主事	社会福祉主事の設置（職務）、資格（任用資格）について定められている
第6章	社会福祉法人	社会福祉法人を「社会福祉事業を行うことを目的として、この法律の定めるところにより設立された法人」と定義し、経営の原則、設立、解散等、詳細が定められている
第7章	社会福祉事業	社会福祉事業の経営主体、社会福祉施設の設置、調査、改善命令等について定められている
第8章	福祉サービスの適切な利用	情報の提供、利用契約の申込み時の説明、誇大広告の禁止、福祉サービス利用援助事業、苦情の解決、運営適正化委員会等について定められている
第10章	地域福祉の推進	重層的支援体制整備事業、地域福祉計画、社会福祉協議会、共同募金について定められている
第11章	社会福祉連携推進法人	事業者間の連携・協働を図るための取り組み等を行う法人制度について定められている

▶ 福祉関連法

福祉六法

福祉三法

旧生活保護法　1946年
1950年に現生活保護法に改正

児童福祉法　1947年

身体障害者福祉法　1949年

精神薄弱者福祉法　1960年
現知的障害者福祉法

老人福祉法　1963年

母子福祉法　1964年
現母子及び父子並びに寡婦福祉法

Point
1940～1960年代に福祉六法体制が確立。

3 生活保護法

関連科目　社会福祉

ココをおさえよう！

> 生活保護法は、旧生活保護法の制定から4年後の1950年に成立、公布された生活保護を規定する法律です。日本国憲法第25条に規定する最低生活の保障を理念としています。

🔑 キーワード

ミーンズテスト

保護の要否を決めるための調査。申請があった場合、福祉事務所のソーシャルワーカー（社会福祉主事）が家庭訪問などのうえ、資産や所得などを調べる。資力調査ともいう。

保護の実施機関

都道府県知事、市長及び福祉事務所を管理する町村長は保護を決定し、実施する義務がある。

救護施設

生活保護法に規定された保護施設の1つ。身体上または精神上の著しい障害のために自分1人では日常生活を営めない要保護者を入所させ、生活扶助を行う。保護施設には、ほかに、更生施設、医療保護施設、授産施設、宿所提供施設がある。

現物給付

金銭ではなく、医療行為、事業者によるサービスそのものが給付されること。

▶生活保護法の基礎知識

制定　1946年に制定された旧生活保護法に保護請求権が明記されていなかったこと、労働能力のある者や扶養義務者のある者を保護の対象から除外したこと、最低生活の保障がなかったことから、最低生活保障と自立助長を目的として1950年に改正され、現在の生活保護法になった

目的　困窮の程度に応じた必要な保護、最低限度の生活保障、自立の助長（第1条）

概要　保護の原則（第2章）、保護の種類及び範囲（第3章）、保護施設（第6章）、就労自立給付金・進学準備給付金（第8章）、就労支援事業・健康管理支援事業（第9章）などについて規定

憲法との関係　第25条に規定する理念に基づいていることが明記されている（第1条）

🔘 生活保護の原理

国家責任による保護の原理	国が、困窮の程度に応じて必要な保護を行い、最低限度の生活を保障する
無差別平等の原理	性別、社会的身分、困窮に至った理由に関係なく、経済状態だけに着目して保護を行う
最低生活保障の原理	健康で文化的な最低限度の生活保障
保護の補足性の原理	扶養義務者による扶養、生活保護以外で活用できる扶助が優先され、それでもなお困窮している場合のみ保護を行う

🔘 生活保護の原則

申請保護の原則	本人の申請に基づいて開始することを原則とする。ただし急迫時には申請なしに職権で保護できる
基準及び程度の原則	保護の内容は最低限度の生活を満たす程度とし、その程度を超えない範囲で不足部分を補う
必要即応の原則	個人の実情を考慮して、有効かつ適切に行う
世帯単位の原則	保護の要否・程度を決める単位は、原則として同一居住、同一生計の世帯とする

🔘 扶助の種類と給付方法

生活扶助
〈現金給付〉
食費、被服費、光熱費等の日常生活に必要な費用。介護保険料を含む

教育扶助
〈現金給付〉
義務教育を受けるために必要な学用品費、給食費など

住宅扶助
〈現金給付〉
アパートなどの家賃や住宅を維持するために必要な費用

医療扶助
〈現物給付〉
病院等で診察を受けるときなどに必要な費用（医療券）

> **Point**
> 教育扶助の対象は義務教育のみ。

介護扶助
〈現物給付〉
居宅介護、福祉用具、住宅改修など

出産扶助
〈現金給付〉
出産費用の自己負担分

生業扶助
〈現金給付〉
就労のための技能習得などにかかる費用。高等学校の就学費用を含む

葬祭扶助
〈現金給付〉
葬祭にかかる費用を給付

関連科目 社会福祉　子ども家庭福祉　教育原理

日本の長期的な経済低迷により、生活保護の受給者が増えています。最後のセーフティーネットである生活保護に至る前に予防的に支援を行うものとして、生活困窮者自立支援法が制定されました。

 キーワード ::

生活困窮者自立支援法

生活保護に至る前の段階の自立支援策の強化を図るため、生活困窮者に対し、自立相談支援事業の実施、住居確保給付金の支給などの支援を行うことを定めた法律。

子どもの学習・生活支援事業

生活困窮者自立支援事業の1つ。貧困の連鎖を防止するため、学習支援に加え生活習慣・育成環境の改善に関する助言や進路選択、教育、就労に関する情報提供などを行う。

子どもの貧困対策推進法の基本理念

第2条で、子どもの貧困対策は、子どもの最善の利益が優先して考慮され、心身ともに健やかに育成されること、子どもの現在・将来が生まれ育った環境に左右されないこと、貧困の背景にある社会的な要因を踏まえて推進されること、関連分野が総合的に取り組むことなどが示されている。

:::

▶生活困窮者自立支援法の基礎知識

制定 2013（平成25）年制定。申請手続きの厳格化など生活保護法が改正されるのに伴い、第2のセーフティーネットが必要になった

目的 生活困窮者の自立の促進（第1条）

定義 経済的に困窮し、最低限度の生活を維持することができなくなるおそれのある者（第3条）

会議 支援会議（第9条）

Point

児童の権利に関する条約の精神にのっとっている。

▶子どもの貧困対策推進法の基礎知識

正式名称 子どもの貧困対策の推進に関する法律

制定 2013（平成25）年

目的 全ての子どもが心身ともに健やかに育成されること、教育の機会均等、子ども一人一人が夢や希望を持つことができるようにすること、子どもの貧困対策を総合的に推進することなど（第1条）

大綱 こども大綱

※ 2024（令和6）年6月の改正で法律名が「こどもの貧困の解消に向けた対策の推進に関する法律」に変更されることとなった（公布日より3か月以内に施行予定）。

● 主な生活困窮者支援事業（生活困窮者自立支援法）

自立相談支援事業

支援員による、生活・就労に関する情報提供・助言、関係機関との連絡調整、就労訓練事業利用のあっせん、支援計画の作成

住居確保給付金

就職活動を支えるため家賃費用を有期で給付

就労準備支援事業

一般就労に向けた日常生活自立・社会自立・就労自立のための訓練

家計改善支援事業

家計の状況を把握すること、家計改善の意欲を高めるための支援（貸付けのあっせん等含む）

一時生活支援事業

住居をもたない者に、一定期間、衣食住等の支援を提供。シェルター等利用者などへの訪問による見守りや生活支援

子どもの学習・生活支援事業

子どもに対する学習支援、子ども・保護者に対する生活習慣・育成環境の改善、教育・就労に関する支援等

Point
生活保護受給世帯の子どもも含まれる。

● こども大綱における主なこどもの貧困対策の内容

貧困の連鎖の解消	● こどもの貧困の背景には様々な社会的要因があることを国民全体で広く共有し、こどもの現在と将来が生まれ育った環境によって左右されることのないよう、教育の支援、生活の安定に資するための支援、保護者の就労の支援、経済的支援を進める
教育の格差の問題への取り組み	● 全てのこどもと若者が、家庭の経済状況にかかわらず、質の高い教育を受け、能力や可能性を最大限に伸ばして、それぞれの夢に挑戦できるようにする ● 学校を地域につながっていくプラットフォームと位置づけ、要保護児童対策地域協議会、子ども・若者支援地域協議会等の枠組みを活用して支援につなげる体制を強化する
多様な体験や遊びの機会、学習する機会の確保	● 幼児期から高等教育段階まで切れ目のない教育費負担の軽減 ● 高校中退防止、中退後の継続的なサポート強化 ● 成人期への移行期にある学生等の若者への支援
こども・若者や子育て当事者の孤立防止	● 妊娠・出産期からの相談支援の充実や居場所づくりなど、生活の安定に資するための支援を進める
保護者の就労支援	● 子育て当事者の安定的な経済基盤を確保する観点から、所得の増大、職業生活の安定と向上のための支援を進める ● 仕事と両立して安心してこどもを育てられる環境づくりを進める

Point
こどもの貧困は家庭の自己責任ではなく社会全体で受け止めて取り組むべき課題としている。

第3章

4 生活困窮者自立支援法・子どもの貧困対策推進法

障害者基本法・障害者総合支援法

関連科目 社会福祉　子ども家庭福祉

1970年に制定された障害者基本法と、障害のある人が基本的人権をもった個人として日常生活を営むことを支援するための法律である障害者総合支援法。その内容について理解していきましょう。

🔑 キーワード

社会的障壁

障害者基本法（第2条第二号）に「障害がある者にとつて日常生活又は社会生活を営む上で障壁となるような社会における事物、制度、慣行、観念その他一切のものをいう」と示される。

障害者週間

12月3〜9日（障害者基本法第9条）。障害者福祉への関心などを高める啓発期間。

障害福祉サービス

障害者総合支援法に基づいて障害者・児に提供されるサービス。**介護給付、訓練等給付、補装具などの自立支援給付**のほか、**地域生活支援事業**がある。

市町村審査会

障害者総合支援法により市町村に設置される（第15条）。障害福祉サービス利用の申請に対して、審査判定業務（障害支援区分の認定）を行う。

▶ 障害者基本法の基礎知識

制定　1970（昭和45）年に心身障害者対策基本法として制定され、1993（平成5）年に障害者の自立と社会参加の一層の推進を図るため障害者基本法に改正された

障害者の定義　身体障害、知的障害、精神障害（発達障害を含む）、その他の心身の機能の障害があり障害及び社会的障壁により継続的に日常生活又は社会生活に相当な制限を受ける状態にあるもの（第2条）

目的　共生社会の実現、障害者の自立及び社会参加の支援等のための施策を総合的かつ計画的に推進すること（第1条）

委員会　内閣府に障害者政策委員会を設置（第32条）。障害者も加わった30人の委員で構成され、障害者基本計画に関する事項を調査審議し、意見を述べる

計画　障害者基本計画（国）、障害者計画（都道府県・市町村）（第11条）

● 障害者総合支援法の基礎知識

正式名称 障害者の日常生活及び社会生活を総合的に支援するための法律

制定 2005（平成17）年に障害種別によるサービス内容の不均衡を是正するために「障害者自立支援法」が制定。2012（平成24）年に「障害者総合支援法」に改正・改称

法の対象 身体障害者、知的障害者、精神障害者、発達障害者、難病等のうち18歳以上の者。児童福祉法第4条第2項に規定する障害児（第4条）

目的 障害者・障害児が個人としての尊厳にふさわしい日常生活又は社会生活を営むこと、誰もが安心して暮らすことのできる地域社会の実現に寄与すること（第1条）

会議 協議会（障害者等への支援体制整備のため）（第89条の3）

計画 障害福祉計画。主務大臣は基本指針を定める（第87〜89条）

Point
障害児も法の対象になる。

● 障害福祉サービス（障害者総合支援法）

自立支援給付（市町村）

介護給付	訓練等給付	自立支援医療　等
居宅介護(ホームヘルプ) ※	自立訓練	更生医療　　育成医療
重度訪問介護	就労移行支援	精神通院医療
同行援護※	就労継続支援	
行動援護※	就労定着支援	
重度障害者等包括支援※	自立生活援助	**補装具**
短期入所（ショートステイ）※	共同生活援助	
療養介護	（グループホーム）	**相談支援**
生活介護		計画相談支援※
施設入所支援	※障害児が利用できる	地域相談支援

Point
相談支援、日常生活用具の給付・貸与、移動支援など、さまざまな事業がある。

Point
精神通院医療は、都道府県等が実施。

地域生活支援事業

市町村実施事業　　　都道府県実施事業

対象者は、18歳以上の身体・知的・精神に障害のある人のほか、難病患者、そして満18歳に満たない、身体・知的・精神に障害のある児童や発達障害児も含まれます。

福祉関連法①
障害福祉関連

関連科目 社会福祉　保育原理　子ども家庭福祉　教育原理

ここでは、障害者に関係する法律について学びます。近年、障害者差別解消法や障害者虐待防止法についての注目が高まっています。要点を覚えておきましょう。

ココをおさえよう！

 キーワード

社会参加を促進する事業の実施

　身体障害者福祉法第21条の見出し。地方公共団体は、意思疎通を支援する事業、盲導犬等の使用を支援する事業などを実施するよう努めなければならないことが定められている。

発達障害の定義

　「自閉症、アスペルガー症候群その他の広汎性発達障害、学習障害、注意欠陥多動性障害その他これに類する脳機能の障害であってその症状が通常低年齢において発現するものとして政令で定めるもの」（発達障害者支援法第2条）。

市町村障害者虐待防止センター

　家族等からの障害者虐待の届出受理、被虐待障害者の保護などを行う。なお、都道府県障害者権利擁護センターは、障害者施設の従業員等による虐待の届出受理などを行う。

▶ 障害者に関わる法律の基礎知識

Point
いずれにも自立と社会参加が挙げられている。

	身体障害者福祉法	知的障害者福祉法	精神保健福祉法※1	発達障害者支援法
制定	1949(昭和24)年	1960(昭和35)年	1950(昭和25)年	2004(平成16)年
目的	自立と社会経済活動への参加促進（第1条）	自立と社会経済活動への参加促進（第1条）	自立と社会経済活動への参加促進、国民の精神保健向上（第1条）	早期の発達支援、早期発見、自立及び社会参加のための支援（第1条）
手帳	身体障害者手帳（第15条）	（療育手帳）※2	精神障害者保健福祉手帳（第45条）	（精神障害者保健福祉手帳または療育手帳）※2
支援機関	身体障害者福祉センター（第31条）	──	精神保健福祉センター（第6条）	発達障害者支援センター（第14条）

※1 正式名称は精神保健及び精神障害者福祉に関する法律
※2 厚生労働省通知に規定

● 障害者差別解消法の基礎知識

正式名称 障害を理由とする差別の解消の推進に関する法律

制定 2013（平成25）年

目的 障害を理由とする差別の解消の推進、共生社会の実現（第1条）

協議会 障害者差別解消支援地域協議会（第17条）

Point
2021年改正により、2024年4月から民間事業者にも合理的配慮の提供が義務化。

障害者差別解消のための3つの措置

- 不当な差別的取扱いの禁止
- 合理的な配慮の提供
- 環境の整備

● 障害者虐待防止法の基礎知識

正式名称 障害者虐待の防止、障害者の養護者に対する支援等に関する法律

制定 2011（平成23）年

目的 障害者虐待の予防、早期発見、防止、養護者に対する支援の促進、障害者の権利利益を擁護（第1条）

センター 市町村障害者虐待防止センター（第32条）、都道府県障害者権利擁護センター（第36条）

障害者虐待を行う者の対象範囲

- 養護者による障害者虐待
- 障害者福祉施設従事者等による障害者虐待
- 使用者による障害者虐待

Point
発見した者に速やかな通報を義務づけている。

5つの行為類型

- 身体的虐待
- 性的虐待
- 心理的虐待
- 放棄、放任(ネグレクト)
- 経済的虐待

学校・保育所等・医療機関

障害者虐待防止のための措置の実施を、学校・保育所等の長及び医療機関管理者に義務づけている

対象者は身体障害、知的障害、精神障害、その他の心身の機能に障害があり、その障害や社会的障壁によって継続的に日常生活や社会生活が困難な人となります。

7

福祉関連法②
民生委員法・老人福祉法など

民生委員はよく出題される事柄です。また、保育との関連は浅いものの、老人福祉法や高齢者虐待防止法、困難な問題を抱える女性への支援に関する法律などからの出題もありますので、要点をおさえておきましょう。

ココをおさえよう！

 キーワード :::

児童委員

地域の子どもたちを見守り、子育ての不安や妊娠中の心配ごとなどの相談・支援等を行う。児童福祉法（第16条）に民生委員が兼務すると規定されている。

主任児童委員

児童の福祉に関する機関と各地域を担当する児童委員との連絡調整を行うとともに、児童委員の活動に対する援助・協力を行う。

措置

行政が、入所の可否、入所施設の決定等を行うこと。現在では、利用者と事業者の契約によって福祉サービス等が提供されるのが原則だが、虐待などで緊急を要する場合や自分では契約できない場合などには措置が行われる。

::

▶民生委員法の基礎知識

Point
児童委員を兼務する。

制定 1948（昭和23）年　　　　**任期** 3年（第10条）

概要 都道府県知事の推薦によって厚生労働大臣が委嘱（第5条）、給与は支給しない（第10条）、児童委員を兼務する（児童福祉法第16条）

民生委員の主な職務（第14条）

- 住民の生活状況を必要に応じて適切に把握
- 生活に関する相談に応じ、助言その他の援助を行う
- 福祉サービス利用のための情報提供その他の援助を行う
- 社会福祉事業者と連携し、事業・活動を支援
- 福祉事務所その他の関係行政機関の業務に協力
- 住民の福祉増進を図る活動を行う　　　など

児童委員の主な職務（児童福祉法第17条）

- 児童・妊産婦の生活や取り巻く環境の状況を適切に把握
- 児童・妊産婦に、保護、保健その他福祉に関し、サービスを利用するための情報提供、援助、指導を行う
- 児童・妊産婦に関係する社会福祉事業者、児童の健全育成に関する活動を行う者と密接に連携し、事業・活動を支援　　　など

▶ 老人福祉法の基礎知識

Point
老人福祉法に基づく入所等は措置。

制定 1963（昭和38）年

対象 65歳以上の者（特に必要があると認められる場合には65歳未満も含む）（第5条の4）

計画 市町村老人福祉計画、都道府県老人福祉計画（第20条の8、第20条の9）

目的 老人の心身の健康の保持、生活の安定のために必要な措置を講じ老人の福祉を図る（第1条）

老人福祉施設 老人デイサービスセンター、老人短期入所施設、養護老人ホーム、特別養護老人ホーム、軽費老人ホーム、老人福祉センター、老人介護支援センター（第5条の3）

Point
特別養護老人ホームは、介護保険法に定める介護老人福祉施設でもある。

▶ 高齢者虐待防止法の基礎知識

正式名称 高齢者虐待の防止、高齢者の養護者に対する支援等に関する法律

制定 2005（平成17）年

Point
通報等は、市町村が受け付ける。

定義 高齢者は65歳以上の者。高齢者虐待は、養護者によるものと養介護施設従事者等によるもの。虐待行為の種類は、身体的虐待、放任・放置、心理的虐待、性的虐待、経済的虐待（第2条第1〜5項）

目的 虐待を受けた高齢者の保護、養護者に対する支援によって高齢者虐待を防止し、高齢者の権利利益の擁護を行う（第1条）

養介護施設 老人福祉法に規定される老人福祉施設、有料老人ホーム、地域密着型介護老人福祉施設、介護老人福祉施設、介護老人保健施設、介護医療院、地域包括支援センター（第2条第5項）

Point
市町村は、業務を地域包括支援センターに委託できる。

▶ 困難な問題を抱える女性への支援に関する法律の基礎知識

制定 2022（令和4）年

目的 困難な問題を抱える女性への支援のための施策を推進することで人権が尊重され、女性が安心し、自立して暮らせる社会の実現（第1条）

定義 困難な問題を抱える女性とは、性的な被害、家庭の状況、地域社会との関係性等の様々な事情によって日常生活・社会生活を円滑に営む上で困難な問題を抱える女性をいい、そのおそれのある女性も含む（第2条）

女性相談支援センター(第9条)

- ●都道府県に設置が義務づけられている
- ●困難な問題を抱える女性の相談、緊急時の安全確保・一時保護、医学的・心理学的援助、就労支援、住宅確保、児童の保育等に関する情報提供、居住施設利用の情報提供等を行う

配偶者暴力相談支援センターとしての機能も果たす(配偶者暴力防止法)

女性自立支援施設(第12条)

- ●都道府県が設置することができる
- ●困難な問題を抱える女性が入所できる
- ●困難な問題を抱える女性の保護、心身の健康の回復を図るための医学的・心理学的援助、自立促進のための生活支援、退所した者について相談その他の援助を実施する

第3章

⑦福祉関連法② 民生委員法・老人福祉法など

8

福祉計画

関連科目 社会福祉　子ども家庭福祉

福祉に関するさまざまな計画が存在します。一方で、努力義務とする計画では、小さな自治体は人材不足や財源確保が困難という理由から策定を見送る現状もあります。

ココをおさえよう！

🔑 キーワード

基本指針

障害福祉計画等を市町村や都道府県が策定する際にもととなるもので、国が定める。

地域福祉計画

社会福祉法に規定された計画で、市町村と都道府県が策定する。2018年改正により任意から努力義務になり、地域の高齢者福祉、障害者福祉、児童福祉その他の福祉の各分野における共通的な事項を記載する「上位計画」に位置づけられた。

市町村障害児福祉計画

障害児通所支援及び障害児相談支援の提供体制の確保その他障害児通所支援及び障害児相談支援の円滑な実施に関する計画。2016年児童福祉法改正で新たに盛り込まれた。

▶ 福祉関連法等に規定されている計画

計画	根拠法
市町村地域福祉計画	社会福祉法
都道府県地域福祉支援計画	
基本指針（国）	児童福祉法
市町村障害児福祉計画	
都道府県障害児福祉計画	
障害者基本計画	障害者基本法
市町村障害者計画	
都道府県障害者計画	
基本指針（国）	障害者総合支援法
市町村障害福祉計画	
都道府県障害福祉計画	

計画	根拠法
行動計画策定指針（国）	次世代育成支援対策推進法
市町村行動計画	
都道府県行動計画	
基本指針（国）	子ども・子育て支援法
市町村子ども・子育て支援事業計画	
都道府県子ども・子育て支援事業支援計画	
市町村老人福祉計画	老人福祉法
都道府県老人福祉計画	
基本指針（国）	介護保険法
市町村介護保険事業計画	
都道府県介護保険事業支援計画	

Point
都道府県の支援計画は市町村を支援するための計画。

◉ 市町村が策定するさまざまな計画

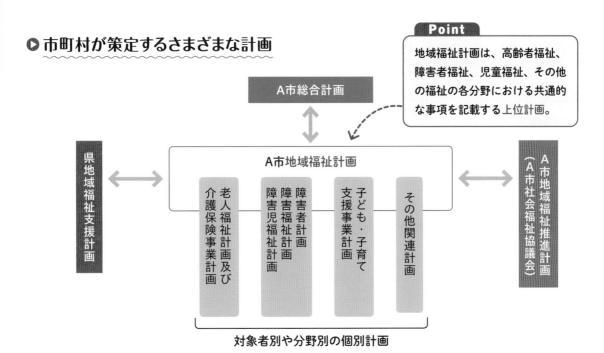

Point
地域福祉計画は、高齢者福祉、障害者福祉、児童福祉、その他の福祉の各分野における共通的な事項を記載する上位計画。

A市総合計画

A市地域福祉計画

県地域福祉支援計画

老人福祉計画及び介護保険事業計画 ／ 障害者計画 障害福祉計画 障害児福祉計画 ／ 子ども・子育て支援事業計画 ／ その他関連計画

A市地域福祉推進計画（A市社会福祉協議会）

対象者別や分野別の個別計画

◉ 計画と計画の関係

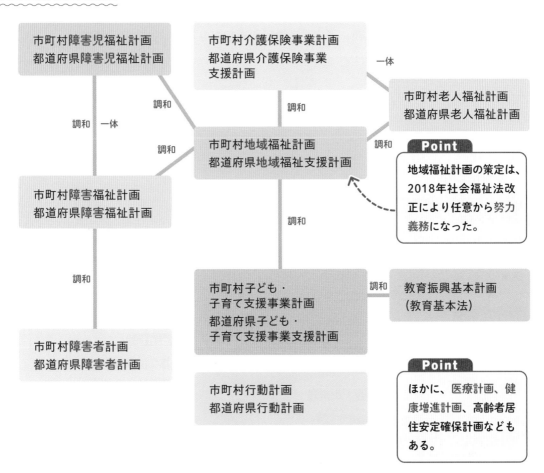

市町村障害児福祉計画
都道府県障害児福祉計画

市町村介護保険事業計画
都道府県介護保険事業
支援計画

一体

市町村老人福祉計画
都道府県老人福祉計画

調和

調和

調和　一体

市町村地域福祉計画
都道府県地域福祉支援計画

調和

Point
地域福祉計画の策定は、2018年社会福祉法改正により任意から努力義務になった。

市町村障害福祉計画
都道府県障害福祉計画

調和

調和

市町村子ども・
子育て支援事業計画
都道府県子ども・
子育て支援事業支援計画

調和

教育振興基本計画
（教育基本法）

市町村障害者計画
都道府県障害者計画

市町村行動計画
都道府県行動計画

Point
ほかに、医療計画、健康増進計画、高齢者居住安定確保計画などもある。

9 地域福祉の推進

関連科目 社会福祉　子ども家庭福祉　社会的養護

ココをおさえよう！

地域福祉というのは、自分たちの住む地域における福祉の問題を、その地域の住民や福祉関係者が協力して取り組んでいこうとする考え方にもとづいています。

🔑 キーワード

共生する地域社会

社会福祉法第4条の言葉。「地域福祉の推進は、地域住民が相互に人格と個性を尊重し合いながら、参加し、共生する地域社会の実現を目指して行われなければならない」。

地域生活課題

福祉サービスを必要とする地域住民・世帯が抱える福祉、介護、介護予防、保健医療、住まい、就労及び教育に関する課題。孤立、活動への参加も含む（社会福祉法第4条）。

地域包括ケアシステム

介護が必要になっても地域で暮らせるように、住まい・医療・介護・予防・生活支援が一体的に提供される仕組みをもつ地域づくり。2011年の介護保険法改正に伴い始まった。

▶ 地域福祉とは

「地域共生社会」とは

制度・分野ごとの『縦割り』や「支え手」「受け手」という関係を超えて、地域住民や地域の多様な主体が『我が事』として参画し、人と人、人と資源が世代や分野を超えて『丸ごと』つながることで、住民一人ひとりの暮らしと生きがい、地域をともに創っていく社会

改革の骨格

地域課題の解決力の強化

地域を基盤とする包括的支援の強化

「地域共生社会」の実現

地域丸ごとのつながりの強化

専門人材の機能強化・最大活用

Point
地域福祉推進の目的は、地域共生社会の実現。

出典：厚生労働省『『地域共生社会』の実現に向けて（当面の改革工程）【概要】』（平成29年2月7日「我が事・丸ごと」地域共生社会実現本部決定）を一部改変

◉ 地域福祉を担う機関

> **Point**
> 子育て世代包括支援センターは、2024年4月より、子ども家庭総合支援拠点（児童福祉法）と一体化したこども家庭センターとなった。

社会福祉協議会	社会福祉法	社会福祉活動を推進することを目的とした民間組織。福祉サービス利用者の権利擁護、福祉課題への取り組み、ボランティア・市民活動の振興などを行う
共同募金	社会福祉法	第一種社会福祉事業。年1回実施。集められた募金を社会福祉事業経営団体などに配分
障害者虐待防止センター	障害者虐待防止法	市町村に設置。主に養護者（家族等）による虐待の届出受理、虐待防止、被虐待者の保護のほか、相談・指導・助言を行う
こども家庭センター	母子保健法 児童福祉法	市町村に設置。児童および妊産婦の福祉に関する実情把握、情報提供、相談、母性および乳幼児の健康保持・増進に関する包括的な支援。他機関との連絡調整も行う
児童家庭支援センター	児童福祉法	地域の児童福祉に関する問題のうち、専門的知識・技術を必要とするものに応じ、必要な助言を行うとともに、児童相談所、児童福祉施設等との連絡調整などを行う
地域包括支援センター	介護保険法	市町村が設置。保健師、社会福祉士、主任介護支援専門員等を配置して、介護予防支援、相談支援、権利擁護等を行う

◉ 地域包括ケアシステム

- 重度の要介護状態となっても、住み慣れた地域で自分らしい暮らしを人生の最後まで続けることができる
- 住まい・医療・介護・予防・生活支援が一体的に提供される地域包括ケアシステム
- 保険者である市町村や都道府県が、地域の自主性や主体性に基づき、地域の特性に応じて作り上げていく

医療
- 急性期病院等
- 日常の医療

介護
- 在宅系サービス
- 介護予防サービス
- 施設・居住系サービス

住まい
- 自宅
- サービス付き高齢者向け住宅等

生活支援・介護予防
- 老人クラブ
- 自治会
- ボランティア
- NPO 等

- 地域包括支援センター
- ケアマネジャー

※地域包括ケアシステムは、おおむね30分以内に必要なサービスが提供される日常生活圏域（具体的には中学校区）を単位として想定

> **Point**
> 住み慣れた地域で一生を終えられるようにするための仕組み。

出典：厚生労働省ホームページ「地域包括ケアシステム」を一部改変

10 社会福祉事業

関連科目 社会福祉　子ども家庭福祉

第一種社会福祉事業と第二種社会福祉事業の違いに関する問題は頻繁に出題されます。第一種を確実に覚えることで、それ以外を第二種として理解することができますね。

ココをおさえよう！

🔑 キーワード

公益事業

社会福祉事業以外で、社会福祉と関係のある事業。例えば、介護予防事業、有料老人ホーム事業などを社会福祉法人は行うことができる。

収益事業

社会福祉事業や公益事業の財源に充てるために、社会福祉法人が所有している不動産を活用して駐車場を経営する事業などをいう。

福祉活動専門員

市区町村社会福祉協議会に配置され、福祉活動推進のための方策について調査や企画を行ったり、住民や団体、関係機関などの連絡調整・指導などを行ったりする。

▶ 第一種社会福祉事業と第二種社会福祉事業の違い

Point
第一種の経営主体は確実に覚える。

Point
例外もあるが、第一種は「入所」、第二種は「通所とその他」で見分けるとよい。

社会福祉事業

	第一種社会福祉事業	第二種社会福祉事業
特徴	●経営安定を通じた利用者保護の必要性が高い事業。主に入所施設サービス	●公的規制の必要性が低い事業。主に居宅、通所など在宅サービス
経営主体	●原則として国、地方公共団体、社会福祉法人	●制限はない
届け出	●事業開始前に届出（施設設置）。事業開始後1か月以内に届出（施設を必要としない場合）	●事業開始後1か月以内に届出

● 第一種社会福祉事業

Point
個人では解決することが難しいより公共性の高い事業が第一種社会福祉事業。

根拠法	施設・事業名
生活保護法	●救護施設 ●更生施設 ●生計困難者を無料又は低額な料金で入所させて生活の扶助を行う施設 ●生計困難者に対して助葬を行う事業
児童福祉法	●乳児院 ●児童養護施設 ●母子生活支援施設 ●児童心理治療施設 ●児童自立支援施設 ●障害児入所施設
老人福祉法	●養護老人ホーム ●特別養護老人ホーム ●軽費老人ホーム
障害者総合支援法	●障害者支援施設
困難な問題を抱える女性への支援に関する法律	●女性自立支援施設
その他	●授産施設 ●生計困難者に対して無利子又は低利で資金を融通する事業 ●共同募金

> 生活保護法を根拠法とする第二種社会福祉事業はない

> 児童福祉法を根拠法とする第二種社会福祉事業には、放課後児童健全育成事業、子育て短期支援事業、小規模保育事業、病児保育事業、児童厚生施設、保育所など多くの事業がある。

Point
社会的養護の5施設 **プラス障害児入所施設、と覚える。**

> 老人福祉法を根拠法とする第二種社会福祉事業には、老人居宅介護等事業、老人デイサービス事業などがある。

Point
生活上困難な問題を抱えた**女性及び暴力被害女性を入所保護し、自立を支援する。**

● 社会福祉協議会と共同募金

Point
地域住民の立場に立った事業を展開。

社会福祉協議会

目的: 地域福祉の推進を図ること
組織: 民間組織。市区町村社会福祉協議会、都道府県・指定都市社会福祉協議会、全国社会福祉協議会がある
主な活動・事業: 社会福祉事業の企画、実施／社会福祉活動への住民参加のための援助／社会福祉事業に関する調査、普及等／ボランティア活動の活性化／福祉サービス第三者評価事業／権利擁護事業／共同募金

共同募金（赤い羽根共同募金）

根拠法: 社会福祉法（第113条）に規定される第一種社会福祉事業
運営主体: 共同募金会。共同募金事業を行うことを目的として、都道府県ごとに設立される社会福祉法人。これ以外のものが共同募金を行うことは禁止
募金活動: 毎年1回厚生労働大臣が定める期間に限って行われる
配分: 募金は、配分委員会の承認を得て、地域の更生保護事業、社会福祉事業を経営するものに配分

社会福祉協議会の詳細や、共同募金の説明などが出題されることも多いです。

福祉事務所・各種相談所

福祉事務所をはじめとする各種相談所に関しての出題は多いです。種類が多く紛らわしいので、一つひとつの意味を理解しながら正確に覚えていきましょう。

ココをおさえよう!

 キーワード ∶∶

査察指導員

福祉事務所などに配置され、生活保護関連の領域でソーシャルワーカーの指導・監督を行う者をいう。

現業員

福祉事務所において、福祉の現場での業務を行う者をいう。例えば、資産・環境等の調査、生活指導などを行う。社会福祉主事の資格が必要である。

身体障害者相談員、知的障害者相談員

民間の相談員で、身体障害者相談員は原則として身体障害者に、知的障害者相談員は知的障害者の保護者に委嘱する。

▶ 福祉事務所

Point
設置（義務か任意か）、扱う法律の違いに注意。

福祉事務所
根拠法：社会福祉法

- 所長、査察指導員、現業員、事務員を配置。老人福祉指導主事、身体障害者福祉司、知的障害者福祉司などが配置されることもある
- 所員の定数は条例で定める
- 査察指導員・現業員・老人福祉指導主事は社会福祉主事でなければならない

義務設置
都道府県

義務設置
市(特別区を含む)

任意設置
町村

- 以下に定める援護・育成または更生の措置に関する事務のうち、都道府県が処理するものとされているものを扱う
  生活保護法／児童福祉法／母子及び父子並びに寡婦福祉法
- 福祉事務所が設置されていない町村については、都道府県の福祉事務所が管轄する

- 以下に定める援護、育成、更生の措置に関する事務のうち市が処理するとされているものを扱う
  生活保護法／児童福祉法／母子及び父子並びに寡婦福祉法／老人福祉法／身体障害者福祉法／知的障害者福祉法

● 各種相談所

社会福祉の実施体制の概要

Point

相談所の**根拠法**を覚える。

```
                          国
```

民生委員・児童委員 ——————————————— 社会保障審議会

都道府県（指定都市、中核市）

- ●社会福祉法人の認可、監督
- ●社会福祉施設の設置認可、監督、設置
- ●児童福祉施設（保育所除く）への入所事務
- ●関係行政機関及び市町村への指導等

身体障害者相談員

知的障害者相談員

地方社会福祉審議会 都道府県児童福祉審議会 （指定都市児童福祉審議会）

身体障害者更生相談所

- ●全国で78か所（令和5年4月現在）
- ●身体障害者への相談、判定、指導等

根拠法は、身体障害者福祉法。

知的障害者更生相談所

- ●全国で88か所（令和5年4月現在）
- ●知的障害者への相談、判定、指導等

根拠法は、知的障害者福祉法。

児童相談所

- ●全国で234か所（令和6年4月現在）
- ●児童福祉施設入所措置
- ●児童相談、調査、判定、指導等
- ●一時保護
- ●里親委託

根拠法は、児童福祉法。

女性相談支援センター

- ●全国で49か所（令和5年4月現在）
- ●困難な問題を抱える女性の相談、緊急時の安全確保・一時保護、医学的・心理学的援助、就労支援、住宅確保、児童の保育等に関する情報提供、居住施設利用の情報提供等

根拠法は、困難な問題を抱える女性への支援に関する法律。

都道府県福祉事務所

- ●全国で205か所（令和5年4月現在）
- ●生活保護の実施等
- ●助産施設、母子生活支援施設への入所事務等
- ●母子家庭等の相談、調査、指導等
- ●老人福祉サービスに関する広域的調整等

市

- ●社会福祉法人の認可、監督
- ●在宅福祉サービスの提供等
- ●障害福祉サービスの利用等に関する事務

市福祉事務所

- ●全国で999か所（令和5年4月現在）
- ●生活保護の実施等
- ●特別養護老人ホームへの入所事務等
- ●助産施設、母子生活支援施設及び保育所への入所事務等
- ●母子家庭等の相談、調査、指導等

町村

- ●在宅福祉サービスの提供等
- ●障害福祉サービスの利用等に関する事務

町村福祉事務所

- ●全国で47か所（令和5年4月現在）
- ●業務内容は市福祉事務所と同様

福祉事務所数 （令和5年4月現在）		
	郡部	205
	市部	999
	町村	47
	合計	1,251

出典：厚生労働省「令和5年版厚生労働白書 資料編」p.194を一部改変

資格に関しては重要項目です。確実に理解しておきましょう！　また、専門職がどんな施設に勤めているのかも出題されやすいので、名称と施設をセットで覚えておきましょう。

🔑 キーワード

国家資格

国が実施する試験に合格し、登録簿に登録されることで資格を取得したことになる。

任用資格

大学、養成施設等を卒業して資格を取得し、その資格が必要な職務に就く際に有効になる。

業務独占資格

資格を所持している者だけが業務を行うことができ、名称を名乗ることができる。例えば、医師、看護師など。

名称独占資格

資格を所持している者だけが、名称を名乗ることができる。業務は資格を所持していなくても行える。例えば、保育士、介護福祉士、社会福祉士、精神保健福祉士など。

▶ 福祉に関わるさまざまな専門職

名称	業務、資格の種類など	従事する主な施設等
社会福祉士	専門的知識・技術を用いて福祉に関する相談に応じ、助言・指導を行う。名称独占の国家資格	福祉事務所、身体障害者更生相談所、知的障害者更生相談所、児童相談所、地域包括支援センター等
介護福祉士	専門的知識・技術を用いて、心身の状況に応じた介護などを行う。名称独占の国家資格	介護保険施設、介護サービス事業所、障害者施設等
介護支援専門員	ケアマネジャーとも呼ばれる。介護保険制度におけるケアマネジメントを行う。都道府県が認定する公的資格	介護保険施設、介護サービス事業所、地域包括支援センター等
精神保健福祉士	医師などと連携して精神障害者の相談に応じ、助言・指導、日常生活への適応のための必要な訓練等を行う。名称独占の国家資格	精神科病院、障害者施設、精神保健福祉センター等

名称	業務、資格の種類など	従事する主な施設等
保育士	専門的知識・技術を用いて、児童の保育・保護者に対する保育に関する指導を行う。名称独占の国家資格	保育所、認定こども園、児童福祉施設等
児童福祉司	担当区域の児童や保護者、関係者からの児童家庭福祉に関する相談に応じ、支援・指導を行う。任用資格 **Point** 児童福祉司には、養成学校や一定の教育課程を受けた者のほか、医師、社会福祉士、精神保健福祉士、公認心理師、社会福祉主事もなることが可能。	児童相談所
児童指導員	一時保護中や施設入所中の子どもの生活指導、学習指導などを行う。任用資格	児童養護施設、障害児入所施設、児童発達支援センター、児童心理治療施設等
児童自立支援専門員	児童の自立支援を行うとともに、退所後の相談援助等を行う	児童自立支援施設
児童生活支援員	児童の生活支援を行う	児童自立支援施設
児童の遊びを指導する者	遊びを通して児童の創造性や社会性を育む	児童厚生施設
社会福祉主事	社会福祉に関連する法律に定められている援護・更生の措置に関する事務を行う。任用資格	福祉事務所
身体障害者福祉司	身体障害者の福祉について専門的な業務・指導・助言を行う	身体障害者更生相談所、市町村福祉事務所
知的障害者福祉司	知的障害者の福祉について専門的な業務・指導・助言を行う	知的障害者更生相談所、市町村福祉事務所
女性相談支援員	さまざまな問題を抱えた女性への相談・保護・援助などを行う	女性相談支援センター、福祉事務所等
家庭支援専門相談員	入所中の児童を早期に家庭復帰させるために家族関係の調整、里親委託などの支援を行う	乳児院、児童養護施設、児童心理治療施設、児童自立支援施設
里親支援専門相談員	入所中の児童を里親に委託するための支援を行う	乳児院、児童養護施設
母子支援員	入所中の母子の生活支援を行う	母子生活支援施設
看護師	医師の指示に基づいて医療行為の補助などを行う。国家資格 **Point** 児童発達支援センターの福祉型と医療型は、2024年4月より一元化された。	乳児院、福祉型障害児入所施設（肢体不自由児）、児童発達支援センター（医療的ケアを行う場合）、児童心理治療施設等
心理療法担当職員	入所者の心理状態を把握し、心理療法や家族支援などを行う	乳児院、母子生活支援施設、児童養護施設、児童心理治療施設、児童自立支援施設
心理担当職員	障害の特性に配慮しながら日常生活全般における心理支援、心理的ケアなどを行う	福祉型障害児入所施設

福祉サービス第三者評価

関連科目 社会福祉　社会的養護

2001年から始まった福祉サービス第三者評価は、福祉サービスの質を当事者以外の第三者機関が客観的に評価する事業になります。

ココをおさえよう！

キーワード

社会的養護関係施設

福祉サービス第三者評価において、受審が義務づけられている乳児院、母子生活支援施設、児童養護施設、児童心理治療施設、児童自立支援施設を指す。

都道府県推進組織

各都道府県に設置され、第三者評価機関の認証、第三者評価の基準や手法、結果の取扱いに関する業務などを行う。

福祉サービス第三者評価事業の普及促進

社会福祉法第78条第2項に「国は、（略）福祉サービスの質の公正かつ適切な評価の実施に資するための措置を講ずるよう努めなければならない」と定められている。

● 福祉サービス第三者評価

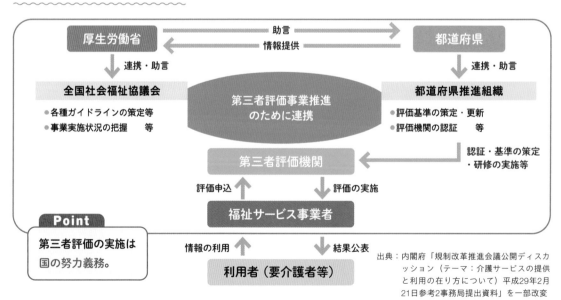

出典：内閣府「規制改革推進会議公開ディスカッション（テーマ：介護サービスの提供と利用の在り方について）平成29年2月21日参考2事務局提出資料」を一部改変

▶ 社会的養護関係施設と第三者評価

児童福祉施設の設備及び運営に関する基準

第三者評価受審が義務づけられている施設
①乳児院
②母子生活支援施設
③児童養護施設
④児童心理治療施設
⑤児童自立支援施設
⑥里親支援センター

義務の内容
①自己評価を毎年実施する
②3年に1回第三者評価を受審する
③評価の結果を公表し、改善する

Point

保育所、ファミリーホーム、自立援助ホームの受審は努力義務。

「努力義務」の施設では社会的養護5施設と比べて、かなり低い受審率（令和4年度実績で保育所8.16%、特別養護老人ホーム5.81%）が課題になっています※。

※出典：社会福祉法人全国社会福祉協議会「全国の受審件数・実施状況（令和5年度調査 令和4年度実績）」

▶ 第三者評価と行政監査の違い

Point

児童福祉施設には、サービスの質の向上が求められている。

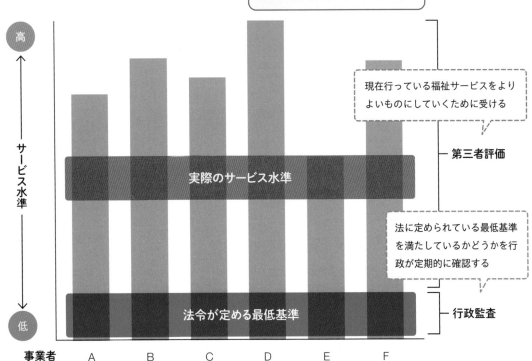

高

サービス水準

低

現在行っている福祉サービスをよりよいものにしていくために受ける ── 第三者評価

法に定められている最低基準を満たしているかどうかを行政が定期的に確認する ── 行政監査

実際のサービス水準

法令が定める最低基準

事業者　A　B　C　D　E　F

14 情報提供と苦情解決

関連科目 社会福祉 子ども家庭福祉

ココをおさえよう！

社会福祉施設の利用者を保護するという観点から、情報提供や苦情解決について定められています。情報提供や苦情解決によって、利用者の権利が守られ、それが施設のサービスの質の向上にもつながります。

🔑 キーワード

誇大広告の禁止

社会福祉事業の経営者は、提供する福祉サービスについて、事実と異なる表示、実際より著しく優良・有利であるような表示をしてはならない（社会福祉法第79条）。

個人情報の保護

個人を特定できるような情報を本人の同意なしに第三者に提供してはならない。また、業務上知り得た個人の情報について、第三者に漏らしてはならない。厚生労働省は「福祉分野における個人情報保護に関するガイドライン」を公表している。

情報提供の必要性

福祉サービスの多くは利用者が選択するものなので、社会福祉法、児童福祉法などには、利用を希望する人が適切・円滑に利用するための情報提供を行うことが定められている。

● 福祉サービスの情報提供

情報提供者	提供する情報の内容等	義務	根拠法
都道府県	指定障害児入所施設等に関する情報提供	義務	児童福祉法第24条の19
市町村	児童及び妊産婦の福祉に関する情報提供	義務	児童福祉法第10条第1項第二号
市町村	老人福祉に関する情報提供	義務	老人福祉法第5条の4 第2項第二号
国及び地方公共団体	福祉サービスに関する情報を利用者が容易に得られるように必要な措置を講ずる	努力義務	社会福祉法第75条第2項
社会福祉事業経営者	経営する社会福祉事業に関する情報提供	努力義務	社会福祉法第75条第1項
保育所	地域住民に対する、その保育に関する情報提供	努力義務	児童福祉法第48条の4
児童福祉施設	児童の保護者及び地域社会に対して、その運営の内容を適切に説明する	努力義務	児童福祉施設の設備及び運営に関する基準第5条第2項

▶苦情解決の仕組み

利用者と事業者の話し合い

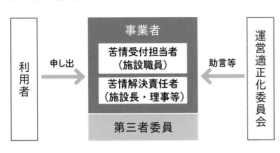

利用者は、苦情受付担当者に苦情を申し出る。利用者と苦情解決責任者で話し合い、解決を図る。必要に応じて第三者委員が話し合いに立ち会い助言する。事業者は、苦情解決の結果を記録し、公表する。

Point

第三者委員には、事業関係者以外の中立・公正な立場の者を複数人おく。

運営適正化委員会の対応

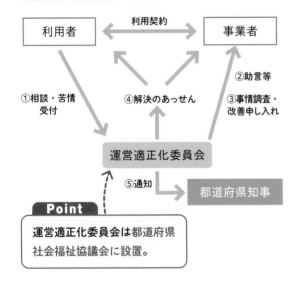

①事業者との話し合いで解決できなかった利用者や事業者に申し出をしにくい利用者からの相談・苦情を受け付ける。

②苦情を事業者に伝え、必要に応じて助言する。

③事業者の同意を得て事情調査を行い、利用者に伝えるとともに、事業者に改善を申し入れる。

④利用者が事情調査の結果に納得できず申請した場合、事業者の同意を得て苦情解決に向けたあっせんを行う。

⑤事業者による虐待等のおそれがある場合、知事に通知する。

Point

運営適正化委員会は都道府県社会福祉協議会に設置。

▶サービス分野別苦情受付件数の割合（2022年度）

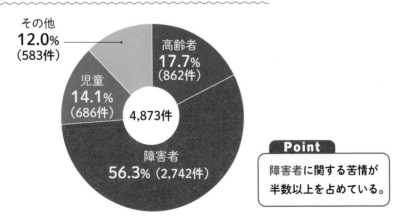

その他 **12.0%**（583件）

児童 **14.1%**（686件）

高齢者 **17.7%**（862件）

4,873件

障害者 **56.3%**（2,742件）

Point

障害者に関する苦情が半数以上を占めている。

出典：全国社会福祉協議会「苦情受付・解決の状況 令和4年度都道府県運営適正化委員会事業 実績報告」をもとに作成

15 福祉サービス利用援助事業

関連科目 社会福祉

ココをおさえよう！

自分で判断することが難しい人に対して、地域において自立した生活が送れるように福祉サービスの利用を援助する事業があります。社会福祉法では、第二種社会福祉事業に分類されています。

🔑 キーワード

アドボカシー

認知症高齢者や児童、その他自分の意思などを表明したくても自分で表明できない人たちの意思や権利を代弁する手法をいう。代弁する人をアドボケイトという。

福祉サービス利用援助事業（日常生活自立支援事業）

判断能力の不十分な人が福祉サービスを適切に利用できるよう援助する事業（社会福祉法第2条第3項十二）。日常生活自立支援事業ともよばれる。

専門員

福祉サービス利用援助事業において、相談受付、支援計画作成、契約締結業務、生活支援員の指導等を行う。具体的な援助の提供は、生活支援員が専門員の指示を受け行う。

▶ 福祉サービス利用援助事業の対象と援助内容

対象		
認知症、知的障害、精神障害などによって判断能力が不十分な者（契約内容は理解できる）	福祉サービスの利用援助（基本サービス）	福祉サービスの利用・利用料の支払い・解約等の手続き、苦情解決制度利用の手続き、住民票の届け出等の行政手続き　など
	日常的金銭管理サービス（オプション）	年金等の受け取り手続き、公共料金・医療費・家賃等の支払い、日常生活に必要な預貯金の出し入れ　など
	書類などの預かりサービス（オプション）	通帳・年金証書・権利証等の重要書類を金融機関の貸金庫で保管

Point
契約内容を理解できることが条件の1つ。

Point
社会福祉法に規定される第二種社会福祉事業。

● 福祉サービス利用援助事業の流れ

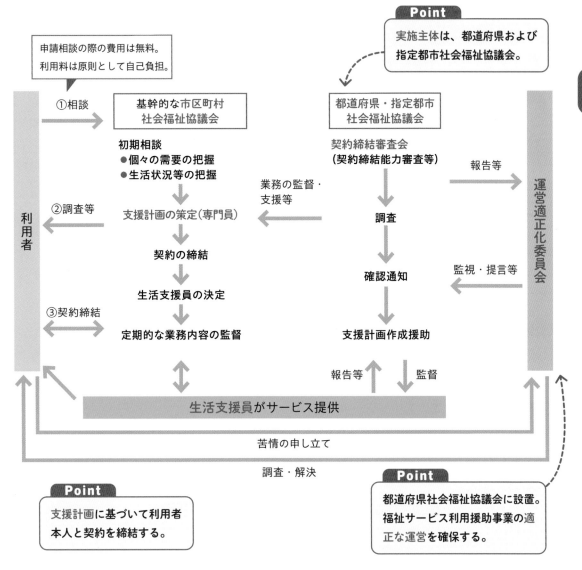

出典：厚生労働省「福祉サービス利用援助事業について（厚生労働省社会・援護局地域福祉課）」を一部改変

● 福祉サービス利用援助事業と成年後見制度の違い

	福祉サービス利用援助事業	成年後見制度
対象者	認知症、知的障害、精神障害などによって判断能力が不十分な者（契約内容は理解できる）	認知症、知的障害、精神障害などによって判断能力が低下し、意思確認が困難な者
援助内容	福祉サービス利用援助 日常的金銭管理サービス 書類などの預かりサービス	本人が居住している不動産を除いて、すべての財産管理、施設への入所手続きなど契約等の法律行為を代行（後見、保佐、補助によって内容は異なる。家庭裁判所が決定）
根拠法	社会福祉法	民法

成年後見制度・未成年後見制度

関連科目 社会福祉 社会的養護

ココをおさえよう!

第3章⑮福祉サービス利用援助事業は、あくまでも利用者本人との日常的な契約事項ですが、重要な法律行為を行う際には成年後見制度を利用することとなります。

🔑 キーワード

民法

私人の権利・義務の関係性をまとめた基本的な法律。契約、商取引、親族、相続等について規定している。

市民後見人

市区町村等が行う養成研修を修了するなどして成年後見人等に必要な知識をもつ市民のなかから、家庭裁判所が成年後見人等として選任した人をいう。

親権

未成年の子どもの父母が、その子どもについてもつ身分上・財産上の権利・義務をいう。

▶ 成年後見制度

Point 判断能力が不十分になってから。

Point 判断能力が不十分になる前に。

法定後見制度(民法)			任意後見制度(任意後見契約に関する法律)
後見	保佐	補助	
対象:判断能力が欠けているのが通常の状態 **代理権の範囲**:財産に関するすべての法律行為	**対象**:判断能力が著しく不十分 **代理権の範囲**:申し立て範囲内で家庭裁判所が審判で定める行為	**対象**:判断能力が不十分 **代理権の範囲**:申し立ての範囲内で家庭裁判所が審判で定める範囲	十分な判断能力があるうちに、任意後見人に委任する内容を公正証書にして契約し、判断能力が不十分になった後、任意後見人が委任された事務を代行する
申立人:本人、配偶者、四親等内の親族、検察官、市町村長等			

援助の内容	財産管理	本人の財産内容を把握して財産が保たれるように管理すること
	身上監護	本人の生活や健康の維持、療養等に関する手続きや契約などを行うこと

● 法定後見制度の流れ

| 申し立て | 後見・保佐・補助の申し立て書類を、本人の住所地の家庭裁判所に提出 |

↓

| 面接・調査 | 裁判所担当者が申立人、後見人等の候補者、本人などに面接や調査を行う。判断能力についての鑑定が行われることもある |

↓

| 審理・審判 | 面接・調査の結果などを検討し、後見人等が選任される。申立人・後見人等・本人に審判の結果を告知 |

● 未成年後見制度

Point
対象となる未成年者は、18歳に達するまでの児童。

| 親権者 | 未成年者の監護・教育（生活環境の整備、教育など）や財産管理の方針は、父母などの親権者が決定する権利と義務を負っている |

↓

| 死亡・行方不明などにより不在 | 不在のままにしておくと、未成年者が十分な監護や教育を受けられなかったり、財産が失われたりするおそれがある |

↓

| 未成年後見制度 | 親権者に代わって未成年者の監護や教育を行ったり、財産を管理したりする後見人を選任し、未成年者を保護する |

未成年後見人が行うこと

- 監護・教育、居所の指定、懲戒、営業許可など親権者と同じ権利・義務
- 未成年者の財産管理、財産の売買、贈与、抵当権設定等の法律行為について代行
- 未成年者の心身の状態および生活の状況に十分配慮する
- 未成年後見人は、選任されると正当な理由がなければ辞めることができない

未成年後見人の選任には、親権者が遺言で指定するケースと、申し立てにより家庭裁判所が選任するケースがある。

職務を果たせない場合

不正な行為、著しい不行跡など後見の任務に適していない場合（信用失墜行為、権限濫用、不適切な財産管理、未成年者の財産を私的に借用・流用等）には、後見監督人、未成年者、未成年者の親族、検察官の請求等によって家庭裁判所が後見人解任の審判を行う

民法第4条の改正によって、2022年4月1日から、未成年者の年齢が20歳未満から18歳未満に引き下げられましたね。

社会保障制度と社会保険

何かと話題の社会保障制度は、人口構成によって負担額が大きく変化し、世代間格差が問題となっています。また、年金保険の仕組みは出題されやすいので、しっかり理解しておきましょう。

ココをおさえよう！

🔑 キーワード

社会保障制度

国民の安心や生活の安定を支えるセーフティネット。社会保険、社会福祉、公的扶助、保健医療・公衆衛生から成り、生涯にわたって生活を支える。

国民皆年金・皆保険制度

日本では、原則として日本国内に住む20歳から60歳のすべての人が年金に加入する国民皆年金制度、すべての人が医療保険に加入する皆保険制度がとられている。

学生納付特例

20歳に達した学生本人の前年度の所得が一定額以下の場合に、国民年金保険料納付が猶予される制度。

▶ 社会保障制度

Point
社会保障の3つの機能は「生活安定・向上機能」「所得再分配機能」「経済安定機能」。

①社会保険	国民が病気、けが、出産、死亡、老齢、障害、失業など生活の困難をもたらすいろいろな事故（保険事故）に遭遇した場合に、生活の安定を図ることを目的とした強制加入の保険制度 ●医療保険／年金制度／介護保険　など
②社会福祉	障害者、母子家庭など社会生活をする上で様々なハンディキャップを負っている国民が、そのハンディキャップを克服して、安心して社会生活を営めるよう、公的な支援を行う制度 ●社会福祉／児童福祉　など
③公的扶助	生活に困窮する国民に対して、最低限度の生活を保障し、自立を助けようとする制度 ●生活保護制度
④保健医療・公衆衛生	国民が健康に生活できるよう様々な事項についての予防・衛生のための制度 ●医師その他の医療従事者などが提供する医療サービス／疾病予防、健康づくりなどの保健事業／母性の健康を保持、増進し、健全な児童の出生と育成を増進するための母子保健／食品や医薬品の安全性を確保する公衆衛生　など

出典：厚生労働省ホームページ「社会保障とは何か」を一部改変

社会保障の給付と負担の現状

社会保障給付費 2023年度（予算ベース）134.3兆円（対GDP比 23.5%）

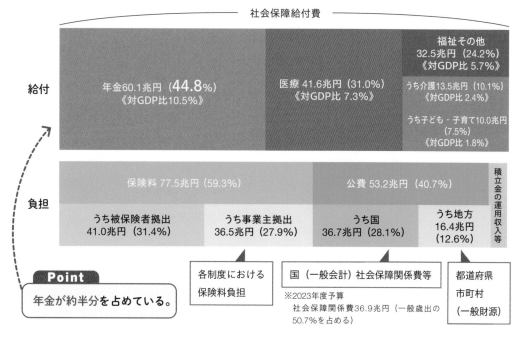

社会保障給付費

給付

年金60.1兆円（**44.8**%）《対GDP比10.5%》

医療41.6兆円（31.0%）《対GDP比 7.3%》

福祉その他32.5兆円（24.2%）《対GDP比 5.7%》

うち介護13.5兆円（10.1%）《対GDP比 2.4%》

うち子ども・子育て10.0兆円（7.5%）《対GDP比 1.8%》

負担

保険料77.5兆円（59.3%）

公費 53.2兆円（40.7%）

積立金の運用収入等

うち被保険者拠出41.0兆円（31.4%）

うち事業主拠出36.5兆円（27.9%）

うち国36.7兆円（28.1%）

うち地方16.4兆円（12.6%）

Point
年金が約半分を占めている。

各制度における保険料負担

国（一般会計）社会保障関係費等
※2023年度予算
社会保障関係費36.9兆円（一般歳出の50.7%を占める）

都道府県市町村（一般財源）

出典：厚生労働省ホームページ「給付と負担について」

年金保険

年金保険の種類

国民年金（基礎年金）

20歳以上60歳未満の国内に住むすべての国民が加入対象
老齢基礎年金／障害基礎年金／遺族基礎年金

厚生年金

会社員、公務員、私立学校教職員などが加入
国民年金＋厚生年金
老齢厚生年金／障害厚生年金／遺族厚生年金

被保険者

第1号被保険者	●自営業、農業等従事者、学生、フリーター、無職の者など ●国民年金のみ
第2号被保険者	●厚生年金適用事業所に勤務している者。自動的に国民年金にも加入 ●国民年金＋厚生年金
第3号被保険者	●第2号被保険者の扶養配偶者で20歳以上60歳未満の者 ●国民年金のみ

主な給付

老齢年金	支給年齢に達した者に支給
障害年金	病気や障害を負って働けなくなった場合に、一定の要件を満たしていることで支給
遺族年金	遺族基礎年金は、受給権者が死亡した場合、その子ども、あるいは子どものいる配偶者に支給。遺族厚生年金は、子どもの有無に関係なく支給

● 医療保険の種類

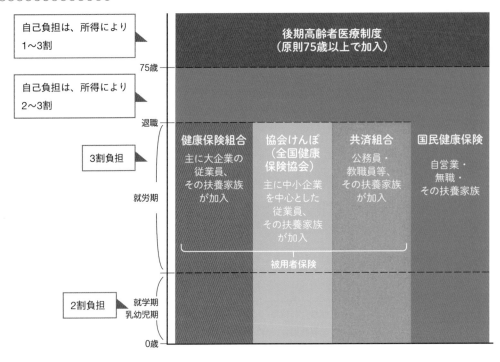

出典：日本医師会ホームページ「日本の医療保険制度の仕組み」を一部改変

● 介護保険の仕組み

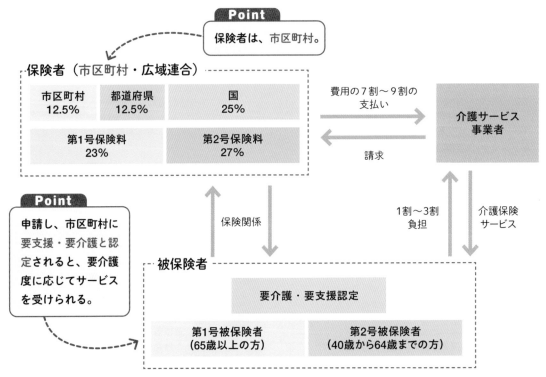

出典：厚生労働省リーフレット「介護保険制度について（40歳になられた方へ）」（令和2年11月版）をもとに作成

関連科目 社会福祉 社会的養護 保育実習理論

ココをおさえよう！

ケースワークやグループワークのプロセスは頻出です！ 確実に覚えておきましょう。ソーシャルワークに関連する人物名も、誰がどのような定義を唱えたのか暗記しておきましょう。

🔑 キーワード ：：

ソーシャルワーク

　問題を抱えている人が、その問題を自分で解決できないときに専門家が相談に応じ、問題解決に導いていく方法の総称。

リッチモンド

　ソーシャル・ケースワークを、人間とその社会的環境との間を個別に、意識的に調整することを通してパーソナリティを発達させる諸過程から成り立っていると定義した。

コノプカ

　グループワークを、意図的なグループ経験を通じて、個人の社会的に機能する力を高め、また個人、集団、地域社会の諸問題に、より効率的に、より効果的に対処し得るよう、人々を援助するものと定義した。

● ソーシャルワークの種類

Point
リッチモンド、パールマン、バワーズが定義。

直接援助技術	問題を抱えている人に対して、直接働きかけて問題を解決していく方法	ケースワーク（個別援助技術）
		グループワーク（集団援助技術）
間接援助技術	社会環境を改善することなどによって問題を解決していく方法	コミュニティワーク（地域援助技術） 社会活動法／社会福祉調査法／社会福祉計画法／社会福祉運営管理
関連援助技術	直接援助技術や間接援助技術では対応しきれない問題や、支援者に対する教育・支援などに関係する援助方法	ネットワーク／ケアマネジメント／スーパービジョン／カウンセリング／コンサルテーション

Point
コノプカ、トレッカー、コイル、ヴィンターが定義。

● ケースワークの展開過程

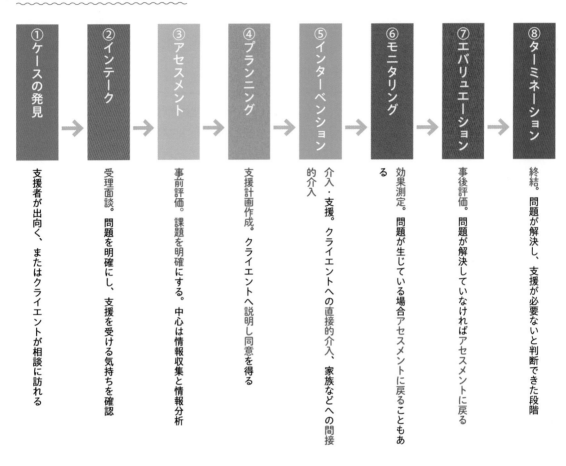

①ケースの発見	②インテーク	③アセスメント	④プランニング	⑤インターベンション	⑥モニタリング	⑦エバリュエーション	⑧ターミネーション
支援者が出向く、またはクライエントが相談に訪れる	受理面談。問題を明確にし、支援を受ける気持ちを確認	事前評価。課題を明確にする。中心は情報収集と情報分析	支援計画作成。クライエントへ説明し同意を得る	介入・支援。クライエントへの直接的介入、家族などへの間接的介入	効果測定。問題が生じている場合アセスメントに戻ることもある	事後評価。問題が解決していなければアセスメントに戻る	終結。問題が解決し、支援が必要ないと判断できた段階

● グループワークの展開過程

Point

主体は、援助者ではなくメンバー。

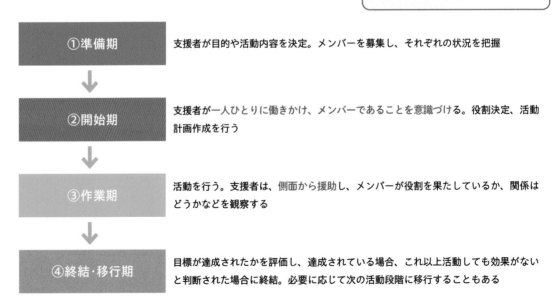

①準備期	支援者が目的や活動内容を決定。メンバーを募集し、それぞれの状況を把握
②開始期	支援者が一人ひとりに働きかけ、メンバーであることを意識づける。役割決定、活動計画作成を行う
③作業期	活動を行う。支援者は、側面から援助し、メンバーが役割を果たしているか、関係はどうかなどを観察する
④終結・移行期	目標が達成されたかを評価し、達成されている場合、これ以上活動しても効果がないと判断された場合に終結。必要に応じて次の活動段階に移行することもある

ソーシャルワーク②

関連科目 社会福祉　社会的養護　保育実習理論

ココをおさえよう！

どれも頻出の内容です！　バイステックの7原則や4つのP、実践モデルなどを理解しましょう。保育現場でも、実際の子育て支援・保護者支援に必要な理論です。

🔑 キーワード

課題中心アプローチ

過去にさかのぼって問題の原因などを探ることはせず、「いま」「ここ」に焦点を当て具体的な課題を設定し援助することで、短期間での解決を目指す。

アウトリーチ

支援の必要な状況であるにもかかわらず、それを認識していない、あるいは支援につながっていない人に対して、**支援者から支援につなげるための働きかけを行うこと**。

セルフヘルプグループ

共通の問題を抱える当事者やその家族が自主的に活動するグループ。仲間同士の相互関係によって問題解決につなげていく。

▶ バイステックの7原則

個別化	クライエントを個人としてとらえ、問題の状況に応じて個別的に対応する
意図的な感情表出	クライエントが自分の考えや感情を自由に表現できるように働きかける
統制された情緒的関与	支援者が自分の感情を自覚しながら、クライエントが表出した感情を受容的・共感的に受け止める（援助者が感情的にならない）
受容	長所・短所、態度など、クライエントの現在のありのままを受け止める
非審判的態度	援助者の考え方や観念、価値観でクライエントを非難したり審判したりしない
クライエントの自己決定	選択や決定を行うのはクライエントであって、支援者ではない
秘密保持	支援を行うなかで知ったクライエントの秘密や個人情報は、他人に漏らさない

● ケースワークを構成する4つの要素

パールマンの4つのP

Person（人間）
支援の対象者（クライエント）

Problem（問題）
日常生活で生じる困難な問題や障害

Place（場所）
援助機関（福祉機関や社会福祉施設など）

Process（過程）
信頼関係のうえに成立する専門的な援助過程

● 実践モデル

治療モデル	問題を把握し、援助方法や手順を判断（社会診断）する。リッチモンド
生活モデル	生活全体の中で問題をとらえ、人と環境の相互作用に焦点を当てる。ジャーメイン、ピンカス、ミナハンなど
ストレングスモデル	潜在的な能力・強みを気づかせ、それを発揮して自信を取り戻せるように働きかける。サリービー、ラップなど

● さまざまな援助技術

心理社会的アプローチ	クライエントの心理的状態と社会環境の相互作用から問題をとらえる
問題解決アプローチ	援助者がクライエントの問題解決能力を診断しながら、共に問題の焦点を明らかにしてクライエントが自分で問題を解決していくように導く
課題中心アプローチ	具体的な課題を設定して、短期間での解決を目指す
危機介入アプローチ	クライエントが危機的状況にある場合に、援助者が直接介入して短期間での問題解決を目指す
行動変容アプローチ	条件反射の消去・強化によって、クライエントの問題行動を変化させていく
ナラティブアプローチ	クライエントに自分の体験を語ってもらい、その物語（ナラティブ）から解決の糸口をみつける
解決志向アプローチ	問題の原因ではなく、解決の仕方を考え、短期間での解決を目指す
エンパワメントアプローチ	潜在能力に着目し、それにクライエントが気づき対処することで問題解決を図る
機能的アプローチ	クライエントの社会的機能を高めることが可能という前提のもと、問題解決を図る
エコロジカルアプローチ	問題を環境とクライエントの相互作用としてとらえ、環境を改善しながら問題を解決していく

さまざまなアプローチがありますが、学習理論や精神分析論、発達理論、物語理論などといった基礎理論のもとに成り立っています。

Point

短期解決を図るのはどのアプローチかをおさえておく。

第 **4** 章

発達に関する
理論と実践

第4章では、子どもの発達について学んで
いきます。保育の心理学からの出題はもち
ろん、他の科目でも関連項目が出題されま
すので、よく確認しておきましょう。

 この章のキーワード

ピアジェの認知発達段階　発達課題　学習理論　発達の方向性・順序性

社会性の発達　愛着　発達障害　医療的ケア児　障害児保育

発達検査　生涯発達

1 発達についてのさまざまな考え方

関連科目 保育の心理学 保育原理

人間の発達要因には、環境と遺伝をキーワードにさまざまな「説」が展開されています。誰がどういった説を唱えたのかを理解しておきましょう。

ココをおさえよう！

🔑 キーワード

遺伝と環境

人間の発達では、**遺伝（成熟）と環境（学習）の両方が重要**であるとされている。さらに、この2つは、互いに影響し合っている。

レディネス

訓練や学習を受け入れるために最もふさわしい**心身の準備性**をいう。レディネスが出来上がるまで訓練や学習を待ったほうがよいとしたのは、**ゲゼル**である。

マイクロシステム

家庭、保育所、幼稚園など、子どもにとって最も身近で**直接的な環境**のこと。これらは子どもにとって核となる存在である。

可塑性

ある固体に外から力を加えたときに、変形させることができ、その力が取り払われたあともその形を保つということ。**バルテス**は、人の発達は高い可塑性を有するとした。

▶ 発達に対する考え方

遺伝説	発達は、遺伝的素質によって生まれつき決まっているとする考え方。生得説、先天説、成熟説などがあり、成熟説はゲゼルが代表的である。発達において、訓練や学習というような環境的な影響があっても一時的で、最終的には内的な成熟によって決まるとされる
環境説	学習説、経験説などがあり、発達は生まれた後の環境的な条件（経験）によって決まるとする考え方。遺伝的要素より環境的要素のほうが重要で、環境的要素を操作すれば、発達を完全に制御できるとする理論をワトソンが唱えた
輻輳説	遺伝的な要素と環境的な要素が一緒になることで発達が決まるとする考え方。遺伝と環境はそれぞれ独立して発達に関与する。シュテルンが唱えた
相互作用説	遺伝と環境が相互に影響を及ぼしながら発達に関与するという考え方

Point

現在では相互作用説が支持されている。

▶ 環境閾値説（ジェンセン）

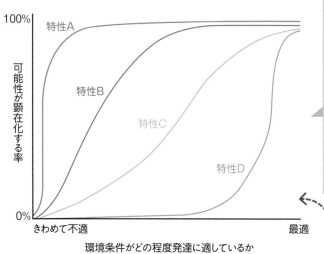

可能性が顕在化する率

100%
特性A
特性B
特性C
特性D
0%

きわめて不適　　　　　　　　　　最適

環境条件がどの程度発達に適しているか

環境閾値説とは、遺伝的可能性が現れるためには一定以上の環境的な条件が必要とする考え方。特性Aは、極端に不適切な環境でなければほぼ完全に発達の可能性が現れる。特性Bは、中程度の環境条件があれば現れるもので、知能検査の結果などが当てはまる。特性Cは、環境条件に比例して発達の可能性が現れるもので、学業成績が当てはまる。特性Dは、たとえば絶対音感など、最適な環境条件や特別な教育訓練によってはじめて現れるものを示す。

Point

能力の発現には遺伝的なものと環境の最適さが関係する。

▶ 生態学的システム（ブロンフェンブレンナー）

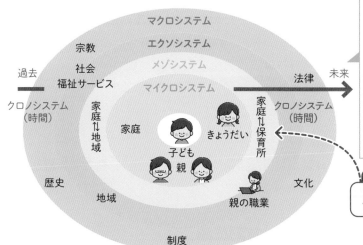

マクロシステム
エクソシステム
メゾシステム
マイクロシステム

宗教
社会
福祉サービス
家庭⇄地域
家庭
子ども
親
きょうだい
家庭⇄保育所
親の職業

過去
クロノシステム（時間）
未来
法律
クロノシステム（時間）
文化

歴史
地域
制度

人間の発達はその個人を取り巻く環境から影響を受けるが、その環境は、さらにその背景にある環境の影響を受けるとする考え方。人を取り巻く環境を、マイクロシステム・メゾシステム・エクソシステム・マクロシステムの4つのシステムとして、同心円構造で示している。のちに、時間経過による環境変化などのクロノシステムが追加された。

Point

メゾシステムは相互に関係し機能する。

▶ 獲得と喪失の相互作用（バルテス）

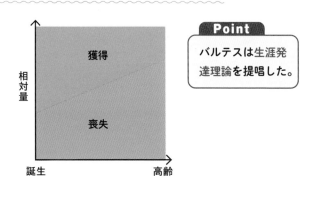

相対量

獲得
喪失

誕生　　　　　高齢

Point

バルテスは生涯発達理論を提唱した。

バルテスは、生涯のいろいろなときに生じる行動の変化や順序の規則性を発見することを重視した。そのなかで、獲得と喪失を相互作用としてとらえ、たとえば、誕生したときに失うものは少ないが得るものが多い、高齢になると失うものが多くなり、得るものが少なくなるという関係を図で表した。

発達に関する理論①

関連科目 保育の心理学　保育原理　子どもの保健

発達理論は、身近にいる子どもをイメージしながら勉強することで理解が深まります。幼児期特有の思考から、子どもの行動や発話の背景が予測可能となります。

 キーワード

ものの永続性

生後8か月ごろになると、目の前にあるものが見えなくなっても存在していることがわかるようになる。

シェマ

ピアジェの認知発達段階の各段階で、物事を理解するための内的な枠組みをいう。

同化

新しい経験をしたときに、それまでにもっていた枠組み（シェマ）に合うように新しい経験から得た情報を理解しようとすることをいう。

調節

それまでにもっていた枠組みを新しい経験から得た情報に合わせて修正し、新たな枠組みをつくることをいう。

▶ ピアジェの認知発達段階

Point
象徴的思考期は知覚的特徴に影響されやすい。

感覚運動期		0〜2歳	感覚によって取り入れた刺激に対して運動で反応し、新しい場面に適応していく
前操作期	象徴的思考期	2〜4歳	目の前にないものをイメージ（表象）を使って言葉で考えることができるが、見かけに左右されやすい
	直観的思考期	4〜7、8歳	イメージしたり、概念は発達するが、推理したり判断することは直観に頼っている
具体的操作期		7、8〜11、12歳	具体的な物事であれば、論理的に考えたり推理したりすることができるようになる
形式的操作期		11、12歳〜	抽象的なことや仮説について、論理的に考えることができるようになる

▶ 保存課題

液量の保存

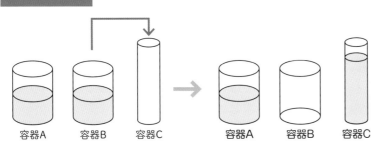

前操作期の子どもに、容器A
と容器Bに同じ高さまで水が
入っていることを確認させた
あと、容器Bの水を背が高く
細い容器Cに移すと、容器C
のほうがたくさん入っている
と答える。

数の保存

列A ○ ○ ○ ○ ○   ○ ○ ○ ○ ○
列B ○ ○ ○ ○ ○   ○　○　○　○　○

前操作期の子どもに、白い石
と青い石が同じ数であること
を確認させたあと、見ている
前で並べ方を変えると、青い
石のほうが多いと答える。

▶ 感覚運動的知能の段階（ピアジェ）

①反射の使用の段階	0〜1か月	生まれつきもっている反射を通して外界と相互作用する
②第一次循環反応期	1〜4か月	同じ動作をくり返し行う
③第二次循環反応期	4〜8か月	音の出るおもちゃをくり返し鳴らしてみるなど、感覚と運動を組み合わせることができるようになる
④二次的シェマの協応期	8〜12か月	おもちゃを取るという目的と、そのために邪魔になるものをどけるという手段が別々に行えるようになる
⑤第三次循環反応期	12〜18か月	音が出るおもちゃをくり返し振ってみて、音が変化することに興味をもつなど、行為と結果の関係を理解する
⑥表象のはじまり	18〜24か月	試してみるのではなく、考えて結果を予想できるようになる

Point

感覚運動的知能の段階は、五感と
身体を通して物事を認識する時期。

ピアジェは、子どもの発達を「認知
を獲得する過程」としてとらえてい
ます。

発達に関する理論②

関連科目 保育の心理学

発達には質的に大きな変化をする転換点があり、発達段階があるという考え方が示されています。ここでは、エリクソン、レビンソン、ハヴィガーストの理論を理解していきましょう。

ココをおさえよう！

🔑 キーワード

ライフサイクル論

生まれてから死に至るまでの間に、精神的・肉体的・社会的に変化をしながら次世代へと引き継いでいく過程のこと。**エリクソン**は、ライフサイクルの視点から**生涯発達理論**を唱えた。

漸成的発達理論

エリクソンが唱えた理論で、生涯を**8つの段階**に分け、それぞれの段階の課題を達成できるかできないかによって**心理社会的危機**がおとずれ、それを乗り越えることで心理・社会的発達が進むとする考え方。

▶ エリクソンの8つの発達課題

乳児期	0〜1歳	「信頼性（基本的信頼感）」対「不信」→養育者をはじめとして周囲の人を信じられるか
幼児前期	1〜3歳	「自律性」対「恥、疑惑」→自分の行動を抑制できるか
幼児後期	3〜6歳	「自発性（自主性）」対「罪悪感」→養育者のもとを離れて自分で積極的に行動できるか
児童期	6〜12歳	「勤勉性」対「劣等感」→生きるための力を習得できるか
青年期	12〜22歳	「アイデンティティ（自我同一性）」対「アイデンティティの混乱（同一性拡散）」→自分は何者か、自分の信念は何か
成人初期	22〜35歳	「親密性」対「孤立（孤独）」→自分自身を他の人に与えることができるか
成人後期	35〜65歳	「生殖性（世代性）」対「停滞」→次の世代に何かを継承していくことができるか
老年期	65歳以上	「統合（自我の統合）」対「絶望」→これまでの人生に満足しているか

Point

アイデンティティとは「自分とは何か」の答えのこと。

▶ レビンソンの発達段階

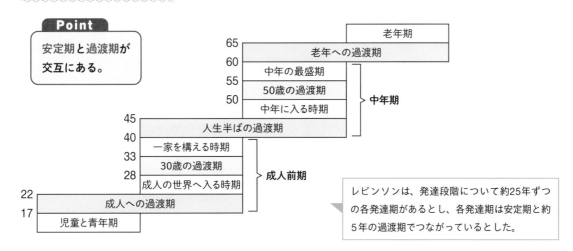

Point
安定期と過渡期が
交互にある。

レビンソンは、発達段階について約25年ずつの各発達期があるとし、各発達期は安定期と約5年の過渡期でつながっているとした。

▶ ハヴィガーストの発達課題

乳幼児期	●歩くこと、食べること、話すこと、排泄の学習 ●性の違い、性の慎みの学習 ●社会や事物についての単純な概念形成 ●両親やきょうだいとの人間関係についての学習 ●正しいことと正しくないことを区別する学習と、良心を発達させること
児童期	●遊びを通しての身体的技能の学習 ●成長する自分に対しての健全な態度を養う ●男子または女子としての正しい役割の学習 ●読み、書き、計算の基礎的技能を発達させる ●日常生活に必要な概念を発達させる ●良心、道徳性、価値の尺度を発達させる ●自立的な人間形成、社会的集団に対する態度を発達させる
青年期	●同年齢の男女両性との洗練された新しい関係 ●自分の体の構造を理解し、男性または女性としての役割を理解する ●両親やほかの大人からの情緒的独立、経済的独立に関する自信の確立 ●職業の選択および準備、結婚と家庭生活の準備 ●市民として必要な技能と概念の発達 ●社会人として自覚と責任のある行動 ●行動の指針としての価値や論理の体系の学習、自己の世界観をもち、他人と調和しつつ自分の価値体系を守る
壮年期	●配偶者の選択、結婚相手との生活の学習 ●子どもの養育、家庭の管理 ●就職（壮年初期） ●市民的責任の負担、適切な社会集団の選択
中年期	●大人としての市民的社会的責任の達成 ●一定の経済水準の確立と維持 ●10代の子どもたちが幸福な大人になれるように援助する ●余暇活動を充実させる ●自分と配偶者を一人の人間として結びつける ●中年期の生理的変化を理解し、これに適応する ●老年の両親への適応
老年期	●肉体的な強さと健康の衰退に適応する ●引退と収入の減少に適応する ●配偶者の死に適応し、自分の死への準備 ●同年輩の高齢者と明るい親密な関係を確立する ●肉体的生活を満足して送れるように準備態勢を確立する

Point
発達課題を学習、適応
によって達成するととらえた。

関連科目 保育の心理学　教育原理

ココをおさえよう！

ここでは、学習心理学の理論について学んでいきます。人はなぜ、さまざまな行動をとるのでしょうか？　行動の変化や理由を探っていくのが学習心理学です。

🔑 キーワード

モデリングとモニタリング

モデリングは他者の行動を見て、善悪等を判断し、よいことは自分もまね、悪いことは行わないという判断をいう。モニタリングは、自分の行動を振り返ってみて、悪いことは改善していくことをいう。

メタ認知

自分の認知の状態自体を認知することをいう。たとえば、テストで間違えたところを見直し、次のときには間違えないようにすることなどがあり、学童期に発達する。

内発的動機づけ

褒美（ほうび）をもらって行動するのではなく、自分から何かをしようとするときの動機をいう。

自己効力感（セルフ・エフィカシー）

バンデューラの考え方で、自分はここまでであればやれるという確信をいう。自己効力感をもつためには、内発的動機づけが重要である。

▶ 古典的条件づけ（レスポンデント条件づけ）（パブロフ）

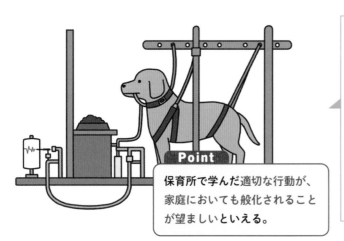

Point
保育所で学んだ適切な行動が、家庭においても般化されることが望ましいといえる。

エサを見せると犬は唾液を分泌するが、エサを与えるのと同時に音を聞かせることをくり返し行った結果、音を聞いただけで唾液を分泌するようになる。音とエサという刺激を同時に犬に与えることで、それまでなかった反応が現れたもので、これを条件づけという。ただし、この反応は、実験をやめてしばらくするとなくなり、このことを消去という。一方、特定の反応が得られたあと、似たような条件下で同じような反応が得られることを般化という。

◎ オペラント条件づけ（スキナー）

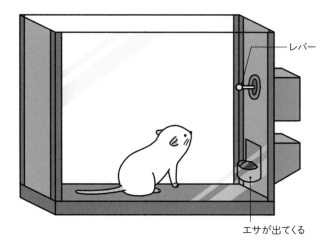

レバー

エサが出てくる

レバーを下げるとエサが出る仕組みになっているスキナーボックスと呼ばれる箱の中に、空腹のネズミを入れた実験。ネズミはエサが欲しくていろいろな行動をとり、偶然レバーを下げたことでエサが出てきたことから、くり返しレバーを下げるようになる。行動に報酬（エサ）が伴うと、行動の回数が増える。これを強化という。

Point

この場合のエサのことを
強化子という。

◎ 観察学習（バンデューラ）

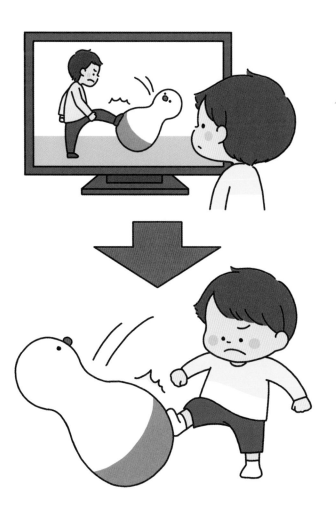

大人が等身大の人形を攻撃するところを、子どもに実際に見せたり、攻撃する映像を見せたりしたあと、同じ人形を含むたくさんの玩具や遊具を置いた部屋で自由に遊ばせると、攻撃するところを見ていない子どもと比較して、攻撃するところを見た子どもが人形に対して攻撃を行った例が多かった。

Point

大人の行動を子どもは見てまねするので、注意しなければならない。

保育士は子どもの見本！
ちなみに観察学習は「モデリング」と同じ意味で
使われます。

第4章 学習理論・動機づけ理論

● スキーマとスクリプト

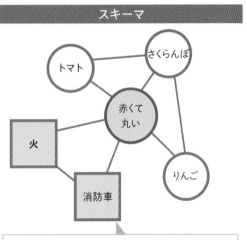

スキーマ	スクリプト

（スキーマの図：トマト、さくらんぼ、赤くて丸い、火、りんご、消防車）

（スクリプトの図）
朝おきる
↓
顔を洗う
↓
朝食を食べる
↓
歯をみがく

スキーマは、似ている記憶をつないでネットワークを形成したものをいう。言い換えるとひとまとまりになった知識ということができる。「赤」と「丸」という2つの言葉があったときに、赤くて丸い＝りんご、赤くて丸い＝さくらんぼというようにいろいろにつながっていく。また、赤いもの＝火、赤いもの＝消防車というようにもつながっていく。これらを線でつないだものがスキーマである。

スクリプトは、日常的な時間の流れに沿って生じる一連の流れをいう。子どもたちが日常生活での一つ一つの動作を理解していても、それがつながらなければ生活習慣の確立にはつながらない。これがつながるように援助していくことが保育士の役割でもあり、つながったときにスクリプトが完成される。

Point
スクリプトは子どもに
安定をもたらす。

● 学習性無力感（セリグマン）

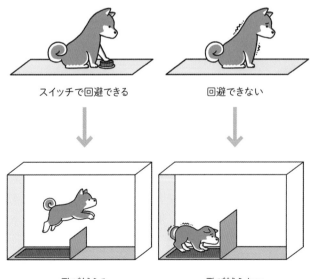

スイッチで回避できる　　回避できない

↓　　↓

飛び越える　　飛び越えない

犬を動けないようにして電気刺激を与えるが、片方の犬は前方に置いたスイッチで電気刺激を回避できるようにし、もう一方の犬はスイッチを置かずに電気刺激を回避できないようにした。次に、柵を飛び越えると電気刺激を回避できる部屋に同じ2匹の犬を移動させたところ、簡単に飛び越えられる高さにもかかわらず、最初に電気刺激を回避できなかった犬は柵を飛び越えなかった。

Point
学習性無力感とは
何をやっても無駄
だと感じること。

原因帰属（ワイナー）

	安定	不安定
内的	能力	努力
外的	課題の困難性	運

Point

原因が内的なものか外的なものかを原因の所在という。

ワイナーは、ものごとの原因を表のように4つに分類した。たとえば試合に負けたときに、相手が強くなかなか勝てないといったように、外的に要因があり結果は安定している＝「課題が困難である」ととらえるよりも、相手チームへの対策不足で対策次第で勝てるといったように、内的に要因があり結果は不安定＝「努力が足りない」と考えるほうが物事へのモチベーションが高くなる。

欲求階層説（マズロー）

マズローの欲求5段階説

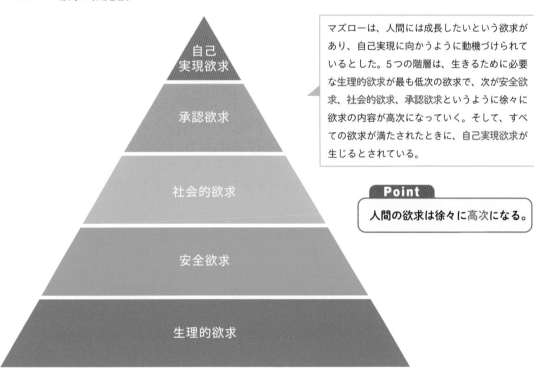

マズローは、人間には成長したいという欲求があり、自己実現に向かうように動機づけられているとした。5つの階層は、生きるために必要な生理的欲求が最も低次の欲求で、次が安全欲求、社会的欲求、承認欲求というように徐々に欲求の内容が高次になっていく。そして、すべての欲求が満たされたときに、自己実現欲求が生じるとされている。

Point

人間の欲求は徐々に高次になる。

マズローの欲求5段階説は、外側から観察された行動ではなく、感情といった主観的な心の動きに注目し、理論化したアプローチです。

関連科目 保育の心理学　教育原理

人間はきわめて未熟な状態で生まれてくることが大きな特徴です。また、人間の発達には個人差がある一方で、順序性や道筋においては、共通してみられる特徴があります。その特徴をしっかりおさえていきましょう。

 キーワード ·····························

就巣性の動物

就巣性の動物は、誕生してすぐは目があかず運動能力が不十分で親から食べ物をもらわないと生きていけないひ弱な状態のため、しばらくの期間は巣で過ごす。

離巣性の動物

離巣性の動物は、母胎内で十分に発達した状態で生まれるため、誕生してすぐに目があいており、自力で歩いたりえさを探したりできる。

生理的早産

人間の出生状態を表したポルトマンの考え方。人間は、妊娠期間や一度に産む子どもの数は離巣性の動物と似ているが、誕生時の状態は離巣性の動物であればまだ母胎内にいる時期であり、生理的早産とした。

哺乳動物の分類（ポルトマン）

人間（二次的就巣性）

妊娠期間：長い（約9か月間）
一度に産む子どもの数：少ない（およそ1～2人）
誕生時の子どもの状態：感覚や知覚はあるが、運動能力がきわめて未熟で親の世話が必要

Point

ポルトマンは、人間が本来の発育状態になるには生まれてから1年程度かかるとし、二次的就巣性と名付けた。

就巣性の動物	離巣性の動物

妊娠期間：短い（20～30日）
一度に産む子どもの数：多い（5～20匹程度）
誕生時の状態：未熟で親の世話が必要
例：ネズミ、ウサギ、イタチなど

妊娠期間：長い（50日以上）
一度に産む子どもの数：少ない（1～2匹程度）
誕生時の状態：自力で歩いたり、えさを探したりできる
例：ウマ、サル、クジラなど

◉ 発達の方向性・順序性

発達の方向性

身体能力の発達は、頭部→頸部→腹部→脚部というように、頭部から尾部へと向かう。

頭部から尾部へ

また、肩→腕→手首→指先というように、中心部（大きな関節）から末梢部（指先などの小さな関節）へと発達し、大きな運動から微細な運動へと発達していく。

中心部から末梢部へ

発達の順序性

Point
発達には決まった方向性と順序がある。

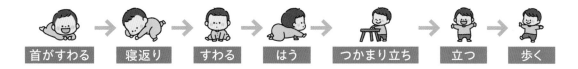

首がすわる → 寝返り → すわる → はう → つかまり立ち → 立つ → 歩く

立つためには、首や腰がしっかりとしなければならず、歩くためには立てるようにならなければならないというように、発達には一定の順序性がある。

◉ 発達曲線（スキャモン）

体の器官別に発達の状況をグラフで表したもので、リンパ系型、神経型、一般型、生殖型がある。脳や脊髄などの神経型は、乳幼児期に急激に発達し、10歳ころには安定する。生殖型は、12歳ころから発達が始まりその後急激に発達する。

Point
近年では、第二次性徴が早まっているため、生殖型の発達の始まりも前倒しになっている。

幼児期から小学校の間は、脳などの神経器官が急成長します。たくさん運動することで、発達を促すことができるといえます。

（グラフ）
リンパ系型
神経型
一般型
生殖型
年齢 0 2 4 6 8 10 12 14 16 18 20（歳）
（%）0〜200

6 言葉と記憶の発達

関連科目 保育の心理学　子どもの保健

ココをおさえよう！

言葉の発達と記憶の発達には密接なつながりがあります。ある程度の年齢で獲得していくものの、個人差がとても大きい領域でもあることも踏まえて覚えましょう。

🔑 キーワード

初語

1歳ごろになると発せられる初めての意味をもった言葉のこと。

語彙爆発

1歳半ごろに語彙数が急激に増えることを語彙爆発といい、個人差はあるものの2歳で200語、3～4歳ごろになると1,000語程度に増える。

一語文

単語のみの発語のことを一語文という。たとえば「ワンワン」と言った場合、犬のことを指すだけでなく、猫などほかの四つ足の動物のことや、状況に応じては「そこに犬がいるよ」「犬があっちに行っちゃった」など、さまざまな意味を相手に伝えている。「ワンワン」のように、人や動物の声や音を言葉で表したものをオノマトペ（擬声語、擬態語）という。

▶ 音声と語彙の発達

年齢・月齢	内容
生まれてすぐ	泣くなど音のみ
1～3か月	「アー」「クー」など不明瞭な音を出すようになる（クーイング）
4～6か月	「アーン」「ング」など意味をもたない言葉（喃語）を発するようになる
6～11か月	「バババ」など同じ音を繰り返す規準喃語が現れ、その後、大人が使う言語音と似た音が混じったジャーゴンがみられる
1歳前後	意味をもった初語や一語文がみられるようになる。このころの言葉は、たとえば「マンマ」なら、「ご飯」「ご飯が食べたい」など、いくつかの意味が含まれている
1歳半	語彙数が急激に増加する（語彙爆発）。また、2つの言葉をつなげた二語文を使うようになる
2歳以降	3つ以上の言葉をつなげる多語文がみられるようになる

● 作業記憶（ワーキングメモリ）

Point

情報処理の過程で
メタ認知が重要に
なる。

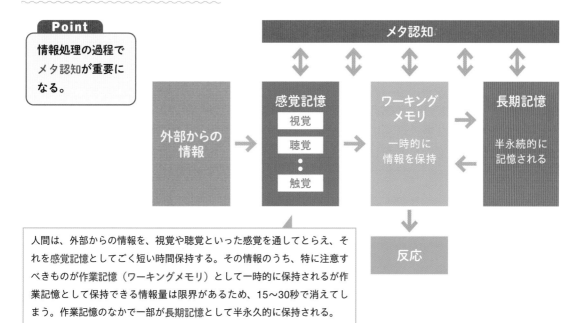

人間は、外部からの情報を、視覚や聴覚といった感覚を通してとらえ、それを感覚記憶としてごく短い時間保持する。その情報のうち、特に注意すべきものが作業記憶（ワーキングメモリ）として一時的に保持されるが作業記憶として保持できる情報量は限界があるため、15〜30秒で消えてしまう。作業記憶のなかで一部が長期記憶として半永久的に保持される。

● 流動性知能と結晶性知能

流動性知能は空間を認識したり、言葉を速く話したり書いたりする能力で、その場での問題解決能力である。一方、結晶性知能は過去の経験や教育から得た能力で、それを活用して問題を解決する能力である。流動性知能は加齢にともなって低下するが、結晶性知能は高齢になっても大きくは低下しない。

出典：公益財団法人長寿科学振興財団ホームページをもとに作成

流動性知能と結晶性知能の発達曲線

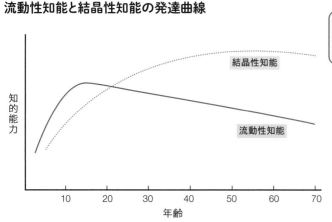

Point

加齢の影響を受けやすい知能
と受けにくい知能がある。

流動性知能は、18〜25歳ごろがピークで、60〜65歳ごろから低下していくといわれています。

社会性の発達

社会性の発達としてここで学ぶ内容は、幼児期の保育実践に直結する重要な発達理論になります。遊びの分類についても試験には頻出といえるので、しっかりと覚えましょう。

🔑 キーワード

向社会的行動

見返りを期待せずに、困っている人を助けてあげようとするような行動をいう。人や社会のためになりたいという気持ちを行動にしたものである。

役割取得能力

相手の気持ちや感情を推察したり、何を考えているのかを推測し、自分がどのようにふるまえばよいかを理解できるようになることをいう。

心の理論

相手の行動を観察し、相手の心や行動を予測したり説明したりする能力のこと。

▶ 誤信念課題

サリー　　　　　アン

サリーはかごを
もっています。

アンは箱を
もっています。

サリーは自分のかごに
ボールを入れました。

サリーは外に散歩に
出かけました。

子どもが「心の理論」をもっているかどうかを調べる実験。3歳ごろの子どもは、「サリーはアンがボールを動かしているところを見ていない」という「自分の認識とは異なる他者の誤った認識」（誤信念）を予測できず、「箱」と答えてしまうが、4、5歳ごろになると正確に答えることができるようになる。

サリーがボールを探すのは
どこでしょう？

アンはサリーのボールをかごから
取り出すと自分の箱に入れました。

Point

自閉スペクトラム症の子どもの場合、「心の理論」の獲得が遅くなる、あるいは獲得しにくい。

▶ 遊びの発達

ビューラーの遊びの分類

機能遊び	聴覚や触覚、視覚などの感覚を通した遊びや、走ったり跳んだりなど体を動かす遊び
想像（模倣）遊び	ごっこ遊びのように、自分が何かになったりして遊ぶ
受容遊び	絵本を読んだり、テレビやビデオの子ども番組を見て楽しむ
構成遊び	折り紙、積み木、粘土細工、砂場遊びなど何かをつくって遊ぶ

Point
模倣遊びを通してなりたいものに同一化する。

Point
連合遊びは3〜4歳ごろから見られる。

パーテンの遊びの分類

何もしていない遊び	特に何もせずにぼっーとしていたり、何もせずに歩き回ったりしている状態
一人遊び	自分だけの遊びに熱中している状態。周囲との交わりはない
傍観	ほかの子どもが遊んでいるのを見ているだけで、加わらない状態
平行遊び	そばで遊んでいる子どもと同じ遊びをしているが、お互いに交渉がない状態
連合遊び	複数の子どもが同じ遊びをしているが、共通のルールや役割分担などがない状態
協同遊び	共通の目的を達成するために一緒に遊び、役割分担や共通のルールが存在している状態

▶ 道徳性の発達（コールバーグ）

Point
子どもの道徳的判断は変化する。

①他律的道徳性	5歳前後	大人の言うことが正しいことで、それに従うのが正しいと判断する段階
②個人主義的な道徳性	小学校低学年	自分の行動が得か損かが道徳の判断の基準になる段階
③「よい子」への志向	小学校中高学年	周囲から「よい子」と評価されることに価値観をおく段階
④社会システムに対する責任	10代後半	社会の仕組みや決まりを守ることが判断の基準になり、それを果たさなければならないという自覚が強くなる段階
⑤規律的な良心	成人早期	人間を尊重することが道徳判断の基準になり、人のために社会の仕組みや決まりがあると理解する段階
⑥普遍的な倫理原理	成人後期以降	決まりが正義や公平性に反している場合には、正義や公平性に従うべきと考え、決まりと道徳の区別をつけるようになる段階

道徳性は、「幼児期から思春期、成人期の全体を通して6つの段階を経ながら徐々に発達する」という理論です。

運動機能の発達

粗大運動と微細運動の発達の目安は、「改訂日本版デンバー式発達スクリーニング検査（JDDST-R）」が参考にされています。保育所保育指針にも運動発達に関する記述がありますのでおさえておきましょう。

ココをおさえよう！

 キーワード

粗大運動

走る、跳ぶなど、比較的大きな筋肉を使って行う全身運動をいう。

微細運動

ひもを結ぶ、箸やハサミを使う、ボタンをかけたりはずしたりするなど、指先などを使う運動をいう。

ギブソンの運動発達理論

ギブソンは、人間が運動するためには知覚が必要であり、知覚するためには運動が必要であるとした。

発達性協調運動症（DCD）

筋肉や神経に異常がないのに、粗大運動や微細運動、いろいろな動作をまとめて行う協調運動がほかの子どもと比べて極端に苦手な状態をいう（→第4章11参照）。

● 運動機能の発達(乳幼児身体発育調査)

首のすわり	生後4～5か月未満の乳児の90%以上が可能である
寝返り	生後6～7か月未満の乳児の90%以上が可能である
一人座り	生後9～10か月未満の乳児の90%以上が可能である
はいはい	生後9～10か月未満の乳児の90%以上が可能である
つかまり立ち	生後11～12か月未満の乳児の90%以上が可能である
ひとり歩き	生後1年3～4か月未満の幼児の90%以上が可能である

Point

乳幼児身体発育調査はおおよそ10年に1回行われている。

出典：厚生労働省「乳幼児身体発育調査」2010年

◉ 粗大運動と微細運動の発達

年齢	粗大運動の例	微細運動の例
1歳半ごろ	● 歩き方が安定してくる ● うしろや横への移動、座位からの起立などが自由にできる	● コップから直接水を飲む ● スプーンが使えるようになる ● 積み木を2〜3個積み上げることができる
2歳ごろ	● 走るときに転ばないようになる ● 両足跳びができる	● なぐりがきをする ● 絵本のページを1枚ずつめくれるようになる
3歳ごろ	● 階段を片足ずつ交互に出してのぼる ● ボールを投げる	● ボタンをはずせるようになる ● 円を描けるようになる
4歳ごろ	● 疾走できるようになる ● 片足跳びができるようになる ● スキップができるようになる	● ハサミを使って紙を切れるようになる ● ひもを結ぶことができる

Point

> 運動発達には粗大運動から微細運動へという方向性がある。

◉ 保育所保育指針における運動発達（抜粋）

Point

> 子どもが体を動かそうとする意欲を援助することが大切。

	項目	内容
乳児	第2章1（2）ア「健やかに伸び伸びと育つ」（ア）②	● 伸び伸びと体を動かし、はう、歩くなどの運動をしようとする
	第2章1（2）ア「健やかに伸び伸びと育つ」（ウ）①	● 心と体の健康は、相互に密接な関連があるものであることを踏まえ、温かい触れ合いの中で、心と体の発達を促すこと。特に、寝返り、お座り、はいはい、つかまり立ち、伝い歩きなど、発育に応じて、遊びの中で体を動かす機会を十分に確保し、自ら体を動かそうとする意欲が育つようにすること
	第2章1（2）ウ「身近なものと関わり感性が育つ」（イ）④	● 玩具や身の回りのものを、つまむ、つかむ、たたく、引っ張るなど、手や指を使って遊ぶ
1歳以上3歳未満児	第2章2（2）ア健康（ア）①	● 明るく伸び伸びと生活し、自分から体を動かすことを楽しむ
	第2章2（2）ア健康（ア）②	● 自分の体を十分に動かし、様々な動きをしようとする
	第2章2（2）ア健康（イ）③	● 走る、跳ぶ、登る、押す、引っ張るなど全身を使う遊びを楽しむ
	第2章2（2）ア健康（ウ）①	●（略）一人一人の発育に応じて、体を動かす機会を十分に確保し、自ら体を動かそうとする意欲が育つようにする（略）
3歳以上児	第2章3（2）ア健康（ア）②	● 自分の体を十分に動かし、進んで運動しようとする
	第2章3（2）ア健康（イ）②	● いろいろな遊びの中で十分に体を動かす
	第2章3（2）ア健康（ウ）②	● 様々な遊びの中で、子どもが興味や関心、能力に応じて全身を使って活動することにより、体を動かす楽しさを味わい、自分の体を大切にしようとする気持ちが育つようにすること。その際、多様な動きを経験する中で、体の動きを調整するようにすること

愛着の形成と愛着障害

乳幼児期の愛着形成は、子どもが健やかに成長するための大切な土台となります。大人になったあとの人格や人間関係の築き方にも関わってくるため、乳幼児期の最重要課題といってもいいでしょう。

 キーワード

アタッチメント

愛着のこと。特定の対象(たとえば母親)との間に形成される**特別な情緒的結びつき**をいう。

マターナル・デプリベーション

乳幼児と養育者との間に親密で継続的な人間関係が結ばれていない状態をいう。**母性剥奪**ともいい、**ボウルビィ**が名づけた。施設に入所している乳幼児が母性剥奪の状態にあることを**ホスピタリズム**といい、**スピッツ**が名づけた。

安全基地

乳幼児が保護者など特定の愛着対象に対して抱く、何かあっても守ってくれるという**心の拠り所**としての機能のこと。

分離不安

乳幼児が、母親など特定の人と離れることで不安を感じることをいう。

▶ 愛着の発達

Point
人見知りは8か月不安ともよばれる。

出生〜3か月	特定の人物を見分けることはなく、誰にでも愛着行動を示す。無意識で誰にでもほほえむことから、ほほえみ行動とよばれる
3〜6か月	母親など特定の人に対して示す愛着行動が増える。母親などを見ると、ほほえんだり、泣きやんだりする
6か月〜2、3歳ごろ	さらに特定の人に対する愛着行動の種類が増える。母親などのあとを追ったり、母親などが見えなくなると不安や抵抗を示す。8か月ごろには人見知りが始まる
3歳すぎ〜	愛着の対象がそばにいなくても、その対象を思い出すだけで安心できるようになる

● ストレンジ・シチュエーション法(エインズワース)

エインズワースは、子どものアタッチメントのタイプを測定するため、ストレンジ・シチュエーション法という親子のようすを観察する方法を考案した。その結果、下記のA〜Cタイプが明らかになった。のちの研究でどれにも当てはまらないDタイプの存在も発見された。

Point

エインズワースは愛着の個人差を測定した。

① 実験者が室内に入る。母親は子どもと入室。

② 母親はいすに座り、子どもはおもちゃで遊ぶ。

③ 実験者が入室。いすに座る。

④ 母親は退室。実験者は子どもにやや近づく。

⑤ 母親が戻り、実験者は退室。

⑥ 母親も退室。子どもは一人で取り残される。

⑦ 実験者が入室。子どもをなぐさめる。

⑧ 母親が入室。実験者は退室。

- **回避型(Aタイプ)**:子どもを母親と一緒に遊ばせたあと、母親と分離・再会させると、母親に対してそっけない態度をとり、母親を避けようとする。
- **安定型(Bタイプ)**:母親と再会すると、母親を求めて気持ちを落ち着かせ、その後、また遊び始める。
- **アンヴィバレント型(Cタイプ)**:母親と再会すると母親を求めるが、一方で、母親を叩いたりして不機嫌な様子になる。
- **無秩序型(Dタイプ)**:母親と再会すると、とまどったり混乱した様子になる。反応に一貫性がない。

● 愛着障害の種類

反応性アタッチメント障害 (反応性愛着障害)	脱抑制型愛着障害
● すべての人に対して警戒や無関心を示す ● 5歳より前から障害がみられる ● 明るい感情を見せることが極端に少ない	● 見慣れない大人にでも近づいて交流する ● 誰にでも愛着行動を示す ● 年齢にふさわしい社会的規範からはずれている

Point

愛着障害は心理的環境要因が原因といわれる。

10

こころの問題

関連科目 保育の心理学　子どもの保健　保育実習理論

ココをおさえよう！

精神保健の分野として、保育の心理学や子どもの保健から頻出のテーマです。実際の保育現場でも対応するケースが出てくるかもしれません。一つひとつの意味をしっかり理解しておきましょう。

 キーワード ::

チック

顔や首、肩などの特定の筋肉に本人の意思とは関係なく突然けいれんが起こることをいう。

赤ちゃんがえり

退行的行動の一種。たとえば自分で食事や排泄（はいせつ）ができるようになっていた子どもが、弟や妹が生まれたのをきっかけとして、哺乳瓶からミルクを飲みたがったりおもらしをしたりするようになる。赤ちゃんへの関心からの模倣（もほう）であるという説もある。

自己防衛

心理的緊張が続いているときに、それを無意識のうちに処理し、適応させていこうとする心の動き。自分で自分を守ろうとして起こる。

::

▶ 問題行動・不適切行動

退行的行動	実際の年齢より幼い行動をとる状態。弟や妹が生まれた時に、赤ちゃんがえりするようなことをいう
習癖障害	無意識の中で行われる習慣的な行動を習癖（しゅうへき）という。そのような習慣的な癖のうち、健全な人格形成や社会生活に悪影響を及ぼすと考えられる行動。指しゃぶりや爪噛みなど
選択性緘黙（かんもく）	家では話せているのに、保育所に行くと話せなくなるなど特定の場所や場面で話せなくなることをいう。多くは5歳未満に発症し、対人コミュニケーションに課題があるため配慮を必要とする
虚言（きょげん）	現実と空想の区別がつかずにつくり話をしたりすること。自己防衛のためにうそをつくことも含まれ、習慣化しないようにすることが必要

Point

← 選択性緘黙の場合、言語能力は正常である。

● チックの種類

<table>
<tr><td>音声チック</td><td>運動性チック</td></tr>
</table>

音声チック	運動性チック
のどを鳴らす、鼻を鳴らす、咳払いする、奇声を発する、舌打ちをするなど。	繰り返しまばたきをする、必要以上にうなずく、首を曲げる、口をゆがめるなど。

1年以上続くもの

トゥレット症候群

音声チックと運動性チックが多発するもので、チックの中では重症である。
最初にチックが始まってから1年以上持続する。相手の言葉をそのまま言うおうむ返し（エコラリア）や汚い言葉やわいせつな言葉を発する汚言症をともなうこともある。

> **Point**
> トゥレット症候群は発達障害者支援法の対象。

● 子どもの心身症

夜尿症	夜間寝ている間に尿を漏らすことをいう。膀胱のはたらきが未熟で起こる一次性夜尿症と、不安感や欲求不満によって生じることの多い二次性夜尿症がある
過敏性腸症候群	ストレスや自律神経のバランスの崩れなどから腸が過敏に反応し、下痢や便秘になったり、下痢と便秘を繰り返したりする
夜驚症	寝ついてから30分から2時間程度で突然おびえた表情になり、大きな声で泣き叫ぶことをいう。あやしても反応がなく、翌朝には覚えていない。起き上がって歩き出す夢中遊行をともなうこともある
過換気症候群	過度の緊張や不安によって、浅く速い呼吸となって二酸化炭素が過剰に排出され、手足がしびれたり失神したりすることをいう
起立性調節障害	起き上がったときなどにめまいや動悸、失神を起こしたり、朝起きられなかったりする思春期前後に起きることが多い身体疾患

> **Point**
> 心身症には心理社会的影響が関係する。

● 精神障害の種類

統合失調症	幻覚、妄想、考想伝播（何も言っていないのに自分の考えが他人に伝わっていると思い込む）、感情鈍麻、連合弛緩（思考があちこちに飛んで話にまとまりがなくなる）、自閉、自発性低下などがみられる
うつ病	集中力の減退、不眠、活動性の低下、食欲減退、焦燥感、希死念慮（自殺願望）などがみられる
解離性障害	困難な状況やストレスにさらされたときに、自分を守るために知覚や記憶を無意識のうちに意識から切り離す状態。心の傷になっている出来事を記憶からなくす、突然失踪して自分の知らない場所にいる、意識があるものの朦朧とした状態になるなどがある
強迫性障害	たとえば、自分の手が汚れているという観念が自分の気持ちに反して繰り返し何度も現れる
パニック障害	状況に関係なく、突然強い恐怖感や不安が発作的に起こる。動悸や息苦しさ、めまい、発汗、胸苦しさなどが起こりパニックになる
心的外傷後ストレス障害（PTSD）	災害や事故、犯罪などで生命の危険にさらされたり、虐待を受けるなどで自分の安全が脅威にさらされるような恐怖を経験したあと、それが繰り返しよみがえって日常生活に支障が出る、活動性が低下する、ささいなことに過度に反応するなどがみられる

> **Point**
> トラウマ体験が心的外傷後ストレス障害を引き起こす。

第4章

10 こころの問題

11

発達障害（神経発達症群）

保育の心理学　子どもの保健　社会福祉　保育原理　子ども家庭福祉　保育実習理論

発達障害に関しては、どの科目で出題されてもおかしくありません。それほど重要であり、知識が求められるテーマです。実際に働きはじめてから、勉強しなおす保育士も多いようです。

ココをおさえよう！

 キーワード

DSM-5

アメリカ精神医学会によるもので、「精神疾患の診断・統計マニュアル」の第5版。精神障害の診断基準などを示している。DSM-5では**発達障害は神経発達症群**という。

発達障害者支援法

2004（平成16）年に制定された。発達障害を「自閉症、アスペルガー症候群その他の広汎性発達障害、学習障害、注意欠陥多動性障害その他これに類する脳機能の障害であってその症状が通常低年齢において発現するもの」とするとともに、**発達障害の早期発見、発達支援**などについて規定している。

合理的配慮

障害者などから社会の中のバリアをなくすための対応が必要だという意思が伝えられた場合、行政や事業者は負担が重くならない範囲で対応することをいう。

さまざまな神経発達症群のタイプ（DSM-5による）

知的な遅れを伴うこともある

注意欠如・多動症（ADHD）
- 不注意（集中できない）
- 多動・多弁（じっとしていられない）
- 衝動的に行動する（考えるよりも先に動く）

- 言語の発達の遅れ（遅れの度合いには個人差がある）
- コミュニケーションの障害
- 対人関係・社会性の障害
- パターン化した行動、こだわり

自閉スペクトラム症（ASD）

- 「読む」「書く」「計算する」などの能力が、全体的な知的発達に比べて極端に苦手

限局性学習症（SLD、LD）

Point

診断名はDSM-5を基準に出題されることが多い。

※このほか、発達性協調運動症（DCD）、トゥレット症候群、吃音なども発達障害に含まれる。

出典：厚生労働省ホームページ「発達障害の理解のために」を一部改変

● 神経発達症群の特徴

自閉スペクトラム症 （ASD）	● 発達早期に症状が現れる ● 社会的コミュニケーションと相互的な対人関係に弱さがある（言葉の習得が遅い、他者の意図を読み取ることが苦手、視線が合いづらい、他者と適切な距離を保つことが苦手、集団行動が苦手） ● 行動、興味、活動への固執傾向の強さがある（同じ遊びや動作を繰り返す、いつもと違う行動を嫌がる、習慣へのかたくななこだわり、自分なりの儀式的行動がある、新しい活動や人物を好まない、狭く深い関心をもつ） ● 知的障害をともなうことが多くある
注意欠如・多動症 （ADHD）	● 不注意または多動性−衝動性の症状のうちいくつかが12歳になる前から現れていた ● 不注意（活動中に不注意な間違いをしばしばする、注意を持続することが困難、指示に従ったり、学業などをやり遂げることができない、順序だてて行うことがしばしば困難、ものをなくす、忘れっぽいなど） ● 多動性−衝動性（手足をそわそわ動かしたり叩いたりする、いすにじっと座っていられない、しゃべりすぎる、順番を待てない、人の行動を妨害するなど）
限局性学習症 （SLD、LD）	● 学習困難は学齢期に始まる ● 読字が不的確または速度が遅い ● 読んでいるものの意味を理解することが困難 ● 字を書くことが困難 ● 数字の概念や計算などを習得することが困難 ● 数学的推論が困難 ● 知的障害や視力障害、聴力障害などでは説明できない **Point** 1つだけでなく、複数の症状を併発することもある。
発達性協調運動症 （DCD）	● 症状の始まりは発達段階早期である ● 協調運動機能の獲得や遂行が、その人の生活年齢や技能の学習および使用機会に応じて期待されるよりも明らかに劣っている ● 不器用（ものを落とす、ものにぶつかる） ● 運動技能の欠如（ものをつかむ、ハサミや刃物を使う、字を書く、自転車に乗る、スポーツに参加するなどが明らかに劣っている） ● 知的障害や視力障害では説明できず、神経疾患ではない

発達障害は、生まれながら脳の働きがアンバランスな状態で起こる障害です。後天的な生活環境やしつけなどではなく、先天性として生まれもったものです。これにより、生活のさまざまな場面で生きづらさを感じてしまいます。保育士として十分な知識をもったうえで、子どもたちを支えていくことを心がけましょう！

● 発達障害者支援センター

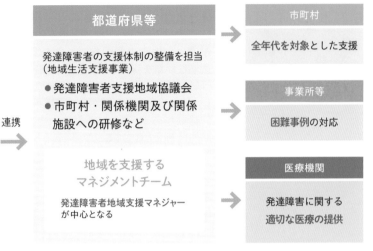

発達障害者支援センター

発達障害の早期発見、早期支援を
目的とし、日常生活をサポートする

● 相談支援（来所、訪問、
電話などによる相談）
● 発達支援（個別支援計画
の作成・実施など）
● その他研修、普及啓発、
機関支援

連携

Point

発達障害者支援センターの
根拠法は発達障害者支援法。

都道府県等

発達障害者の支援体制の整備を担当
（地域生活支援事業）

● 発達障害者支援地域協議会
● 市町村・関係機関及び関係
施設への研修など

地域を支援する
マネジメントチーム

発達障害者地域支援マネジャー
が中心となる

市町村

全年代を対象とした支援

事業所等

困難事例の対応

医療機関

発達障害に関する
適切な医療の提供

出典：内閣府「令和4年版 障害者白書」を一部改変

● 発達障害児への支援の方法

視覚支援	言葉だけで伝えても十分に理解できないため、絵や写真、ジェスチャーなど視覚的な指示を多くしてわかりやすくする
感覚過敏への対応	特定の音や特定の感触などに敏感に反応することがあるため、音によってパニックを起こさないように別室に移動する、イヤーマフを当てて音が聞こえない状態にする、嫌いな感触がするものを身近に置かないなどの対応をする
保護者・関係機関との連携	保護者が子どもの状態を受け入れられないと、自信をなくしたり、不安感を強く抱いたりすることがある。このため、保護者の抱いている不安や悲しみを受容し、支えていくようにする。また、子どもの発達に疑問がある場合には、保護者と関係機関や医師とをつないで、早期の治療が始められるようにする

Point

スモールステップ
による支援が大切。

● 知的障害の原因と考えられるもの

病理的要因	ダウン症などの染色体異常、フェニルケトン尿症などの先天性代謝異常、出生前ウイルス感染などによって脳に何らかの異常が生じて知的障害になる場合をいう。知的障害の程度は比較的重症の場合が多い
生理的要因	知的機能が平均を大きく下回っているが、原因を特定できない場合をいう。知的障害の程度は比較的軽症の場合が多い
心理社会的要因	保護者からの虐待や放置など、劣悪な環境で育ったために知的発達が遅れている場合をいう

Point

**先天性代謝異常に
よる障害は、新生
児マス・スクリー
ニング検査によっ
て早期発見するこ
とで防げる。**

▶ 知的障害の程度

日常生活の能力をa（困難度が高い）〜d（困難度が低い）の4段階で示している。

生活能力 IQ	a	b	c	d
Ⅰ（IQ 〜20）	最重度知的障害			
Ⅱ（IQ 21〜35）	重度知的障害			
Ⅲ（IQ 36〜50）	中度知的障害			
Ⅳ（IQ 51〜70）	軽度知的障害			

Point
知能指数（IQ）70前後を判定の目安とする

出典：厚生労働省「知的障害児（者）基礎調査：調査の結果」2007年

▶ 幼児期の言語障害

構音障害	吃音（きつおん）	言語発達障害
年齢相応の発音ができない状態。口唇裂や口蓋裂（こうしんれつ・こうがいれつ）によって口、のど、鼻の発声器官に異常がある場合や、発声器官などに問題がないのに発音がひずんだり、正しく発音できない場合がある。	大半は6歳くらいまでにみられ、言葉のはじめを繰り返す、音を引きのばす、つっかえるなど、スムーズに話せない状態をいう。発語に関連する脳の機能不全、話したいのに言葉がついてこないなどが原因である。	言葉を話すことや相手の話を受け入れることが困難な場合をいう。「あれ」「それ」などを多用し、文法的なことも理解に乏しい。

タラス！
（カラス）

ぼっ、ぼっ、ぼっ
ぼくね…

・・・・

Point
吃音はDSM-5から神経発達症群に分類された。

子どもの発達障害は、できるかぎり早期に発見し、適切な支援につなげていくことが重要です。1歳6か月児および3歳児対象の健康診査の活用はもちろん、日中をともに過ごす保育士が気づくことも大切です。

12

特別な配慮を必要とする子どもの支援①

ココをおさえよう！

「医療的ケア児及びその家族に対する支援に関する法律」（医療的ケア児支援法）の施行にともなって、各自治体は、保育所、認定こども園、幼稚園等での医療的ケア児の受け入れ体制を整えています。

🔑 キーワード

医療的ケア

在宅や学校・施設などで行っている、人工呼吸器や胃ろう等を使用することにともなって必要な呼吸管理や痰の吸引、経管栄養などの医行為のことをいう。

医療的ケア児及びその家族に対する支援に関する法律（医療的ケア児支援法）

2021（令和3）年に制定された。医療的ケアや医療的ケア児、支援の内容等について規定している。

特定行為

特定の研修を受けた場合にのみ行える医療行為。医師の指示の下で行わなければならない。

加配保育士

特別な配慮を必要とする子どものいる保育所で、規定の保育士のほかに特別配置される保育士をいう。

▶ 在宅の医療的ケア児の推計値(0〜19歳)

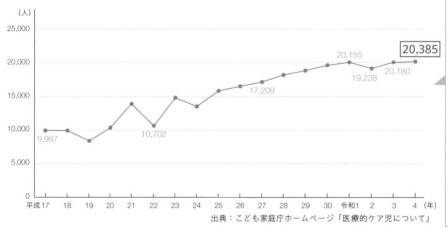

出典：こども家庭庁ホームページ「医療的ケア児について」

医療的ケア児が増加している理由
医学の進歩にともなって、NICU（新生児特定集中治療室）等に長期入院したあと、自宅に帰ってからも人工呼吸器や胃ろう等を使用しなければならず、呼吸管理や痰の吸引、経管栄養などの医療的ケアが日常的に必要な子どもが増えている。

◗ 保育士等が行うことのできる医療的ケア

特定行為

一定の研修を受けた保育士等も認定特定行為業務従事者として実施可

● 痰の吸引（口腔内、鼻腔内、気管カニューレ内）

● 経管栄養（胃ろうまたは腸ろう、経鼻経管栄養）

 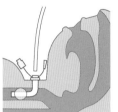

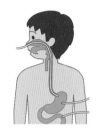

特定行為以外

看護師等の免許を有する者が実施
（保育士等は行えない）

Point

緊急時には、看護師は速やかに報告することを条件として、医師の指示がなくても臨時応急手当を行える。

◗ 嚥下が困難な子どもが飲み込みやすい食品と誤嚥しやすい食品

飲み込みやすい食品	とろみがあるもの	とろろ、あんかけなど
	プリン状のもの	プリン、豆腐など
	ゼリー状のもの	ゼリー、寒天など
	マッシュ状のもの	マッシュポテト、カボチャのマッシュなど
	かゆ状のもの	おかゆ、パンがゆなど
	ポタージュ状のもの	ポタージュスープなど
	乳化状のもの	ヨーグルト、アイスクリームなど
誤嚥しやすい食品	弾力のあるもの	こんにゃく、きのこ、かまぼこなど
	なめらかなもの	熟れた柿やメロンなど
	のどにつまりやすいもの	プチトマト、ぶどう、ナッツなど
	粘着性のあるもの	ごはん、もち、白玉団子など
	固いもの	かたまり肉、えび、いかなど
	唾液を吸うもの	パン、ゆで卵、さつま芋など
	口の中でバラバラになりやすいもの	ブロッコリー、ひき肉など
	口腔内に付着しやすいもの	のり、ウエハースなど
	酸味が強くむせやすいもの	柑橘類の果汁など

Point

摂食機能に合わせて食物の形態に配慮する。

13

特別な配慮を必要とする子どもの支援②

関連科目 子どもの保健　保育原理　教育原理

ココをおさえよう！

保育や教育の現場では、特別な配慮を必要とする子どもが増えています。同時に、障害の有無にこだわらず、自分に合った配慮を受けながら学べることを目指す「インクルーシブ教育」も注目されています。

 キーワード

聴覚マス・スクリーニング

出産間もない新生児に音を聞かせて、その反応を機器で測定し聞こえの状態を判定する検査。検査は自費で5,000円程度かかり、一部の都道府県や市町村では助成制度がある。

障害児保育

障害のある子どもを保育所で受け入れて、ほかの子どもと一緒に保育すること。

インクルーシブ教育

子どもの発達段階や障害の有無、国籍等にかかわらず、さまざまな子どもが同じ場で学ぶこと。インクルーシブとは日本語で「包摂的な」という意味。

特別支援学校

障害のある子ども（視覚障害児、聴覚障害児、知的障害児、肢体不自由児、病弱児）に対し、幼稚園、小学校、中学校、高等学校に準ずる教育を行い、障害による学習や生活面上の困難を克服し、自立を図るために必要な知識・技能を授けることを目的とした学校。

▶ 特別支援学校の対象となる障害の種類

Point

子どもの肢体不自由の原因としては脳性まひが多い。

視覚障害	何らかの原因で、視機能が永続的に低下し、学習や生活に支障が出ている状態。大きくはまったく視力のない全盲と眼鏡をかけてもよく見えない状態である弱視に分けられる
聴覚障害	聴覚が何らかの原因で損傷を受けて、身のまわりの音や話し言葉が聞こえにくかったり、ほとんど聞こえなかったりする状態。聞こえの程度によって軽度難聴から最重度難聴に分けられる
知的障害	認知や言語などに関わる知的機能に遅れがみられる状態（➡第4章11参照）
肢体不自由	身体の動きに関する器官が病気やけがで損なわれ、歩行や筆記などの日常生活動作が困難な状態
病弱・身体虚弱	病弱とは、心身が病気のため弱っている状態。身体虚弱とは病気ではないが身体が不調な状態が続く、病気にかかりやすいといった状態が継続して起こる、もしくは繰り返し起こる状態

● 障害児保育の実施状況の推移

第4章

13 特別な配慮を必要とする子どもの支援②

実施か所数

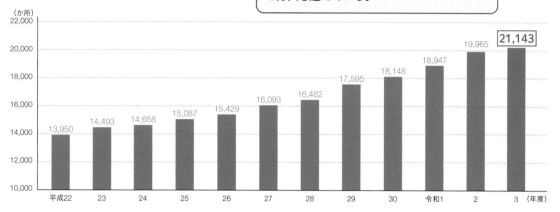

Point
実施か所数は2万か所を超え、実障害児数は8万人を超えている。

実障害児数

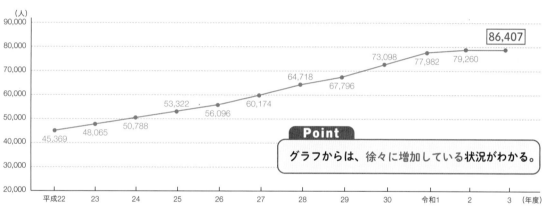

Point
グラフからは、徐々に増加している状況がわかる。

出典：厚生労働省ホームページ「各自治体の多様な保育（延長保育、病児保育、一時預かり、夜間保育）及び障害児保育（医療的ケア児保育を含む）の実施状況について」

● 外国籍・外国にルーツのある子どもの抱える困難さと配慮のポイント

	課題	配慮のポイント
言語面	● 来日したばかりの子どもは日本語がほとんど理解できないため、不安を抱えることがある ● 日常会話に問題がないように見えても、学習するための言語能力の発達が十分でない場合、就学後に困難が生じることがある	● まず、その子どもの母国語で話しかけて安心感を与える ● イラストや写真などを用いてコミュニケーションをとる ● 日常言語だけでなく学習言語の育成も意識して行う
文化面	● 日本の食事になじみがないなど、文化や食習慣の違いから不安を抱えることがある ● 慣れてくると、日本文化や生活習慣になじむ一方で、母国の文化に触れる機会が少なくなってしまう	● 日本のやり方を強制せずに、保護者とも相談しながら接するようにする ● 母国の文化に愛着や誇りがもてるように、日々の保育の中で外国籍等の子どもの文化に触れる機会を設ける

Point
自分のルーツに誇りをもてるように保育していくことが大切。

現場ではまだまだ課題が多いのが現状です。

14

支援のための アセスメント・検査法

関連科目 保育の心理学　子どもの保健　保育実習理論

子どもの発達状況を理解するために、さまざまな心理検査が行われています。そうした結果をもとに、病院等でその後の支援計画・治療計画が検討されます。

ココをおさえよう！

 キーワード

心理検査

発達や知能の水準、人格を評価するための検査のこと。知能検査、発達検査、人格検査などがある。

参与観察

調査を行う人が生活の場で対象となる人たちと関わりながら、観察すること。

アクション・リサーチ

調査を行う人が対象となる人たちと協働して問題解決を目指しながら調査や実践を進めていくこと。

▶ アセスメントの種類と方法

観察法	面接法	検査法
子どもの生活場面や遊び場面を観察して、行動や言語などから発達の状況を評価する方法。写真や録音機器、ビデオなども活用される。	対象となる子どもや保護者と直接対面して質問したり、話し合うなかで情報を得る方法。以下の種類がある。	知能テストや性格検査によって子どもの発達や無意識のうちにある問題点を把握する方法。

観察法

①自然観察法
子どものありのままの姿を観察する方法。子どもと関わりながら観察する参与観察と、関わりをもたずに観察する非参与観察がある。

②実験観察法
特定の環境条件下で、対象とする行動が生じるような環境を設定し、その中で行われる行動を観察する方法。

面接法

①構造化面接法
あらかじめ用意した質問項目にしたがって面接する方法。

②半構造化面接法
あらかじめ質問項目は決めておくが、回答者の反応によって面接者が質問の内容を自由に変えていく方法。

③非構造化面接法（自由面接法）
面接者が回答者との会話のなかで自由に質問していく方法。

Point
観察法は実際の活動を評価する。

 Point
面接法は子どもや保護者への質問の回答から情報を得る。

知能検査の種類

ウェクスラー式知能検査	幼児用のWPPSI、児童用のWISC、成人用のWAISがある。WISC-IVとWAIS-IVでは、全体的な知能のほかに「言語理解」「知覚推理」「ワーキングメモリ」「処理速度」を測る
田中ビネー式知能検査	実際の年齢に対する精神年齢の進み具合を測定する。この検査で求められるIQは知能指数のことである 知能指数(IQ)＝精神年齢÷生活年齢×100
KABC-II検査	学習支援を目的として認知処理能力と基礎学力を測定する。100を基準として上下のばらつきから発達水準を推定する

発達検査の種類

新版K式発達検査	子どもの行動を細かく観察し、発達の水準や偏りを「姿勢・運動」「認知・適応」「言語・社会」の3領域で評価する
遠城寺式乳幼児分析的発達検査法	乳幼児の発達を「運動」「社会性」「言語」の3つの領域から把握する。「運動」は移動運動と手の運動、「社会性」は基本的習慣と対人関係、「言語」は発語と言語理解に分けられ、これら6つの領域を観察して評価する
改訂日本版デンバー式発達スクリーニング検査	「粗大運動」「言語」「微細運動-適応」「個人-社会」の4つの領域から子どもの発達を把握し、潜在的な発達障害の可能性を発見する
KIDS乳幼児発達スケール	保護者が子どもの日頃の行動から「表出言語」「概念」「友達に対する社会性」「大人に対する社会性」「社会における基本的ルール」「衛生感覚や食事の基本的ルール」などの領域の質問に○×で回答する。その結果から○の数を集計して発達年齢を求めることができる

人格検査の種類

P-Fスタディ	欲求不満場面が描かれたイラストに対する反応傾向に基づいて、被験者のパーソナリティを評価する検査
バウムテスト	被験者に樹木を描かせて、被験者の感情や情緒の状態を評価する

幼児に多く利用されている心理検査はWISC-IVといえます。子どもの得意なことと苦手なことを客観的に把握することができるので、その子どもに合った支援計画を立て、家庭や園での関わり方を共有することができます。

15

生涯発達①
乳幼児期

人間の赤ちゃんは未熟な状態で生まれてくるため、生まれてすぐに外の環境に合わせることができませんが、初めての環境でも生きられるよう、乳児にはあらかじめさまざまな能力が備わっています。

ココをおさえよう！

 キーワード

原始反射

外側からの刺激に対して不随意的に反応する反射をいう。大脳の発達が未熟なために起こり、大脳の発達とともに消失していく。

原始行動

原始反射のような刺激がなくても自然に現れる行動をいう。抱きつき行動、吸啜行動、ほほえみ行動、泣く行動などがある。

新生児微笑

微笑もうとして微笑んでいるのではなく、表情が微笑んでいるように見える。乳児特有の相互作用である。

▶ 乳児期の人と関わろうとするさまざまな能力

選好注視	新生児も含めて乳児が、自分の好むものを見つめること。ファンツの実験では、人間の顔を好むことがわかっている
共鳴動作	周囲の人が笑いかけたり、口をあけてみせると乳児が無意識のうちにそれと同じような表情をすること
新生児模倣	共鳴動作と同じことをいい、新生児がまねたように見えることから新生児模倣という
エントレインメント（相互同期性、同期行動）	新生児に語りかけるとそのリズムに合わせて体を動かすこと
情動伝染	母親の心の動きや声の調子に誘発されて乳児に生じる感情の動きをいう

Point

新生児の頃から相互的な同調作用が見られる。

◉ 原始反射の種類

反射名	消失時期	内容
吸啜反射	生後4〜6か月	口唇や口の周囲にふれると乳を吸う動作をする
哺促反射	生後3〜4か月	ふれたものを唇と舌でつかまえようとする
探索反射	生後4〜6か月	口唇や口の周囲を刺激すると、刺激した方向に顔や口を向けようとする。吸啜・捕捉・探索反射の3つをあわせて哺乳反射という
自動歩行反射	生後1〜2か月	わきの下を支えて立たせ足の裏を床につけると、足を交互に動かして歩くような動きをする
モロー反射	生後4〜5か月	仰向けに寝かして頭を少し持ち上げたり、強い刺激を与えたりすると、手足を伸ばしたあと抱きつくように曲げる動作をする
バビンスキー反射	生後12〜24か月	足の裏をやさしくこすると、指を扇のように開く。足裏反射ともいう
把握反射	生後4〜6か月	手のひらにものがふれると、それを強く握る。ダーウィン反射、手掌把握反射ともいう
緊張性頸反射	生後5〜6か月	仰向けに寝かせて頭を一方に向けると、頭を向けた側の手足を伸ばし、反対側の手足を曲げる
匍匐反射	生後3か月頃	わきの下を支えてうつぶせで寝かせると、ハイハイするような動きをする
追視反射	終生	目の前のもののゆっくりとした動きを目で追う

> **Point**
> 反射の種類によって消失時期が異なる。

◉ 二項関係と三項関係

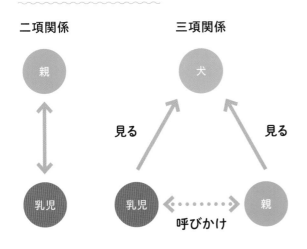

二項関係

三項関係

見る　　　見る

呼びかけ

二項関係は、「乳児と親」「乳児と犬」といったように1つの対象との関係を表す。親が乳児をあやしてそれに乳児が反応するとき、二項関係が成立しているといえる。一方、三項関係は、乳児が興味をもった対象物を指差し親に伝え、乳児と親が一緒に対象物を見るというように、対象物を共有することができる状態を表す。三項関係はコミュニケーションの発達の基礎である。

> **Point**
> 自閉スペクトラム症の子どもは三項関係の成立に遅れが生じる場合が多い。

自己概念の発達

ルイスとブルックスガンの実験である。気づかれないように乳児の鼻に口紅を塗って鏡を見せると、自分の鼻ではなく鏡に映っている自分の像の鼻に触れ、映っているのが自分であることに気づかない。しかし、1歳半頃になると、自分の鼻を触るようになる。

Point

自己概念は、段階的に形成されていく。

幼児期の世界観

自己中心性	他者の視点があることを認識できず、自分の視点だけで物事をとらえてしまうことをいう
アニミズム	ぬいぐるみのくまがほつれてしまったときに「くまさんが痛い痛いって言ってるよ」と言うなど、すべてのものに命や心があると考えることをいう
人工論	世の中に存在するものはすべて人間がつくり、人間のために存在すると考えることをいう
相貌的知覚 (そうぼうてき)	郵便ポストに雨粒が垂れているときに「ポストが泣いてる」と言うなど、生物でないものも感情や表情をもつものとして理解することをいう
実念論	自分が考えたことや想像したものが実際に存在すると思うことをいう。現実と空想の世界を区別することができない

Point

幼児期の世界観はアニミズム表現など造形表現にも影響する。

幼児期の世界観は、保育現場での子どもたちとの関わりに直結しています。また、「保育の心理学」「保育実習理論」での出題がとても多いので、しっかり意味を理解しておきましょう。

幼児期の描画能力の発達

なぐりがき期	1〜2歳半	錯画期、スクリブル期ともいわれる。偶然、手にふれた筆記具などで紙にぐちゃぐちゃな線を描いてみるようなことをいう	
象徴期	2歳半〜3歳	円が描けるようになる。描いたものにあとから名前をつけて意味づけをするようになるため、命名期、意味づけ期ともいわれる	
前図式期	3〜5歳	顔から直接手足が出ている頭足人を描くようになる。花や太陽の絵に顔を描くアニミズム表現もみられる。また、知っているものを画面いっぱいに並べて描くため、カタログ期ともいう	
図式期	5〜9歳	絵のなかに、地面を表すような基底線が引かれるようになる	

> **Point**
> スクリブルはケロッグの研究が有名。

発達の最近接領域(ヴィゴツキー)

その子どもができないこと

支援があればできること
=発達の最近接領域

その子どもが
一人でできること

発達の最近接領域は、子どもが一人でやり遂げることができることと、子どもができないこととの間に存在する部分をいう。子どもだけではできないが、大人などの力を借りて行えばやり遂げられる水準である。

> **Point**
> 自分でできることと自分でできないことの中間にあることへの手助けが大切。

第4章
15 生涯発達① 乳幼児期

生涯発達②
学童期・青年期

関連科目 保育の心理学　子どもの保健　子どもの食と栄養　教育原理

幼児期後期以降の発達に関するデータは、広範囲の科目に渡って出題されます。こうした知識は、保育所以外の現場（児童養護施設など）で役に立ちます。

🔑 キーワード

脱中心化

　ピアジェの考え方で、他者にはその人の考え方や視点があることに気づき、自分の考え方や視点だけで考える状態から抜け出すことをいう。

内言と外言

　内言とは、自分の心の中で展開される言葉。外言とは、他者とのやりとりのために使用される言葉。ヴィゴツキーが提唱した。

心理的離乳

　思春期の頃に精神的に親から独立しようとする行動をいう。ホリングワースが提唱した。

思春期

　学童期後半からの8、9〜17、18歳の時期をいう。第二次性徴など男女の身体的な特徴の違いが顕著になる。

▶ 読み書き能力の発達

Point
就学前から多くの子どもが遊びの中で文字の読み書きにふれている。

年齢	読み	書き
3〜5歳ごろ	3歳ごろから一部のひらがなが読めるようになる。5歳児になると70%くらいの子どもがすべてのひらがなが読めるようになる	5歳ごろになっても半数程度の子どもはすべてのひらがなが書けない
6〜8歳ごろ	本格的にひらがなの読みの学習が始まり、その後カタカナ、漢字も読めるようになる	本格的にひらがなを書く学習がはじまり、その後カタカナ、漢字も書けるようになる
9〜12歳ごろ	内言が完成し、黙読ができるようになる	最初に考えたことを書くだけでなく、文脈に応じて柔軟に書く内容を変えることができるようになる

● 学童期の栄養に関する課題

年齢別肥満傾向児の割合の推移

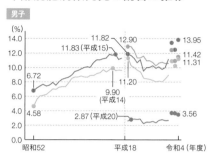

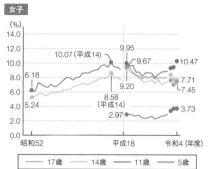

肥満傾向児は、肥満度が20%以上の者である。肥満傾向児の割合は男女ともに小学校高学年が多く、特に男子は9歳以降で1割を超えている。

痩身傾向児の割合の推移

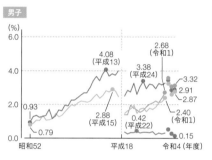

注：平成18年度から算出方法を変更している。

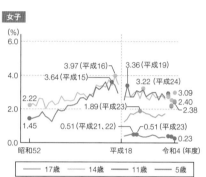

痩身傾向児は、肥満度が－20%以下の者である。痩身傾向児の割合は、男女ともに10歳以降で2～3％台である。

出典：文部科学省「令和4年度学校保健統計」をもとに作成

● 朝食欠食の状況と学力の関係

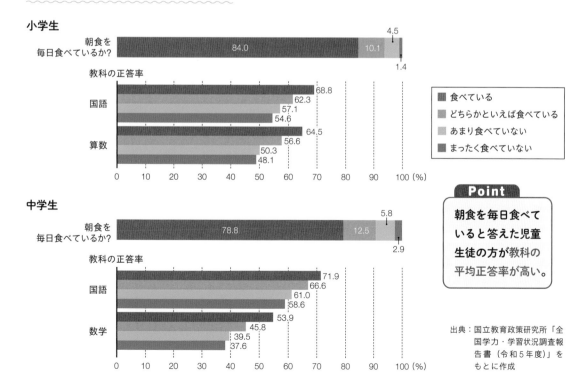

Point

朝食を毎日食べていると答えた児童生徒の方が教科の平均正答率が高い。

出典：国立教育政策研究所「全国学力・学習状況調査報告書（令和5年度）」をもとに作成

● 仲間関係の発達

ギャング・グループ	10〜13歳頃に形成される。仲間意識が強くなり、グループをつくってその仲間と行動をともにすることが多くなる。男子に多くみられ、親などからの干渉から離れて仲間たちだけで行動することに喜びを感じる
チャム・グループ	中学生くらいの女子で形成される。親密で排他的で、秘密を共有したり、類似性を確かめ合ったりする。意見の相違等で対立すると、グループ内のトラブルに発展することもある
ピア・グループ	高校生以降で形成される。性別に関係なく形成され、お互いの相違点を理解し合い、尊重し合う。理想や将来の生き方についても話し合えるようなグループである

Point
年齢とともに仲間関係が変化していく。

● アイデンティティ・ステータス（マーシア）

アイデンティティ達成	モラトリアム
職業や信念を自分の意思で選択し、そのことに積極的に関わっている。	探求の経験の最中の状態であり、決まった信念や価値観への関与の度合いはあいまいである。

早期完了	拡散
親の信念や価値観を継承しており、積極的に関与しているが、どんな体験も幼児期の体験を補強するものにすぎない。	これまでの探求の結果、特定の信念や価値観への積極的な関与をやめた、あるいはこれまで探求を経験したことがなく特定の職業や信念にも関与したことがない。

● それぞれのアイデンティティ・ステータスの 探求経験の有無と関与の度合い（マーシア）

ステータス	探求経験の有無	関与の度合い
達成	経験あり	積極的
モラトリアム	経験中	あいまい
早期完了	経験なし	積極的
拡散	経験ありと経験なしの両方がある	なし

Point
マーシアはエリクソンのアイデンティティ理論をもとにアイデンティティ・ステータスを定義した。

生涯発達③
成人期・老年期

ココをおさえよう！

進学率の上昇、未婚化・晩婚化・晩産化の進展、定年の延長、平均寿命の伸長。こうした社会全体の変化によって、近年のライフコースは大きく変化しています。

🔑 キーワード

養護性(ナーチュランス)

対人関係能力の一つで、人との関わりの中で獲得され、大人になっても、子どもとの関わりの中で親自身の発達としてさらに発展していく。相手の健全な発達を促進するために用いられる共感性と技能とされている。

アイデンティティ・クライシス

自我同一性を喪失した状態。自分の中で築いてきた自分が何者なのか、どうすればよいのかなどが失われる。

サクセスフル・エイジング

年齢を重ねる中で、自分が年をとっていくことを受け入れ、うまく適応できることをいう。

▶ ライフサイクルとライフコースの違い

ライフサイクル	ライフコース
誕生してから死に至るまでの過程において、一定の段階をたどり、次世代へと引き継ぐことを表す。	一人の人間が一生の間にたどる道すじのことをいう。就職や結婚、就職などをどのように選択するかによって一人ひとり異なったコースを歩むことになる。

Point
ライフコースのほうがより多様な人生のあり方をとらえている。

▶ 女性のライフコース

専業主婦コース	結婚し子どもをもち、結婚あるいは出産の機会に退職し、その後は仕事をもたない
再就職コース	結婚し子どもをもつが、結婚あるいは出産の機会に退職し、子育て後に再び仕事をもつ
両立コース	結婚し子どもをもつが、仕事も続ける
DINKsコース	結婚するが子どもはもたず、仕事を続ける
非婚就業コース	結婚せず、仕事を続ける

Point
近年は、専業主婦コースが減少しDINKsコースや非婚就業コースの人が増加している。

出典：国立社会保障・人口問題研究所「第16回出生動向基本調査」2022年をもとに作成

● 成人期の危機

仕事中毒	ワーカホリックともいう。仕事のみが生きがいとなり、仕事以外の興味も仕事に組み込んでしまう場合や、仕事・趣味にかかわらず常にさまざまなことに首を突っ込んでいるなどのタイプがある
空の巣症候群	進学や就職、結婚などで子どもが巣立った後、女性が自分の役割が終わったと感じ、喪失感や空虚感、不安感などにおそわれることをいう
燃え尽き症候群	バーンアウト・シンドロームともいう。努力の成果が数字や形に現れず、評価されなかったときなどに、仕事への意欲を失って燃えつきたようになり、心身ともに疲れ果てた状態になることをいう
タイプA行動	競争的・活動的・精力的・時間的切迫感・攻撃的などの行動パターンをいう。このような行動が、冠動脈疾患(狭心症や心筋梗塞など)の危険因子になるとされている

> **Point**
> 仕事中毒とタイプA行動はつながりがあるともいえる。

● 知的な能力の加齢変化(シャイエ)

> **Point**
> 言語理解は比較的遅くまで維持される。

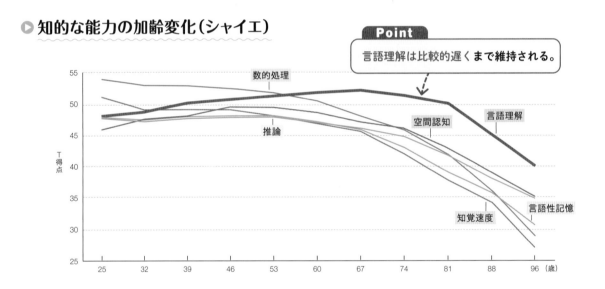

● ソーシャル・コンボイ

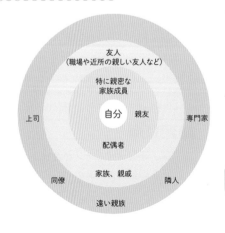

カーンとアントヌッチは、個人を中心とした社会的ネットワークを「身近で、日頃から頼りにしている人との関係をどのように維持し得るのか」という観点からモデル化し、ソーシャル・コンボイと名付けた。

> **Point**
> コンボイとは、軍隊や軍艦による護送のこと。

第 5 章

子どもの健康と栄養

保育所では子どもに食事を提供するため、保育士は栄養に関する知識が必要です。また、感染症や安全対策の知識も大切です。試験でも頻出項目なのでしっかり学びましょう。

 この章のキーワード

身体発育　事故防止　救命処置　感染症対策
保育所における感染症対策ガイドライン　予防接種　アレルギー
栄養素　食育　母子保健

子どもの健康と身体的発育

子どもの保健　子どもの食と栄養

子どもの健康と身体的な発育に関する領域です。さまざまな指標の計算方法やカウプ指数、ローレル指数の求め方、乳幼児の身体測定の方法を理解しておきましょう。

ココをおさえよう！

🔑 キーワード

人口動態統計

　一定期間（1か月間または1年間）の出生、死亡、死産、婚姻、離婚の発生数を調べた統計。厚生労働省が発表している。

人口置換水準

　現在の人口規模を維持するのに必要な出生率。現在の日本では約2.07となっている。

健康の概念（世界保健機関（WHO）憲章）（1948年）

　「健康とは、肉体的、精神的及び社会的に完全に良好な状態であり、単に疾病又は病弱の存在しないことではない」

▶ 健康に関するさまざまな指標

Point

日本の乳児死亡率や周産期死亡率は国際的に見ても低い水準となっている。

$$出生率 = \frac{出生数}{人口} \times 1,000 \qquad 死亡率 = \frac{死亡数}{人口} \times 1,000$$

$$乳児死亡率 = \frac{乳児死亡数}{出生数} \times 1,000$$
乳児死亡：生後1年未満の死亡

$$新生児死亡率 = \frac{新生児死亡数}{出生数} \times 1,000$$
新生児死亡：生後4週未満の死亡

$$死産率 = \frac{死産数}{出生数 + 死産数} \times 1,000$$
死産：妊娠満12週（妊娠第4月）以後の死児の出産

$$周産期死亡率 = \frac{妊娠満22週以後の死産数 + 早期新生児死亡数}{出生数 + 妊娠満22週以後の死産数} \times 1,000$$
早期新生児死亡：生後1週未満の死亡

$$妊産婦死亡率 = \frac{妊産婦死亡数}{出生数 + 死産数} \times 100,000$$
妊産婦死亡：妊娠中または妊娠終了後満42日未満の女性の死亡

▶ 身体発育の評価（乳児）

パーセンタイル値

パーセンタイル値：各測定値が、母集団の中で小さいほうから何%目に該当するかを表す値。3パーセンタイル値未満および97パーセンタイル値以上の場合には、経過を観察する。

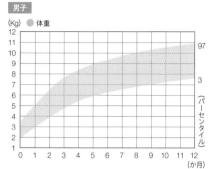

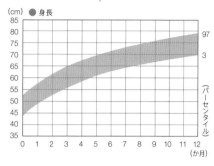

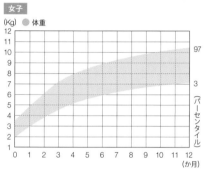

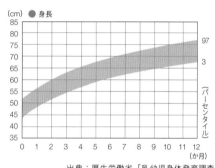

出典：厚生労働省「乳幼児身体発育調査（平成22年）」をもとに作成

Point

パーセンタイル値は、身体発育のかたよりを評価する基準の一つ。

カウプ指数

生後3か月以降の乳幼児の肥満・やせ判定に用いられる。

計算式	カウプ指数 $= \dfrac{体重（g）}{身長（cm）^2} \times 10$	
判定	14以下	やせ
	15〜18	普通
	19以上	肥満

ローレル指数

学童期以降の肥満・やせ判定に用いられる。

計算式	ローレル指数 $= \dfrac{体重（kg）}{身長（cm）^3} \times 10^7$	
判定	100以下	やせすぎ
	130くらい	標準値
	160以上	肥満

▶ 身体測定

身長

体重

大人が抱いて量り、あとで大人の体重を差し引いてもかまわない。

頭囲

左右の眉のすぐ上（眉間点）と、後頭部のいちばん出ているところ（後頭結節）を通るように巻いて測る。

胸囲

前面は左右の乳頭のすぐ上、背部は肩甲骨のすぐ下を通るように巻いて測る。呼気と吸気の中間で測る。

体調不良時の対応

関連科目 子どもの保健

ココをおさえよう！

子どもの体調不良時の対応は、保育士として働く際に役立つ知識です。その症状を見るポイントや、保育中の対応についてまでしっかり理解しておきましょう。

🔑 キーワード

バイタルサイン

生きている兆候。意識、体温、脈拍、呼吸、血圧のこと。それぞれ、平常時の数値を把握しておく。体温は、37.5℃以上が発熱。

	体温の目安	脈拍の目安	呼吸数の目安
乳児	36.8〜37.3℃	120〜140回／分	30〜40回／分
幼児	36.6〜37.0℃	80〜120回／分	20〜30回／分
学童	36.5〜36.8℃	80〜90回／分	18〜20回／分
成人	36.0〜36.8℃	60〜80回／分	15〜20回／分

病児保育

病児について、病院・保育所等に付設された専用スペース等において、看護師等が一時的に保育等を実施する事業。病児対応型・病後児対応型、体調不良児対応型、非施設型（訪問型）の3つの類型がある。

● 子どもの症状を見るポイント

皮膚
- 赤く腫れている
- 湿しんがある
- カサカサしている
- 水疱、化膿、出血している
- 紫斑がある
- 肌色が蒼白である
- 虫刺されで赤く腫れている
- 打撲のあざがある
- 傷がある

お腹
- 張っていてさわると痛がる
- 股のつけ根が腫れている

口
- 口唇の色が悪い（紫色（チアノーゼ））
- 口の中が痛い
- 舌がいちごのように赤い

顔色・表情
- 顔色がいつもと違う
- 表情がぼんやりしている
- 視線が合わない
- 目つきがおかしい
- 無表情である

食欲
- 普段より食欲がない

胸
- 呼吸が苦しそう
- ゼーゼーする
- 胸がへこむ

目
- 目やにがある
- 目が赤い
- まぶたが腫れぼったい
- まぶしがる

のど
- 痛がる
- 赤くなっている
- 声がかれている
- 咳がでる

睡眠
- 泣いて目がさめる
- 目ざめが悪く機嫌が悪い

便
- 回数、量、色の濃さ、においがいつもとちがう
- 下痢、便秘
- 血便が出る
- 白色便が出る

耳
- 痛がる
- 耳だれがある
- 耳をさわる

尿
- 回数、量、色の濃さ、においがいつもとちがう
- 血尿が出る

鼻
- 鼻水がでる
- 鼻づまりがある
- 小鼻がピクピクしている（鼻翼呼吸）

出典：こども家庭庁「保育所における感染症対策ガイドライン（2018年改訂版）（2023〔令和5〕年5月一部改訂）」をもとに作成

● 子どもの体調不良時の対応

症状	保育中の対応	ケアについて
発熱	**保護者への連絡が望ましい場合** 38℃以上の発熱があり、元気がなく機嫌が悪い、咳で眠れない、排尿回数の減少、食欲なく水分が摂れない ※熱性けいれんの既往児が37.5℃以上の発熱があるときは医師の指示に従う **至急受診が必要と考えられる場合** 38℃以上の発熱の有無にかかわらず、顔色が悪く苦しそう、小鼻がピクピクして呼吸が速い、意識がはっきりしない、頻回の嘔吐や下痢がある、不機嫌でぐったりしている、けいれん3か月未満児で38℃以上の発熱があるとき	● 発しんや咳を伴うとき、また、複数の子どもに発熱のほか類似の症状がみられる場合には、別室で保育する ● 経口補水液、湯ざましなどにより水分を補給する ● 熱が上がって暑がるときは薄着にし、涼しくしたり、氷枕などをあてたりする。手足が冷たいとき、寒気があるときは保温する ● 高熱が出ている場合には、首のつけ根・わきの下・足のつけ根を冷やす **Point** ほかの子どもに感染させるおそれがある症状の場合には別室で保育する。
下痢	**保護者への連絡が望ましい場合** 食事や水分を摂ると下痢をする、腹痛を伴う下痢、水様便が複数回みられる **至急受診が必要と考えられる場合** 元気がなくぐったりしている、下痢のほかに、機嫌が悪い、食欲不振、発熱、嘔吐、腹痛などの諸症状がみられる、脱水症状がみられる	● 激しい下痢を処理するときには、マスクとエプロンを着用する ● 繰り返す下痢、発熱、嘔吐などの症状を伴うときは、別室で保育する ● 下痢で水分が失われるため、水分補給を十分行い経口補水液などを少量ずつ頻回に与える ● 食事の量を少なめにし、消化のよい食事にする ● お尻がただれやすいので頻回に清拭する
嘔吐	**保護者への連絡が望ましい場合** 複数回の嘔吐（おうと）があり、水を飲んでも吐く、元気がなく機嫌や顔色が悪い、吐き気がとまらない、腹痛や下痢を伴う嘔吐がある **至急受診が必要と考えられる場合** 嘔吐の回数が多く顔色が悪い、元気がなくぐったりしている、血液やコーヒーかすのようなものを吐いた、嘔吐のほかに複数回の下痢、血液の混じった便、発熱、腹痛などの症状がある、脱水症状 ※頭を打った後に嘔吐したり、意識がぼんやりしたりしている時は、横向きに寝かせて救急車を要請し、その場から動かさない	● 嘔吐物を覆い、感染予防のための適切な嘔吐物の処理を行う ● うがいのできる子どもの場合は、うがいをさせる。うがいのできない子どもの場合、口腔内に残っている嘔吐物を丁寧に取り除く ● 繰り返し嘔吐がないか様子を見る ● 何をきっかけに吐いたのか（咳で吐いたか、吐き気があったかなど）確認する ● 流行状況などから感染症が疑われるときには、応援の職員を呼び、ほかの子どもを別室に移動させる ● 寝かせる場合には、嘔吐物が気管に入らないように体を横向きにする ● 嘔吐して約30〜60分後に様子を見ながら、経口補水液などの水分を少量ずつ摂らせる
咳	**保護者への連絡が望ましい場合** 眠れない、ゼイゼイ音、ヒューヒュー音がある、少し動いただけでも咳（せき）が出る、咳とともに嘔吐が数回ある **至急受診が必要と考えられる場合** ゼイゼイ音、ヒューヒュー音がして苦しそう、犬の遠吠えのような咳、保育中に発熱し息づかいが荒くなった、顔色が悪くぐったりしている、水分が摂れない ※突然咳きこみ、呼吸困難になったときは異物誤嚥（ごえん）の可能性があるので、異物を除去し、救急車を要請する	● 発熱を伴うとき、また、複数の子どもに咳のほか類似の症状がみられる場合には、別室で保育をする ● 水分補給をする（少量の湯ざまし、お茶などを頻回に補給する） ● 咳込んだら前かがみの姿勢をとらせるか、乳児は縦抱きし、背中をさするか、軽いタッピングを行う ● 部屋の換気や湿度および温度の調整をする ● 安静にし、呼吸を整えさせる。状態が落ち着いたら、保育に参加させる ● 午睡中は上半身を高くする ● 食事は消化のよい、刺激の少ないものにする
発しん	**保護者に連絡し、受診が必要と考えられる場合** 発しんが時間とともに増えたときは、麻しん、手足口病、突発性発しん、風しん、水痘などの感染症の可能性を念頭におき、対応する ※食物摂取後に発しんが出現し、その後、腹痛や嘔吐、息苦しさなどが出現してきた場合は、食物アレルギーによるアナフィラキシーの可能性があり、至急受診が必要	● 発熱を伴うとき、また、複数の子どもに類似の発しんがみられる場合には、別室で保育する ● 体温が高くなったり、汗をかいたりするとかゆみが増すので、部屋の環境や寝具に気をつける ● 爪を短く切り皮膚を傷つけないようにする ● 皮膚に刺激の少ない木綿などの材質の下着を着せる ● 口の中に水疱や潰瘍ができているときは痛みで食欲が落ちるため、おかゆなどの水分の多いものやのど越しのよいものを与える。酸っぱいもの、辛いものなど刺激の強いものは避けて、薄味のものを与える

出典：こども家庭庁「保育所における感染症対策ガイドライン（2018年改訂版）（2023［令和5］年5月一部改訂、10月一部修正）」をもとに作成

3 環境整備・衛生管理・清潔保持

ココをおさえよう！

感染症などを防ぐための環境整備についてです。消毒方法や消毒液の種類などは実際の保育現場で役立つのはもちろん、試験でも頻出なので、しっかりチェックしておきましょう。

🔑 キーワード

保育所における感染症対策ガイドライン

乳幼児期の特性を踏まえた保育所における感染症対策の基本を示すものとして、2009（平成21）年に厚生労働省が策定した。2018（平成30）年に改訂された現行版を2023（令和5）年にこども家庭庁が一部改訂し発出している。

ppm

100万分の1の割合。1ppm＝0.0001％、100ppm＝0.01％。

▶ 保育の環境

人的環境
保育士、調理員、看護師等、職員のすべて、保護者、地域の人々

※愛着や信頼関係に基づいた環境が大切
※職員自身の衛生管理・健康管理に配慮する

物的環境
保育室、トイレ、おもちゃ、遊具、寝具、園庭、プールなど

※消毒、清掃、乾燥、定期点検を行う

自然や社会の事象
季節、天候、ほかの保育所、学校、医療施設など

※地震や台風などの自然災害、火災や犯罪等の人的被害にも注意する

▶ 保育室環境のめやす

	夏	冬
室温	26〜28℃	20〜23℃
湿度	60%	

Point
換気や採光にも注意する。

出典：こども家庭庁「保育所における感染症対策ガイドライン（2018年改訂版）（2023［令和5］年5月一部改訂、10月一部修正）」をもとに作成

◉ 遊具等の消毒方法

	ふだんの取り扱いのめやす	消毒方法
ぬいぐるみ、布類	● 定期的に洗濯する ● 陽に干す（週1回程度） ● 汚れたら随時洗濯する	● 汚れを落とし、塩素系消毒液の希釈液に十分浸し、水洗いする ● 色物や柄物には消毒用エタノールを使用する
洗えるもの	● 定期的に流水で洗い、陽に干す（乳児クラス週1回程度、幼児クラス3か月に1回程度） ● 乳児がなめるものは毎日洗う	● 洗浄後に塩素系消毒液の希釈液に浸し、陽に干す ● 色物や柄物には消毒用エタノールを使用する
洗えないもの	● 定期的に湯拭きまたは陽に干す（乳児クラス週1回程度、幼児クラス3か月に1回程度） ● 乳児がなめるものは毎日ふく	● 汚れをよく拭き取り、塩素系消毒液の希釈液で拭き取り、陽に干す
砂場	● 砂場にネコなどが入らないようにする ● 動物のフン、尿は速やかに除去する ● 砂場で遊んだあとはしっかり手洗いする	● 掘り起こして砂全体を陽に干す

◉ 手指の消毒方法

通常	● 石けんを用いて流水でしっかりと手洗いする
下痢・感染症発生時	● 石けんを用いて流水でしっかりと手洗いしたあとに、消毒用エタノールを用いて消毒する ● 手指には塩素系消毒液は適さない ● 嘔吐物や排泄物の処理時には、使い捨て手袋を使用する
備考	● 毎日、清潔な個別タオル、またはペーパータオルを使う ● 食事用のタオルとトイレ用のタオルを区別する ● 血液は使い捨て手袋を着用して処理する

Point しっかりと手洗いすることが大切。

◉ 消毒液の種類と特徴

Point 消毒液によって効く病原体が異なるので注意。

次亜塩素酸ナトリウム	● 調理器具・室内環境・衣類・遊具など（200ppm液）、嘔吐物や排泄物が付着した箇所（1,000ppm液）に使用。金属には使えない ● 酸性物質（トイレ用洗剤など）と混合すると有毒な塩素ガスが発生する ● 吸引、目や皮膚に付着すると有害 ● 脱色（漂白）作用がある ● 新型コロナウイルス、ノロウイルスにも有効
亜塩素酸水	● 調理器具・室内環境・衣類・遊具等（遊離塩素濃度25ppm液）、嘔吐物や排泄物が付着した箇所（遊離塩素濃度100ppm液）に使用。ステンレス以外の金属には使えない ● 酸性物質（トイレ用洗剤等）と混合すると有毒な塩素ガスが発生する ● 吸引、目や皮膚に付着すると有害 ● 衣類の脱色、変色に注意 ● 新型コロナウイルス、ノロウイルスにも有効
逆性石けん （陽イオン界面活性剤） （塩化ベンザルコニウム等）	● 手指・室内環境・家具等・用具類（1,000ppm液）、食器の漬け置き（200ppm液）に使用 ● 誤飲に注意する ● 一般の石けんと同時に使うと効果がなくなる ● 新型コロナウイルスには有効、ノロウイルスなどのウイルス、結核菌には無効
アルコール類 （消毒用エタノール等）	● 手指・遊具・室内環境・家具など（原液[製品濃度70〜80%の場合]）に使用 ● 傷や手荒れがある手指には用いない ● 引火性に注意する ● ゴム製品、合成樹脂等は、変質するので長時間浸さない ● 新型コロナウイルスには有効、ノロウイルス、ロタウイルスなどには無効

出典：こども家庭庁「保育所における感染症対策ガイドライン（2018年改訂版）（2023［令和5］年5月一部改訂、10月一部修正）」をもとに作成

4 事故防止のための対策

関連科目 子どもの保健

ココをおさえよう！

事故防止のための対策は、保育士として安心・安全な保育を実践するために最低限理解すべき内容です。特に、乳児の窒息、プール遊びや食事の介助といった具体的な対応については確実に理解しましょう。

🔑 キーワード

誤嚥・誤飲

食べものが誤って気道に入ってしまうことを誤嚥という。誤嚥は窒息につながるので、背部叩打法やハイムリック法（腹部突き上げ法）で異物を除き、救急車を呼ぶ。食べもの以外のものを飲み込んでしまうことを誤飲という。誤飲は、いつ、何をどのくらい飲んだかを確認し、中毒110番（072-727-2499）もしくはかかりつけ医に連絡する。石油類、漂白剤、殺虫剤のように、吐き出させないほうがよいものもある。

ヒヤリハット

事故にはならなかったが、ヒヤリとしたりハッとしたりした出来事のこと。事故につながるおそれがあるため、報告し、原因を分析する。

▶ 保育中に起こりやすい事故の種類

Point
服装にも注意する。フードつきの服などは危険。

保育室・園庭

- 午睡中の窒息。うつぶせ寝は避ける
- 園庭の遊具。事故が多いのはすべり台、鉄棒、砂場など
- 事故の種類は、衝突、転倒が多い
- けがの種類は打撲、脱臼、骨折など

登降園中

- 送迎バスの閉じ込めによる熱中症
- 交通事故
- 自転車での送迎時の転倒など

プール・水遊び中

- ビニールプール、園内プールで溺れる
- 水深が5cm程度でも溺れることがあるので注意する
- 風呂場でも溺れることがある

食事中

- 誤嚥・誤飲
- 食物アレルギー

◉ 事故の発生防止のポイント

乳児の窒息リスクの除去	● うつぶせ寝は避け、あおむけに寝かせる ● 一人にしない。定期的に子どもの呼吸・体位、睡眠状態を確認する ● やわらかい布団やぬいぐるみなどを使用しない ● ひも状のものを置かない ● 口の中に異物や嘔吐物がないか確認する
プール活動、水遊び	● 監視を行う者とプール指導などを行う者を分ける ● 監視者は監視に専念し、規則的に目線を動かしながら監視エリアをくまなく監視する ● 動かない子どもや不自然な動きをしている子どもを見つける ● 十分な監視体制の確保ができない場合は、プール活動の中止も選択肢とする ● 時間的余裕をもってプール活動を行う ● 心肺蘇生法をはじめとした応急手当などおよび119番通報を含めた緊急事態への対応についての教育の場を設ける
食事の介助	● 子どもの食事に関する情報(咀嚼・嚥下機能や食行動の発達状況、喫食状況)、保護者から聞き取った当日の子どもの健康状態などについて共有する ● 子どもの年齢・月齢によらず、普段食べている食材が窒息につながる可能性があることを認識して、食事の介助および観察をする ● 子どもの意思に合ったタイミングで与える ● 子どもの口に合った量で与える(1回で多くの量を詰めすぎない) ● 食べ物を飲み込んだことを確認する(口の中に残っていないか注意) ● 汁物などの水分を適切に与える ● 食事の提供中に驚かさない ● 食事中に眠くなっていないか、正しく座っているか確認する ● 過去に誤嚥、窒息などの事故が起きた食材は使用しないことが望ましい

出典:厚生労働省「教育・保育施設等における事故防止及び事故発生時の対応のためのガイドライン【事故防止のための取組み】～施設・事業者向け～」(2016年)をもとに作成

◉ 乳幼児突然死症候群(SIDS)について

乳幼児突然死症候群(SIDS)とは

● SIDSは、何の予兆や既往歴もないまま乳幼児が死に至る原因のわからない病気で、窒息などの事故とは異なる
● 2022年には47人の乳幼児がSIDSで亡くなっており、乳児期の死亡原因としては第4位となっている
● SIDSの予防方法は確立していないが、以下の3つのポイントを守ることにより、SIDSの発症率が低くなるというデータがある

Point
SIDSは原因不明のため、窒息とは異なる。

1歳になるまでは、寝かせるときはあおむけに	できるだけ母乳で育てる	たばこをやめる

出典:こども家庭庁ホームページ「乳幼児突然死症候群(SIDS)について」(2024年6月4日確認)をもとに作成

SIDSに関する知識は保育士試験での出題率がとても高いので、概要や予防、危険因子についてまで正確に覚えておきましょう。

応急処置・救命処置

5

関連科目 子どもの保健

ココをおさえよう!

いざという時のために、保育士は応急処置・救命処置の知識も身につけておく必要があります。定期的に研修を実施して、救命に関する勉強会をしている園も多いです。

🔑 キーワード

AED（自動体外式除細動器）

心臓の動きが不規則になっているときに、電気的な刺激を与えて正常に戻す装置。医療関係者以外でも使える。普段から設置場所や使用方法を確認しておく。

心肺蘇生法

心臓マッサージと人工呼吸を組み合わせたもの。乳児は中指と薬指、小児は片手のつけ根を当て、1分間に100〜120回以上の速さで胸の厚さの3分の1の深さで圧迫する。胸骨圧迫30回のあと人工呼吸2回を行う。

背部叩打法（乳児）

頭が下向きになるように支え、肩甲骨の間を手のひらのつけ根で繰り返したたく。

腹部突き上げ法（ハイムリック法）（幼児）

胃のあたりに握りこぶしを当て、上のほうにすばやく数回押し上げる。

一次救命処置

専門的な器具や薬品を使わない救命処置のこと。誰でも行うことができる。具体的には気道確保、人工呼吸、心臓マッサージの3つを指していたが、最近ではAEDも含まれるようになった。

▶ 救命の連鎖の4つの輪

①予防

②早期認識と通報

③一次救命処置

④二次救命処置と
心拍再開後の集中治療

Point

一次救命処置では一般の人の救命への参加意欲が重要になる。

▶ 窒息時の対応

意識がある場合
- 咳込む
- 苦しそうに泣く
- しゃべれる（苦しいよ等）
- 呼吸が苦しそう、呼吸困難

↓

- 咳をしているのは、少しでも呼吸ができている状態である
- 本人の咳込みにまかせ、背中を軽くたたいたり、さすったりする

注：指で取ろうとすると、逆に異物を押し込んでしまうので指を入れない

↓

背部叩打法

肩甲骨と肩甲骨の間を手のひらの下の部分で叩く
頭を下へ

↓

- 異物がでたら、体を横向きにし口の中を確認する
- 安静にして経過観察をする

窒息発見

↓

大声で人を呼ぶ

↓

119番に連絡
「救急です」
「窒息です」
「意識の有無」

AED依頼

保護者へ連絡

→ 背部叩打の途中で意識・呼吸がなくなったら →

意識がない場合
- 呼びかけに反応しない
- チアノーゼ
- 呼吸の確認（10秒以内）
- お腹の膨らみ、耳を当てて聞く等

↓　　　　　↓

呼吸ある　　**呼吸なし**

↓

安静にし、体を横に向けて様子をみる（観察を続ける）

↓

呼吸停止

↓

心肺蘇生法を行う（布団の上では行わない）

※繰り返す
- 胸骨圧迫を強く速く　30回
- 人工呼吸（入らなくても2回まで）
- 口の中の異物が見えたら取り除く

↓

AED到着　ガイダンスの指示に従う
- 心肺蘇生を継続しながら電極パッドをとりつける
- 呼吸が回復しても電極パッドは貼り付けたまま電源は切らない

注：ぬれた床、衣類、薬剤等を貼ったまま行わない

★薬剤（気管支拡張テープ・湿布など）

↓

- 救急隊の到着までガイダンスの指示に従いながら胸部圧迫を続ける（※を繰り返す）
- 自分で呼吸ができるようになったら安静の体勢をとる

↓

救急隊が到着したら指示に従う

■ 症状　■ 観察　■ 処置

出典：厚生労働省「教育・保育施設等における事故防止及び事故発生時の対応のためのガイドライン【事故防止のための取組み】～施設・事業者向け～」(2016年)

6 感染症の基礎知識

関連科目 子どもの保健

ここでは、感染症の基礎知識を覚えていきます。保育士試験では、「感染症法（感染症の予防及び感染症の患者に対する医療に関する法律）」よりも「学校保健安全法施行規則」からの出題が多いです。

🔑 キーワード

感染

ウイルス、細菌等の病原体が人、動物等の宿主の体内に侵入し、発育または増殖することを「感染」といい、その結果、何らかの臨床症状が現れた状態を「感染症」という。

飛沫

病原体が含まれた小さな水滴。飛沫の飛ぶ範囲は1～2ｍ。

病原体

ウイルス、細菌、寄生虫等、人に病気を起こさせる生物またはその産物。病原体が体内に入っても、症状が現れないこともある（不顕性感染）。

▶「学校保健安全法施行規則」第18条における感染症の種類

第一種の感染症	エボラ出血熱、クリミア・コンゴ出血熱、痘そう、南米出血熱、ペスト、マールブルグ病、ラッサ熱、急性灰白髄炎、ジフテリア、重症急性呼吸器症候群（病原体がベータコロナウイルス属SARSコロナウイルスであるものに限る。）、中東呼吸器症候群（病原体がベータコロナウイルス属MERSコロナウイルスであるものに限る。）及び特定鳥インフルエンザ（感染症法第6条第3項第6号に規定する特定鳥インフルエンザをいう。） ※上記に加え、感染症法第6条第7項に規定する新型インフルエンザ等感染症、同条第8項に規定する指定感染症、及び同条第9項に規定する新感染症は、第一種の感染症とみなされます。
第二種の感染症	インフルエンザ（特定鳥インフルエンザを除く）、百日咳、麻しん、流行性耳下腺炎、風しん、水痘、咽頭結膜熱、新型コロナウイルス感染症（病原体がベータコロナウイルス属のコロナウイルス（令和2年1月に、中華人民共和国から世界保健機関に対して、人に伝染する能力を有することが新たに報告されたものに限る。）であるものに限る。）、結核及び侵襲性髄膜炎菌感染症（髄膜炎菌性髄膜炎）
第三種の感染症	コレラ、細菌性赤痢、腸管出血性大腸菌感染症、腸チフス、パラチフス、流行性角結膜炎、急性出血性結膜炎その他の感染症

出典：こども家庭庁「保育所における感染症対策ガイドライン（2018年改訂版）（2023［令和5］年5月一部改訂、10月一部修正）」をもとに作成

Point

これらの感染症に感染した場合は、一定の期間の出席停止や臨時休業の措置がとられる。

▶ おもな感染症の出席停止期間

Point

日数の数え方は症状があった日の翌日から1日目と数える。

第一種の感染症	治癒するまで	
第二種の感染症 (結核、 髄膜炎菌性髄膜炎以外)	インフルエンザ	発症した後5日を経過し、かつ解熱した後2日(幼児にあっては3日)を経過するまで
	百日咳	特有の咳が消失するまでまたは5日間の適正な抗菌性物質製剤による治療が終了するまで
	麻しん	解熱した後3日を経過するまで
	流行性耳下腺炎	耳下腺、顎下腺または舌下腺の腫脹が発現した後5日を経過し、かつ全身状態が良好になるまで
	風しん	発しんが消失するまで
	水痘	すべての発しんがかさぶた化するまで
	咽頭結膜熱	主要症状が消退した後2日を経過するまで
	新型コロナウイルス感染症	発症した後5日を経過し、かつ、症状が軽快した後1日を経過するまで
結核、侵襲性髄膜炎菌感染症及び第三種の感染症	病状により学校医その他の医師において感染のおそれがないと認めるまで	

出典：こども家庭庁「保育所における感染症対策ガイドライン（2018年改訂版）(2023［令和5］年5月一部改訂、10月一部修正)」をもとに作成

▶ 感染経路の種類とその対策

種類	感染の原因と主な病気	対策
飛沫感染	**感染の原因** 咳やくしゃみ、会話をした際に、病原体が含まれた小さな水滴(飛沫)が口から飛び、それを吸い込むことで感染する **主な病原体** 百日咳菌、インフルエンザウイルス、RSウイルス、新型コロナウイルス	● 感染している者から2m以上離れる ● 咳エチケット（マスクで口・鼻を覆う） ● 手洗い ● はっきりとした感染症の症状がみられる子ども（発症者）は、登園を控えてもらう ● 保育所内で急に発病した場合には医務室等の別室で保育する
空気感染	**感染の原因** 咳やくしゃみなどの小さな飛沫が乾燥し、その芯となっている病原体（飛沫核）が空気の流れによって拡散し、それを吸い込むことで感染する。密閉された空間内で起こる **主な病原体** 結核菌、麻しんウイルス、水痘・帯状疱しんウイルス	● 対策の基本は「発症者の隔離」と「部屋の換気」 ● 感染力が強いため、ワクチン接種が極めて有効な予防手段になる
接触感染	**感染の原因** 感染源に直接触れることと、汚染されたものを介する間接接触感染がある。病原体の付着した手で口や眼をさわることなどにより感染する。傷のある皮膚から病原体が侵入する場合もある **主な病原体** ノロウイルス、ロタウイルス、RSウイルス	● 流水での手洗いを徹底するとともに、嘔吐・下痢が見られた際の処理手順を職員間で共有する ● タオルの共用は絶対にしない。手洗いの時にはペーパータオルの使用が理想的 ● 固形石けんは保管時に不潔になりやすい
経口感染	**感染の原因** 病原体を含んだ食物や水分を口にして、病原体が消化管に達して感染する **主な病原体** 腸管出血性大腸菌、黄色ブドウ球菌、サルモネラ属菌	● 食材を衛生的に取り扱い、十分に加熱する ● 調理器具の洗浄及び消毒を適切に行う ● 調理従事者が手指の衛生管理や体調管理を行う

出典：こども家庭庁「保育所における感染症対策ガイドライン（2018年改訂版）(2023［令和5］年5月一部改訂、10月一部修正)」をもとに作成

さまざまな感染症と対応・対策

関連科目 子どもの保健

ここからは、感染症の詳細を確認していきます。出題率も高く、保育現場でも役立つ知識なので、感染症名と症状はしっかり覚えておきましょう。

ココをおさえよう！

🔑 キーワード

潜伏期間

病原体が体内に侵入してから症状が現れるまでの期間。潜伏期間は病原体の種類によって異なるため、乳幼児がかかりやすい主な感染症について、それぞれの潜伏期間を知っておくことが必要。

▶ 主な感染症とその予防・対策

感染症名（病原体）	症状		予防・治療法
麻しん （はしか） （麻しんウイルス）	**潜伏期間** 8〜12日		**予防** 定期接種として、合計2回、麻しん風しん混合（MR）ワクチンの接種 **治療** 有効な治療法はない
	症状 発症初期には、高熱、咳、鼻水、結膜充血、目やになどの症状がみられる。発熱は一時期下降傾向を示すが、再び上昇し、口の中に白いぶつぶつ（コプリック斑）がみられ、その後、顔や頸部に発しんが出現する。解熱し、発しんは色素沈着を残して消える		
	合併症 肺炎、中耳炎、熱性けいれん、脳炎などを合併することがある。肺炎や脳炎を合併した場合、重症となる		
インフルエンザ （インフルエンザウイルス）	**潜伏期間** 1〜4日		**予防** 不活化ワクチンの接種 **治療** ノイラミニダーゼ阻害剤を中心とする抗インフルエンザ薬の投与
	症状 突然の高熱が3〜4日続く。倦怠感、食欲不振、関節痛、筋肉痛などの全身症状や、咽頭痛、鼻汁、咳などの気道症状を伴う		
	合併症 通常1週間程度で回復するが、気管支炎、肺炎、中耳炎、熱性けいれん、急性脳症などの合併症が起こることもある		

感染症名（病原体）	症状		予防・治療法
風しん （風しんウイルス）	**潜伏期間** 16〜18日		**予防** 定期接種として、合計2回、麻しん風しん混合（MR）ワクチンの接種 **治療** 有効な治療法はない
	症状 発しんが顔や頸部に出現し、全身へと拡大する。発しんは約3日間で消え、色素沈着も残さない。発熱やリンパ節腫脹を伴うことが多く、悪寒、倦怠感、眼球結膜充血などを伴うこともある		
	合併症 関節痛・関節炎、血小板減少性紫斑病、脳炎、溶血性貧血、肝機能障害、心筋炎などがある。妊娠初期に母体が風しんウイルスに感染すると、胎児に感染して先天性風しん症候群を発症する		
水痘（水ぼうそう） （水痘・帯状疱しん ウイルス）	**潜伏期間** 14〜16日		**予防** 生後12〜15か月に1回目、6〜12か月間の間隔をおいて2回目のワクチン接種 **治療** 重症化する可能性がある場合には、抗ウイルス薬の投与
	症状 発しんが顔や頭部に出現し、やがて全身へと拡大する。発しんは水疱（水ぶくれ）となり、最後は痂皮（かさぶた）となる		
	合併症 脳炎、小脳失調症、肺炎、肝炎、発しん部分からの細菌の二次感染などがある		
流行性耳下腺炎 （おたふくかぜ、ムンプス） （ムンプスウイルス）	**潜伏期間** 16〜18日		**予防** 1歳以上に対する任意予防接種として生ワクチンの接種が可能 **治療** 解熱鎮痛剤、患部の冷却などの対症療法。通常は1〜2週間で治癒する
	症状 発熱と唾液腺（耳下腺・顎下腺・舌下腺）の腫脹・疼痛、発熱（1〜6日間）。不顕性感染例が約30%存在する		
	合併症 無菌性髄膜炎、難聴、脳炎・脳症、精巣炎・卵巣炎などの重い合併症をきたすことがある		
結核 （結核菌）	**潜伏期間** 3か月〜数10年 ※感染後2年以内、特に6か月以内に発病することが多い		**予防** 生後12か月未満（生後5〜8か月）の子どもを対象としたBCGワクチンの定期接種。感染疑いの場合、発症予防のための抗結核薬の投与もある **治療** 少なくとも6か月間、抗結核薬による治療
	症状 慢性的な発熱（微熱）、咳、疲れやすさ、食欲不振、顔色の悪さなど。症状が進行すると、呼吸困難、チアノーゼなどがみられることがある。また、結核性髄膜炎を併発すると、高熱、頭痛、嘔吐、意識障害、けいれんなどがみられる		
咽頭結膜熱（プール熱） （アデノウイルス）	**潜伏期間** 2〜14日		ワクチンや有効な治療法はなく、対症療法が行われる。多くの場合、自然経過で治癒する
	症状 高熱、扁桃腺炎、結膜炎		

感染症名（病原体）	症状		予防・治療法
新型コロナウイルス感染症（SARSコロナウイルス2）	**潜伏期間** 5〜14日		**予防** ワクチンの接種。マスクの着用。咳エチケット、換気、手洗い、消毒（消毒用エタノール、次亜塩素酸ナトリウム、亜塩素酸水、塩化ベンザルコニウム）
	症状 発熱、呼吸器症状、頭痛、倦怠感、消化器症状、鼻汁、味覚異常、嗅覚異常。無症状の人もいる。重症化率・死亡率は高齢者のほうが高い		**治療** ゾコーバ、ラゲブリオ、パキロビッドパックなどの投与
流行性角結膜炎（アデノウイルス）	**潜伏期間** 2〜14日		ワクチンや有効な治療法はなく、対症療法が行われる。多くの場合、自然経過で治癒する
	症状 目が充血し、目やにが出る。幼児の場合、目に膜が張ることもある。片方の目で発症した後、もう一方の目に感染することがある		
百日咳（百日咳菌）	**潜伏期間** 7〜10日		
	症状 特有な咳（コンコンと咳き込んだ後、ヒューという笛を吹くような音を立てて息を吸うもの）が特徴で、連続性・発作性の咳が長期に続く。夜間眠れないほどの咳、嘔吐を伴うこともある。発熱することは少ない。多くの場合では、適切な抗菌薬による治療によって排菌は抑えられるが、咳だけは長期間続く		**予防** 定期接種として、生後2〜90か月までの間に沈降精製百日咳ジフテリア破傷風不活化ポリオHib混合（DPT-IPV-Hib）ワクチン（5種混合ワクチン）の4回接種 **治療** 発症した場合には抗菌薬により治療
	合併症 生後3か月未満の乳児の場合、呼吸ができなくなる発作（無呼吸発作）、肺炎、中耳炎、脳症などの合併症が起こりやすい		
腸管出血性大腸菌感染症（O157、O26、O111 等）（ベロ毒素を産生する大腸菌）	**潜伏期間** 主に10時間〜6日。O157は主に3〜4日		**予防** ワクチンはない。肉類は十分に加熱すること、肉類を調理した調理器具で生食の食品を扱わないこと、手洗いを徹底することなどが大切である
	症状 無症状の場合もあるが、水様下痢便や腹痛、血便がみられる		**治療** 下痢や腹痛、脱水に対しては水分補給、補液（点滴）などを行う。抗菌薬は時に症状を悪化させることもあるため、使用するかどうかについて慎重に判断する
	合併症 尿量が減ることで出血しやすくなり、意識障害を来す溶血性尿毒症症候群を合併し、重症化する場合がある。まれではあるが、脳症を合併する場合がある		
急性出血性結膜炎（エンテロウイルス）	**潜伏期間** ウイルスの種類によって、平均24時間または2〜3日と差がある		**予防** ワクチンはない。手洗いの励行などの一般的な予防法、目やに・分泌物に触れないようにする
	症状 強い目の痛み、目の結膜（白眼の部分）の充血、結膜下出血、目やに、角膜の混濁などがみられる		**治療** 有効な治療薬はなく、対症療法が行われる

感染症名（病原体）	症状		予防・治療法
侵襲性髄膜炎菌感染症 （髄膜炎菌性髄膜炎） （髄膜炎菌）	**潜伏期間** 4日以内		**予防** 2歳以上で任意接種として髄膜炎菌ワクチンの接種。抗菌薬の予防投与 **治療** 抗菌薬の投与
	症状 発熱、頭痛、嘔吐で、急速に重症化する場合がある。劇症例は紫斑を伴いショックに陥り、致命率は10%、回復した場合でも10〜20%に難聴、まひ、てんかんなどの後遺症が残る		
溶連菌感染症 （溶血性レンサ球菌）	**潜伏期間** 2〜5日。伝染性膿痂しん（とびひ）では7〜10日		**予防** ワクチンはない。手洗いの励行などの一般的な予防法を実施する **治療** 抗菌薬の投与。合併症を予防するため、症状が治まってからも、決められた期間、抗菌薬を飲み続けることが必要
	症状 扁桃炎、伝染性膿痂しん（とびひ）、中耳炎、肺炎、化膿性関節炎、骨髄炎、髄膜炎など		
	合併症 治療が不十分な場合には、発症数週間後にリウマチ熱、腎炎などを合併することがある。まれに敗血症性ショックを示す劇症型もある。		
マイコプラズマ肺炎 （肺炎マイコプラズマ）	**潜伏期間** 2〜3週間		**予防** ワクチンはない。咳エチケットの励行などの一般的な予防法を実施する **治療** 抗菌薬の投与。自然経過によっても治癒する
	症状 咳、肺炎を引き起こす。咳、発熱、頭痛などのかぜ症状がゆっくり進行する。特に咳は徐々に激しくなり、数週間に及ぶこともある。中耳炎、発しんなどを伴うこともあり、重症化することもある		
手足口病 （コクサッキーウイルスA16、A10、A6、エンテロウイルス71等）	**潜伏期間** 3〜6日		**予防** ワクチンはない。手洗いの励行などの一般的な予防法を実施する **治療** 有効な治療法はないが、多くの場合、3〜7日の自然経過で治癒する
	症状 口腔粘膜と手足の末端の水疱性発しん。		
	合併症 無菌性髄膜炎を合併することがあり、発熱や頭痛、嘔吐がみられる。まれではあるが、脳炎を合併し、けいれんや意識障害が生じることもある		
伝染性紅斑（りんご病） （ヒトパルボウイルスB19）	**潜伏期間** 4〜14日		**予防** ワクチンはない。咳エチケットや手洗いの励行などの一般的な予防法を実施する **治療** 特異的な治療はない
	症状 発熱、倦怠感、頭痛、筋肉痛などの軽微な症状の後、両側頬部に孤立性淡紅色斑丘しんが現れ、3〜4日のうちに融合して蝶翼状の紅斑となる。妊娠中に感染すると、ウイルスは胎盤を経て胎児に感染し、約10%が流産や死産、約20%が重症の貧血状態、胎児水腫になる		

感染症名（病原体）	症状	予防・治療法
ウイルス性胃腸炎 （ノロウイルス感染症） （ノロウイルス）	**潜伏期間** 12〜48時間 **症状** 嘔吐と下痢で、脱水を合併することがある。乳幼児のみならず、学童、成人にも多くみられ、再感染もまれではない。多くは1〜3日で治癒する	**予防** ワクチンはない。手洗いの励行などの一般的な予防法を実施する。嘔吐物などに迅速・適切に対応 **治療** 特異的な治療はない。下痢や腹痛、脱水に対して水分補給、補液など
ウイルス性胃腸炎 （ロタウイルス感染症） （ロタウイルス）	**潜伏期間** 1〜3日。5歳までの間にほぼすべての子どもが感染する **症状** 嘔吐と下痢で、しばしば白色便となる。脱水、けいれんなどにより、入院を要することがある **合併症** 脳症を合併して、けいれんや意識障害を示すこともある	**予防** 乳児に対する定期予防接種として経口生ワクチンの接種が可能。手洗いの励行など一般的な予防法を実施する **治療** 特異的な治療法はなく、下痢、腹痛、脱水に対して水分補給、補液（点滴）などを行う。多くは2〜7日で治癒
ヘルパンギーナ （主としてコクサッキーウイルス）	**潜伏期間** 3〜6日 **症状** 発症初期には、高熱、のどの痛みなど。咽頭に赤い粘膜しん、次に水疱（水ぶくれ）、潰瘍となる。高熱は数日続く **合併症** 熱性けいれんを合併することがある。無菌性髄膜炎を合併することがあり、発熱、頭痛、嘔吐を認める。脳炎を合併して、けいれんや意識障害を起こすこともある	**予防** ワクチンはない。手洗いの励行など一般的な予防法を実施する **治療** 有効な治療法はないが、多くの場合、2〜4日の自然経過で治癒する
RSウイルス感染症 （RSウイルス）	**潜伏期間** 4〜6日 **症状** 呼吸器感染症で、乳幼児期に初感染した場合の症状が重く、特に生後6か月未満の乳児では重症な呼吸器症状を生じ、入院管理が必要となる場合も少なくない。再感染・再々感染した場合には、徐々に症状が軽くなる	**予防** ワクチンはない。手洗いの励行など一般的な予防法を実施する。流行期には感染予防として、早産児、基礎疾患を有する乳幼児等に対して、遺伝子組み換え技術を用いたモノクロナール抗体（パリビズマブ）を毎月筋肉内投与する **治療** 特異的な治療法はない
帯状疱しん （水痘・帯状疱しんウイルス（VZV））	**潜伏期間** 不定 **症状** 身体の片側に発症する。数日間、軽度の痛みや違和感、ときにはかゆみがあり、その後、多数の水疱（水ぶくれ）が集まり、紅斑となる。膿疱や血疱、びらんになることもある。発熱はほとんどない	**治療** 内服薬と外用薬がある。痛みがある場合には、患部を温めると痛みが和らぐ。通常1週間で痂皮（かさぶた）化して治癒する

感染症名（病原体）	症状		予防・治療法
突発性発しん （ヒトヘルペスウイルス6 B、ヒトヘルペスウイルス7）	**潜伏期間** 9〜10日		**予防** ワクチンはない **治療** 通常は自然経過で治癒する疾患で、特異的な治療薬を必要としない
	症状 3日間程度の高熱の後、解熱するとともに紅斑が出現し、数日で消えてなくなる		
	合併症 自然経過で治癒するが、熱性けいれん、脳炎・脳症、肝炎などを合併することがある		
アタマジラミ症 （アタマジラミ）	**潜伏期間** 10〜30日。卵は約7日で孵化する		**予防** 昼寝の際には、布団を離したり、頭を交互にしたりする **治療** フェノトリン（スミスリン®）シャンプーまたはフェノトリンパウダー。毎日シャンプーを行い、シラミや卵を取り除く。周囲の感染者を一斉に治療する
	症状 頭皮のかゆみ。引っかくことによって二次感染が起きる場合がある		
疥癬 （ヒゼンダニ）	**潜伏期間** 約1か月		**治療** 強いかゆみのある発しんがでたら皮膚科を受診する。外用薬・内服薬により治療する
	症状 かゆみの強い発しんができる。手足などには線状の隆起した皮しんもみられる。男児では陰部に結節（しこり）ができることがある。体などには丘しんができる。かゆみは夜間に強くなる		
伝染性軟属腫(水いぼ) （伝染性軟属腫ウイルス）	**潜伏期間** 2〜7週間		**治療** 専用のピンセットでの摘除法、外用療法、内服療法、冷凍凝固療法など。皮膚の清潔を保ち、保湿剤などでバリア機能を改善する
	症状 1〜5mm程度の丘しん、小結節（しこり）で、多くの場合では、数個〜数十個が集まっている。四肢、体幹などによくみられるが、顔、首、陰部などどこにでも生じる。軽度のかゆみがある		
伝染性膿痂しん(とびひ) （黄色ブドウ球菌、 溶血性レンサ球菌）	**潜伏期間** 2〜10日（長期の場合もある）		**予防** 皮膚を清潔にし、爪は短く切る。虫刺されやアトピー性皮膚炎の引っかいた部位などの治療を早期に行う **治療** 病巣が広がっている場合には外用薬、さらに状態が悪化した場合には内服や点滴による抗菌薬投与
	症状 水疱（水ぶくれ）やびらん、痂皮（かさぶた）が、鼻周囲、体幹、四肢などの全身にみられる。患部を引っかくことで、数日から10日後に、隣接する皮膚や離れた皮膚に新たに病変が生じる		
B型肝炎 （B型肝炎ウイルス 〔HBV〕）	**潜伏期間** 急性感染では45〜160日（平均90日）		**予防** B型肝炎ワクチン（HBワクチン）の3回接種 **治療** インターフェロンの注射か核酸アナログ製剤の投与
	症状 急性肝炎と慢性肝炎がある。0歳児が感染した場合、約9割がHBVキャリアとなる。キャリアの一部は思春期以降に慢性肝炎を発症し、その一部は肝硬変や肝がんに進展する可能性がある		

出典：こども家庭庁「保育所における感染症対策ガイドライン（2018年改訂版）（2023［令和5］年5月一部改訂、10月一部修正）」をもとに作成

関連科目 子どもの保健

ココをおさえよう！

近年、予防接種の数が増えています。ワクチン名と種類、接種期間など、かなり細かくなりますが、特に乳児クラス担当をする際には役立ちます。知識としてしっかり理解しておきましょう。

🔑 キーワード

免疫

「自己」と「非自己」を識別し、細菌やウイルスなどの病原体から体を守るはたらきを免疫といい、血液中の白血球が主に担っている。生まれたときから備わっている自然免疫と、生後につくられていく獲得免疫がある。

定期（勧奨）接種

「予防接種法」により、市町村長が保健所長（政令市・特別区の場合は都道府県知事）の指示に基づいて行う予防接種。積極的に接種が進められるが、最終判断は保護者や本人が決める（努力義務）。無料で受けられる。

任意接種

希望者が自己負担（費用の一部に公費負担がある場合もある）で受ける予防接種。流行性耳下腺炎（おたふくかぜ、ムンプス）、インフルエンザが当てはまる。

▶ ワクチンの種類

生ワクチン	生きた細菌・ウイルスの毒性を弱めたもの。副反応のおそれがある
不活化ワクチン	病原体や毒素を不活化させたもの。複数回の接種がほとんど
トキソイド	毒素を不活化させたもの。不活化ワクチンの一種

▶ 接種方法の種類

注射による接種	皮下（上腕または太もも）注射または筋肉注射。経皮接種、経口接種以外のワクチン
経皮接種	BCG（結核の予防接種）のハンコ注射（上腕）
経口接種	飲むタイプ。ロタウイルスワクチンのみ

● ワクチンの副反応

紅斑、腫脹、硬結	接種箇所の皮膚が赤くなる（紅斑）、腫れる（腫脹）、硬くなる（硬結）。紅斑と腫脹は3〜4日で軽快することが多いが、硬結は1か月以上続くこともある。治療は必要ない
発熱	48時間以内に軽快することが多い。ワクチンの副反応なのかそうでないのかを確認する
その他	生ワクチンでは、もとの病気の症状が軽度に起こることがある。例として、麻しんワクチンの発熱、発しんなど

● 予防接種の種類とスケジュール

Point
2024年4月から5種混合ワクチン（百日ぜき、ジフテリア、破傷風、ポリオ、ヒブ感染症の発症を予防）が導入された。

ワクチン		種類	生直後	6週	2か月	3か月	4か月	5か月	6か月	7か月	8か月	9-11か月	12-15か月	16-17か月	18-23か月
									乳児期					幼児期	
肺炎球菌（PCV13、PCV15）		不活化			①	②	③						④		
B型肝炎	ユニバーサル	不活化			①	②				③					
ロタウイルス	1価	生			①	②									
	5価				①	②	③								
5種混合（DPT-IPV-Hib）		不活化			①	②	③						④		↙
BCG		生							①						
麻疹・風疹混合（MR）		生											①		
水痘		生											①		②
おたふくかぜ		生											①		
日本脳炎		不活化						生後6か月から接種可能							
インフルエンザ		不活化						生後6か月から接種可能　毎年（10・11月などに）①②							

ワクチン		種類	2歳	3歳	4歳	5歳	6歳	7歳	8歳	9歳	10歳以上
			幼児期				学童期／思春期				
肺炎球菌（PCV13、PCV15）		不活化									
B型肝炎	ユニバーサル	不活化									
ロタウイルス	1価	生									
	5価										
5種混合（DPT-IPV-Hib）		不活化	（7.5歳まで）								
BCG		生									
麻疹・風疹混合（MR）		生			②						
水痘		生									
おたふくかぜ		生									
日本脳炎		不活化	①②	③	（7.5歳まで）				④9-12歳		
インフルエンザ		不活化	毎年（10、11月などに）①②								13歳以上①
ヒトパピローマウイルス（HPV）	2価、4価	不活化								小6 中1①②③	中2〜高1
	9価	不活化								小6 中1①②	中2〜高1

■ 定期接種の推奨期間　■ 定期接種の接種可能な期間　■ 任意接種の推奨期間　■ 任意接種の接種可能な期間

出典：日本小児科学会「日本小児科学会が推奨する予防接種スケジュール（2024年4月1日版）」をもとに作成

子どもの病気（感染症以外）

関連科目 子どもの保健

ココをおさえよう！

> 感染症以外にも子どもの病気には注意が必要です。保育士試験ではすべてを細かく暗記する必要はありませんが、病名とその概要は覚えておけたらいいですね。

🔑 キーワード

新生児マス・スクリーニング検査

　都道府県、政令指定都市が実施する、先天性代謝異常、先天性甲状腺機能低下症、先天性副腎過形成症等を発見するための検査。タンデムマス法により、20種類以上の疾患を検査できる。生後4〜6日の新生児のかかとから少量の血液を採取して検査する。

便色カラーカード

　胆道閉鎖症の早期発見に役立つ、便の色を確認するカード。母子健康手帳に添付されている。胆道閉鎖症では便の色がうすくなる。

新生児

　生後28日未満の子どものことを新生児という。先天性の疾患については、胎児期にエコーなどの異常所見から発見される場合もあるが、新生児期に発見されることも多い。

▶周産期や新生児期にみられる病気や障害

ダウン症などの染色体異常	染色体の数や形の異常によって引き起こされる疾患。21番目の染色体が1本多い（トリソミー）ダウン症など。先天奇形、変形及び染色体異常は、乳児の死亡原因の1位を占める
先天性心疾患	先天的に心臓の形や機能に異常がある疾患。新生児の約100人に1人が発症する。心室中隔欠損症、心房中隔欠損症、動脈管開存症、ファロー四徴症などがある。チアノーゼ（顔、爪、指先などが青紫色になる）を起こすことがある
口唇口蓋裂	先天的に上唇や上あごが裂けている障害。上唇が裂けているものを口唇裂、上あごが裂けているものを口蓋裂という。いろいろなタイプがある。摂食や言語に問題を生じる。手術や機能訓練を行う
先天性代謝異常	先天的に酵素が欠損・活性低下しているために、物質代謝が阻害される疾患。フェニルケトン尿症、メープルシロップ尿症、ホモシスチン尿症、ガラクトース血症などがある。治療用ミルクがある
呼吸窮迫症候群	早産児によくみられ、肺サーファクタント（肺胞を膨らみやすくする物質）の不足により肺が十分に膨らまず、呼吸がうまくできなくなる疾患。チアノーゼや呼吸の異常を起こす。人工肺サーファクタントの補充で治療する

未熟児網膜症	早産児にみられる病気で、小児の失明原因の第1位を占める。通常、網膜血管は妊娠30週ごろに完成するが、それより前に出生したことによる環境変化で、眼球内で網膜血管が異常増殖することによって起こる
脳性まひ	胎児期～新生児期までの脳の外傷により、2歳ぐらいまでに起こる脳の機能障害。出産の際に起こることも多い。肢体不自由児の半数以上を占める。痙直型やアテトーゼ（不随意運動）型など、いろいろなタイプがある。てんかんを合併することも多い。機能訓練を行う
ヒルシュスプルング病	腸のはたらきを制御する神経節細胞が生まれつきないため、便がうまく通過できず、重い便秘症や腸閉塞を起こす病気。新生児期にお腹が張る、便秘、吐くなどの症状が続くことで発見される場合が多い
新生児メレナ	ビタミンKの不足によって起こる新生児の消化管出血。便が黒っぽくなる。ビタミンKの投与によって予防する
胆道閉鎖症	生後数か月までに発症する、胆管（肝臓でつくられた胆汁が十二指腸へと流れる管）が閉鎖する疾患。黄疸や肝硬変の原因になる。便の色がうすくなる

● 乳幼児期にみられる病気・症状

腸重積	回盲部（小腸から大腸への移行部）などで小腸が大腸の中に入ってしまう疾患。生後3か月～2歳ぐらいに多い。激しく泣いたあと一旦症状が治まり5～15分後にまた泣き出す、嘔吐する、血便などがみられる。腸が壊死するおそれがあるので緊急に治療する
てんかん	大脳の神経細胞の過剰な興奮により、全身の筋肉の硬直、けいれん、卒倒などの発作がみられる。熱性けいれん（38℃以上の高熱の際に起こることがある）との区別が必要。抗てんかん薬によって治療する
小児がん	白血病、脳腫瘍、神経芽細胞腫、悪性リンパ腫、腎腫瘍などがある。白血病が最も多い（約40％）。抗がん薬、手術、放射線療法などによって治療し、治癒率は70～80％。ただし、抗がん薬などの長期的な影響には注意が必要
川崎病	1歳前後で発症する、原因不明の疾患。高熱、目の充血、いちご舌、発しん、手足や首のリンパ節の腫れといった症状がみられる。冠動脈（心臓を取り巻く血管）にこぶができると命に関わる
乳児コリック	はっきりした原因がないのに長時間にわたって赤ちゃんが泣き続ける状態が頻繁に起こること。夕方の時間が多いため黄昏泣きともいう。生後6週間ごろからはじまり、生後3～4か月ごろには消失する場合が多い

● 食事への配慮が必要な病気

ネフローゼ症候群	腎臓病の一種で、高度のたんぱく尿により、血液中のたんぱく質が失われ、浮腫がみられる。ステロイド剤によって治療する。水分と塩分の制限を行う。たんぱく質の摂取量を増やす必要はない
糖尿病	血糖値が上昇し、のどの渇き、尿の回数増加、疲れやすさなどが起こる。放置すると、腎疾患、神経障害、網膜症など、全身にさまざまな合併症を起こす。1型糖尿病（インスリンの分泌不足）と2型糖尿病（インスリンの消費異常）があり、子どもに多いのは1型糖尿病。1型糖尿病ではインスリン投与により治療し、エネルギー制限は不要。2型糖尿病で肥満度20％以上の場合は健常児の80％程度のエネルギー制限を行う
先天性代謝異常	種類によって適した治療用ミルクを用いる。先天性乳糖不耐症の場合は離乳食も乳糖を含まないものを与える
急性腎炎	10歳未満に多い。たんぱく尿、血尿、浮腫、血圧上昇などがみられる。たんぱく質や塩分の摂取を制限する。浮腫や乏尿の場合には水分も制限する

10 アレルギー疾患

関連科目 子どもの保健　子どもの食と栄養

アレルギー疾患をもつ子どもは多く、保育士として必須の知識となります。それぞれのアレルギーの特徴や、保育所での対応を中心に、しっかり理解しておきましょう。

ココをおさえよう！

 キーワード ....

アレルギー

　免疫反応は、本来、外敵（細菌やカビ、ウイルスなど）から身体を守る働きであるが、無害な相手に対してまで過剰に免疫反応を起こしてしまうことがあり、これをアレルギーという。

生活管理指導表

　保育所において、保護者や嘱託医などとの共通理解のもとで、アレルギー疾患を有する子ども一人ひとりの症状等を正しく把握し、子どものアレルギー対応を適切に進めるために、保護者の依頼を受けて、医師（子どものかかりつけ医）が記入するもの。保育所の生活において、アレルギー疾患に関する特別な配慮や管理が必要となった子どもに限って作成される。

アレルゲン

　アレルギーの原因となる抗原（たんぱく質）。アレルギーの種類によって異なる。

▶各アレルギー疾患と関連の深い保育所での生活場面

生活場面	食物アレルギー・アナフィラキシー	気管支ぜん息	アトピー性皮膚炎	アレルギー性結膜炎	アレルギー性鼻炎
給食	○		△		
食物等を扱う活動	○		△		
午睡		○	△	△	△
花粉・埃の舞う環境		○	○	○	○
長時間の屋外活動	△	○	○	○	○
プール	△	△	○	△	
動物との接触		○	○	○	○

○：注意を要する生活場面　△：状況によって注意を要する生活場面
出典：厚生労働省「保育所におけるアレルギー対応ガイドライン(2019年改訂版)」をもとに作成

Point

複数のアレルギー疾患のある子どもも多いため、注意を要する生活場面を把握しておくことが大切。

主なアレルギー疾患の特徴と保育所での対応

	特徴	保育所での対応
食物アレルギー	●特定の食物（鶏卵、牛乳、小麦など）を摂取した後に、アレルギー反応を介して皮膚・呼吸器・消化器あるいは全身性に生じる症状 ●ほとんどは食物に含まれるタンパク質が原因で生じる	「完全除去」か「解除」の両極で対応を開始することが望ましい。基本的に、保育所で「初めて食べる」食物がないように保護者と連携する。アナフィラキシーが起こったときに備え、緊急対応の体制を整えるとともに、保護者との間で、緊急時の対応について協議しておく
気管支ぜん息	●発作性にゼーゼーまたはヒューヒューという音（喘鳴）を伴う呼吸困難を繰り返す疾患 ●チリ・ダニや動物の毛などに対するアレルギー反応により、気道（空気の通り道）での炎症が生じた結果、気道が狭くなることで起こりやすくなる ●治療が不十分であると症状を繰り返し、運動などの刺激により運動誘発ぜん息と呼ばれる症状を起こす場合がある	アレルゲンを減らすため、保育所での生活環境は、室内清掃だけでなく、特に寝具の使用に関して留意する。運動などの保育所生活について、保護者と事前に相談する
アトピー性皮膚炎	●皮膚にかゆみのある湿疹が出たり治ったりする ●乳幼児では、顔、首、肘の内側、膝の裏側などによく現れ、ひどくなると全身に広がる ●悪化因子としては、ダニやホコリ、食物、動物の毛、汗、シャンプーや洗剤、プールの塩素、風邪などの感染症など	基本的には、ほかの子どもと同じ生活を送ることができる。皮膚の状態が悪い場合には、皮膚への負担を少なくする配慮が必要。室内の環境整備だけでなく、場合によっては外遊び、プール時に対応が必要となることがあり、保護者との連携が必要
アレルギー性結膜炎	●目の粘膜、特に結膜にアレルギー反応による炎症（結膜炎）が起こり、目のかゆみ、なみだ目、異物感（ごろごろする感じ）、目やになどの特徴的な症状を起こす疾患 ●原因となる主なアレルゲンとしては、ハウスダストやダニ、動物の毛に加え、季節性に症状を起こすスギ、カモガヤ、ブタクサなどの花粉がある	プールの消毒に用いる塩素は、角結膜炎がある場合には悪化要因となる。季節性アレルギー性結膜炎（花粉症）の場合、特に風の強い晴れた日には花粉の飛散量が増えることに留意する。通年性アレルギー性結膜炎等の場合、屋外での活動後に、土ぼこりの影響で症状の悪化がみられることもあるため、顔を拭くことなどが望まれる
アレルギー性鼻炎	●鼻の粘膜にアレルギー反応による炎症が起こり、発作性で反復性のくしゃみ、鼻水、鼻づまりなどの症状を引き起こす疾患 ●原因となるアレルゲンは、アレルギー性結膜炎とほぼ同じ	原因花粉の飛散時期の屋外活動により、症状が悪化する場合があることに留意する（屋外活動ができないことはまれである）

出典：厚生労働省「保育所におけるアレルギー対応ガイドライン(2019年改訂版)」をもとに作成

アレルギーマーチ

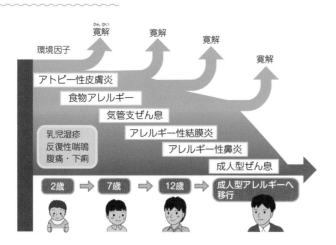

アレルギー疾患の発症の様子は"アレルギーマーチ"という言葉で表現される。これは遺伝的にアレルギーになりやすい素質（アトピー素因）のある人が、年齢を経るごとにアレルギー疾患を次から次へと発症していく様子を表したものである。全員がそうなるわけではなく、一つの疾患だけの人もいるが、多くの場合、このような経過をたどる。

11 アナフィラキシーへの対応

関連科目 子どもの食と栄養　子どもの保健

アレルギー反応からのアナフィラキシーですが、保育所では食物による
アナフィラキシーショックが多いといえます。子どもの命に関わります
ので、その判断と対応について、必ず理解しておきましょう。

キーワード

アナフィラキシーショック

アレルギー反応により、じんま疹などの皮膚症状、腹痛や嘔吐などの消化器症状、息苦しさなどの呼吸器症状が複数同時にかつ急激に出現した状態をアナフィラキシーという。そのなかでも、血圧が低下し意識レベルの低下や脱力をきたすような場合を、特に"アナフィラキシーショック"と呼び、ただちに対応しないと生命に関わる重篤な状態である。

除去食

食物アレルギーにおいて、原因食品を除いた食事。保育所においては、「完全除去」か「解除」の両極で対応を開始することが望ましい。

エピペン®

アドレナリンの自己注射薬。保育所において、乳幼児がアナフィラキシーショックに陥り生命が危険な状態にある場合には、保育所の職員が、子ども本人に代わって「エピペン®」を使用（注射）することができる。

▶アナフィラキシーの症状

| 皮膚症状 |
| じんま疹、かゆみ、紅潮、口唇・舌・口蓋垂の腫脹 |

| 消化器症状 |
| 腹痛、嘔吐 |

| 呼吸器症状 |
| 息苦しさ、呼吸困難、喘鳴 |

→ 複数同時にかつ急激に出現した状態

Point
複数同時かつ急激に起こる、というのが重要。

▶アナフィラキシーの原因

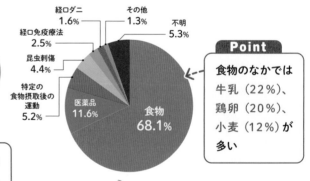

経口ダニ 1.6%
その他 1.3%
経口免疫療法 2.5%
不明 5.3%
昆虫刺傷 4.4%
特定の食物摂取後の運動 5.2%
医薬品 11.6%
食物 68.1%

Point
食物のなかでは牛乳（22%）、鶏卵（20%）、小麦（12%）が多い

出典：一般社団法人日本アレルギー学会「アナフィラキシーガイドライン2022」をもとに作成

● アナフィラキシーの判断と対応

- ● アレルギー症状があったら5分以内に判断する！
- ● 迷ったらエピペン®を打つ！ ただちに119番通報をする！

緊急性が高いアレルギー症状

全身の症状
- ☐ ぐったり
- ☐ 意識もうろう
- ☐ 尿や便を漏らす
- ☐ 脈が触れにくい
  または不規則
- ☐ 唇や爪が青白い

呼吸器の症状
- ☐ のどや胸が締め付けられる
- ☐ 声がかすれる
- ☐ 犬が吠えるような咳
- ☐ 息がしにくい
- ☐ 持続する強い咳き込み
- ☐ ゼーゼーする呼吸
  （ぜん息発作と区別できない場合を含む）

消化器の症状
- ☐ 持続する強い
  お腹の痛み（がまんできない）
- ☐ 繰り返し吐き続ける

 1つでもあてはまる場合

 ない場合

緊急性が高いアレルギー症状への対応

① ただちにエピペン®を使用する

② 救急車を要請する（119番通報）

③ その場で安静にする （下記の体位を参照）
   立たせたり、歩かせたりしない！

④ その場で救急隊を待つ

⑤ 可能なら内服薬を飲ませる

- ● エピペン®を使用し10〜15分後に症状の改善が見られない場合
  は、次のエピペン®を使用する（2本以上ある場合）
- ● 反応がなく、呼吸がなければ心肺蘇生を行う

内服薬を飲ませる

↓

保健室または、安静にできる場所へ移動する

↓

少なくとも5分ごとに症状を観察する
症状チェックシートに従い判断し対応する
緊急性の高いアレルギー症状の出現には特に注意する

安静を保つ体位

ぐったり、意識もうろうの場合

血圧が低下している可能性があるため仰向けで足を15〜30cm高くする

吐き気、おう吐がある場合

おう吐物による窒息を防ぐため、顔と体を横に向ける

呼吸が苦しく仰向けになれない場合

呼吸を楽にするため、上半身を起こし後ろに寄りかからせる

> **Point**
> 日頃から緊急時の役割分担やエピペン®の保管場所を職員が把握しておくことが大切。

出典：環境再生保全機構 ERCA（エルカ）ホームページ「食物アレルギー緊急時対応マニュアル」

関連科目 子どもの食と栄養　子どもの保健

「保育所における食事の提供ガイドライン」をもとに、保育所では給食が提供されています。そして、食中毒を予防するために細心の注意を払っています。

🔑 キーワード

保育所における食事の提供ガイドライン

2012（平成24）年に厚生労働省が公表した。子どもの食をめぐる現状、保育所における食事の提供の意義、保育所における食事の提供の具体的なあり方、保育所における食事の提供の評価、好事例集をまとめたもの。

児童福祉施設における食事の提供ガイド

2010（平成22）年に厚生労働省が公表した。保育所、乳児院、児童養護施設、障害児施設などの児童福祉施設における、「日本人の食事摂取基準」を活用した食事の提供、衛生管理、実践例などをまとめたもの。

▶ 保育所における食事の提供の役割

①発育・発達のための役割

心身の発育・発達が著しく、人格の基礎が形成される時期である乳幼児期において、エネルギーや栄養素は、健康の維持・増進、活動に加え、発育・発達のためにも必要である。十分に遊び、1日3回の食事とおやつを規則的にとる環境を整えることで、お腹がすくリズムを繰り返し経験することができ、生活リズムを形成していくように配慮する。精神発達のためにも食事は重要である

②食事を通じた教育的役割

食事の提供は、食育の一環として、子どもの健全な成長・発達に寄与・貢献するという視点をもち、取り組むことが大切である。このことは「保育所保育指針」にも明記されている

Point

保育所における食事の提供ガイドラインに従って食事提供を行う。

③保護者支援の役割

入所している児童の保護者への支援としては、保育所における食事、情報の提供および相談等がある

地域における子育て支援としては、身近にある保育所にその機能を生かした情報の提供・相談や援助・交流の場などが求められており、献立表の掲示、施設開放や体験保育などが実施されている

出典：厚生労働省「保育所における食事の提供ガイドライン」2012年をもとに作成

● 食中毒の予防の3原則

① 病原体を付着させない	② 病原体を増殖させない	③ 病原体を死滅させる

● 食中毒の原因となる細菌・ウイルス

Point

原因食品と細菌・ウイルスの組み合わせを覚えておくことが大切。

	種類	原因食品	症状	特徴と予防法
細菌性	サルモネラ属菌	加熱が不十分な卵、肉、魚、生クリームなど	下痢（粘血便）、発熱、腹痛、嘔吐	乾燥に強く、熱に弱い。生卵を割りおきしたものは使用しない
	腸炎ビブリオ	生の魚介類（魚や貝）	激しい下痢（血便）、腹痛、発熱、嘔吐	真水や熱に弱い。生鮮魚介類は10℃以下で保存し、調理前に流水で洗浄
	カンピロバクター	生肉（特に鶏肉）	下痢（粘血便）、発熱、腹痛	乳児の細菌性下痢の原因第1位
	腸管出血性大腸菌（O-157など）	加熱が不十分な肉、野菜	激しい嘔吐、下痢（血便）、腹痛	中心温度が75℃以上で1分以上の加熱で死滅
	ウェルシュ菌	肉類、魚介類、野菜を使用した煮込み料理など	腹痛、下痢	熱に強い芽胞をつくる。酸素を嫌う。加熱調理したものはなるべく早く食べる
	黄色ブドウ球菌	化膿した傷などを触った手指。鼻の穴、髪の毛にも存在	激しい嘔吐、腹痛発熱はない	毒素をつくる。潜伏期間は30分〜6時間
	ボツリヌス菌	ビン詰、缶詰はちみつ（乳児ボツリヌス症）	吐き気、嘔吐、視力障害、言語障害、嚥下困難乳児ボツリヌス症は、便秘、脱力状態、麻痺症状	熱に強い芽胞をつくる。酸素を嫌う。毒素をつくる
ウイルス性	ノロウイルス	汚染された二枚貝（かき、あさり、しじみ）、井戸水など	激しい嘔吐、下痢、腹痛	患者の糞便、汚物からの二次感染に注意

● 保育所における食事の提供の評価のポイント

Point

調理員や栄養士との連携が大切。

① 保育所の理念、目指す子どもの姿に基づいた「食育の計画」を作成しているか

② 調理員や栄養士の役割が明確になっているか

③ 乳幼児期の発育・発達に応じた食事の提供になっているか

④ 子どもの生活や心身の状況に合わせて食事が提供されているか

⑤ 子どもの食事環境や食事の提供の方法が適切か

⑥ 保育所の日常生活において、「食」を感じる環境が整っているか

⑦ 食育の活動や行事について、配慮がされているか

⑧ 食を通した保護者への支援がされているか

⑨ 地域の保護者に対して、食育に関する支援ができているか

⑩ 保育所と関係機関との連携がとれているか

出典：厚生労働省「保育所における食事の提供ガイドライン」2012年をもとに作成

13 食生活に関する調査

関連科目 子どもの食と栄養

ここでは主に「乳幼児栄養調査」について見ていきます。10年に1度の調査ということもあり、その比較や近年の傾向について特徴を捉えておきましょう。

ココをおさえよう！

🔑 キーワード

乳幼児栄養調査

全国の乳幼児の栄養方法および食事の状況等の実態を把握し、授乳・離乳の支援、乳幼児の食生活改善のための基礎資料を得ることを目的とした調査。10年に1度行われ、最新の調査は2015（平成27）年に行われた。

国民健康・栄養調査

「健康増進法」に基づき、国民の身体の状況、栄養素等摂取量および生活習慣の状況を明らかにし、国民の健康の増進の総合的な推進を図るための基礎資料を得ることを目的とする調査。原則として毎年1回行われる（ただし、新型コロナウイルス感染症の影響により、最新の調査は2022（令和4）年に実施）。

BMI（Body Mass Index＝体格指数）

BMIは体重（kg）÷身長（m）^{2}で算出し、以下のとおり判定する。
やせ：18.5未満、普通：18.5以上25未満、肥満：25以上

▶ 乳児期の栄養方法

Point
10年前に比べ、生後1か月、3か月とも、母乳栄養の割合が増えている。

1か月

	母乳栄養	混合栄養	人工栄養
昭和60年度 (n=6,567)	49.5	41.4	9.1
平成7年度 (n=3,728)	46.2	45.9	7.9
平成17年度 (n=2,539)	42.4	52.5	5.1
平成27年度 (n=1,235)	51.3	45.2	3.6

3か月

	母乳栄養	混合栄養	人工栄養
昭和60年度 (n=6,567)	39.6	32.0	28.5
平成7年度 (n=3,724)	38.1	34.8	27.1
平成17年度 (n=2,539)	38.0	41.0	21.0
平成27年度 (n=1,235)	54.7	35.1	10.2

※回答者：昭和60年度・平成7年度・平成17年度は0～4歳児の保護者、平成27年度は0～2歳児の保護者
※栄養方法「不詳」除く

出典：厚生労働省「平成27年度　乳幼児栄養調査」

▶ 母乳育児に関する妊娠中の考え

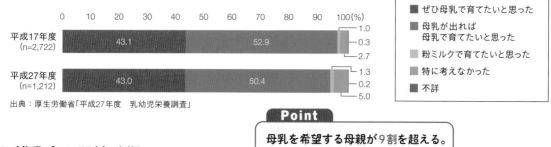

出典：厚生労働省「平成27年度　乳幼児栄養調査」

Point
母乳を希望する母親が9割を超える。

▶ 離乳食の開始時期

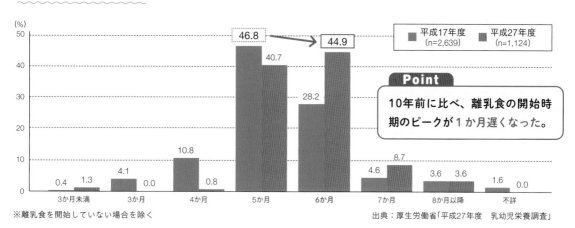

Point
10年前に比べ、離乳食の開始時期のピークが1か月遅くなった。

※離乳食を開始していない場合を除く

出典：厚生労働省「平成27年度　乳幼児栄養調査」

▶ 離乳食について困ったこと（回答者：0〜2歳児の保護者）

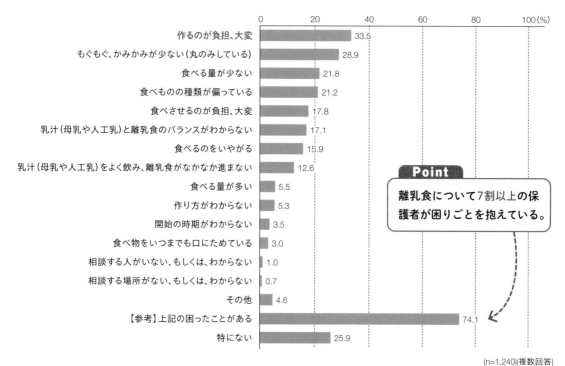

Point
離乳食について7割以上の保護者が困りごとを抱えている。

(n=1,240)(複数回答)

出典：厚生労働省「平成27年度　乳幼児栄養調査」

第5章

13 食生活に関する調査

● 現在子どもの食事で困っていること（回答者：2〜6歳児の保護者）

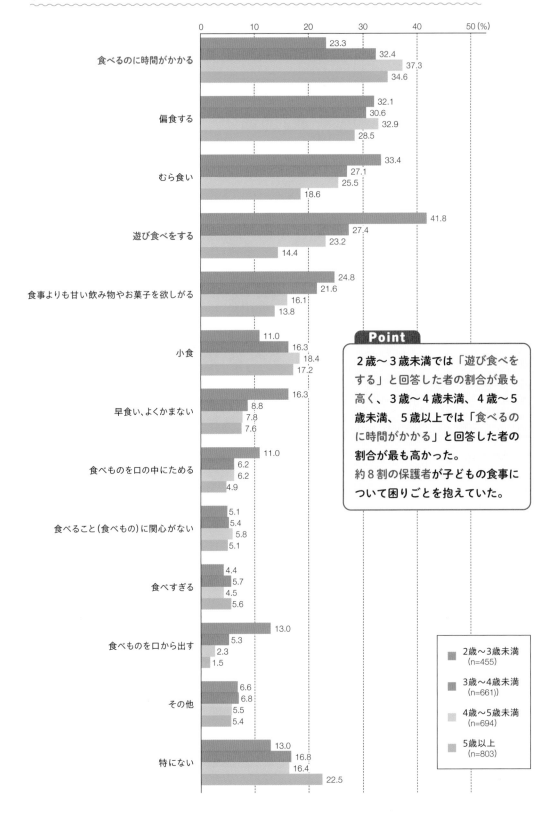

Point

2歳〜3歳未満では「遊び食べをする」と回答した者の割合が最も高く、3歳〜4歳未満、4歳〜5歳未満、5歳以上では「食べるのに時間がかかる」と回答した者の割合が最も高かった。
約8割の保護者が子どもの食事について困りごとを抱えていた。

凡例：
- 2歳〜3歳未満（n=455）
- 3歳〜4歳未満（n=661））
- 4歳〜5歳未満（n=694）
- 5歳以上（n=803）

出典：厚生労働省「平成27年度　乳幼児栄養調査」

● BMIの状況別、食習慣改善の意思（20歳以上、男女別）

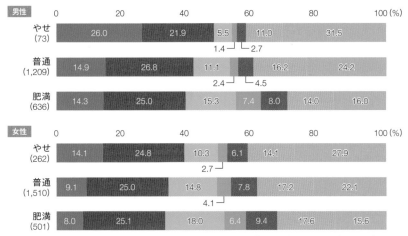

出典：厚生労働省「国民健康・栄養調査（令和元年）」

Point

男女ともにBMI が普通及び肥満の者では、「関心はあるが改善するつもりはない」と回答した者の割合が最も高い。

凡例：
- ■ 改善することに関心がない
- ■ 関心はあるが改善するつもりはない
- □ 改善するつもりである（概ね6か月以内）
- ■ 近いうちに（概ね1か月以内）改善するつもりである
- ■ 既に改善に取り組んでいる（6か月未満）
- ▨ 既に改善に取り組んでいる（6か月以上）
- ■ 食習慣に問題はないため改善する必要はない

● 食塩摂取量の状況別、食習慣改善の意思

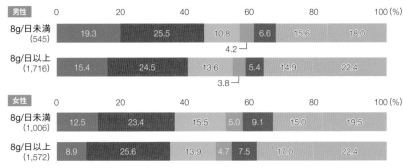

出典：厚生労働省「国民健康・栄養調査（令和元年）」

● 野菜摂取量の平均値（20歳以上、性・年齢階級別）

Point

20〜40歳は少なく、60歳以上は多い。

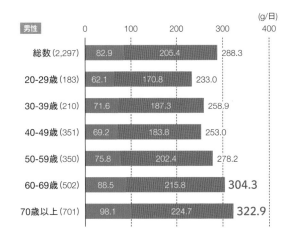

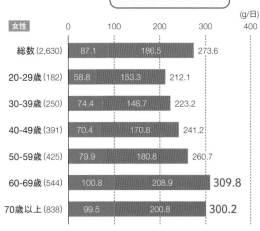

■ 緑黄色野菜　■ その他の野菜類

出典：厚生労働省「国民健康・栄養調査（令和元年）」

栄養素に関しての出題もあります。3大栄養素や5大栄養素、3つの食品群など、栄養士になるくらいのつもりでそれぞれの特徴を覚えていきましょう。

ココをおさえよう!

🔑 キーワード

3大栄養素、5大栄養素

糖質、脂質、たんぱく質を3大栄養素、これにビタミン、ミネラルを加えたものを5大栄養素という。この他、人間が生きていくためには水も必要である。

3つの食品群

食品を栄養素のはたらきをもとに赤・黄・緑の3つの色に分けて分類したもの。
赤…たんぱく質を多く含み、主に血や肉をつくる。肉類、魚類、豆類、乳製品、卵など。
黄…糖質、脂質を多く含み、主にエネルギー源となる。穀類、いも類、油脂類など。
緑…ビタミン、ミネラルを多く含み、体の調子を整える。野菜類、果物類、海藻類など。

▶ 主な栄養素の特徴

炭水化物	糖質	● 1g当たり4kcalのエネルギー源となる ● ブドウ糖（グルコース）、果糖（フルクトース）などの単糖類、ショ糖（スクロース）、麦芽糖（マルトース）などの二糖類、でんぷん、グリコーゲンなどの多糖類がある
	食物繊維	● ヒトの消化酵素では分解されにくい物質 ● 水溶性食物繊維と不溶性食物繊維に分類される
脂質		● 1g当たり9kcalのエネルギー源となる ● 単純脂質、複合脂質、誘導脂質に分けられる ● 脂肪酸の種類によって性質が異なり、不飽和脂肪酸と、飽和脂肪酸がある ● 不飽和脂肪酸は一価不飽和脂肪酸、多価不飽和脂肪酸（n-6系、n-3系）に分けられる ● 多価不飽和脂肪酸のうち、リノール酸、α-リノレン酸、アラキドン酸はヒトの体内では合成できない脂肪酸で必須脂肪酸という
たんぱく質		● 体を構成し、酵素やホルモン、抗体の材料となる。1g当たり4kcalのエネルギー源となる ● 構成元素として窒素を約16%含む ● 20種類のアミノ酸から構成され、そのうち9種類はヒトの体内では合成できないアミノ酸で必須アミノ酸という

Point

多価不飽和脂肪酸は魚油に多く含まれ、動脈硬化と血栓を防ぐ作用がある。

		種類	特徴	多く含む食品	欠乏症・過剰症
ミネラル（無機質）	多量ミネラル	カルシウム（Ca）	骨や歯の構成成分	乳・乳製品、大豆製品、小魚、海藻	**欠乏症：** 成長期…骨の発育障害 成人…骨粗鬆症
		リン（P）	骨や歯の構成成分。エネルギー代謝に関与	魚介類、肉類、胚芽、卵黄	**欠乏症：**普通の食事では欠乏しない
		カリウム（K）	体液の浸透圧・pH調整、血圧降下、神経細胞・筋肉の興奮伝達	野菜類、果実類、いも類	**欠乏症：**筋力低下、血圧上昇
		ナトリウム（Na）	体液の浸透圧・pH調整、神経細胞・心筋細胞の興奮伝達	食塩、みそ、しょうゆなど	**欠乏症：**血圧低下、意欲減退 **過剰症：**高血圧
		マグネシウム（Mg）	神経の興奮、筋肉の収縮、血圧の調整、骨や歯の構成成分	種実類、玄米、胚芽米、魚介類	**欠乏症：**成長遅延、不整脈
	微量ミネラル	鉄（Fe）	赤血球のヘモグロビンや酵素の構成成分	肉類、魚介類、豆・豆製品、海藻類	**欠乏症：**鉄欠乏性貧血
		亜鉛（Zn）	酵素の構成成分。インスリンの合成に必要	魚介類、肉類、穀類	**欠乏症：**味覚障害、免疫力低下
		銅（Cu）	ヘモグロビン形成に必要。鉄の吸収を助ける	魚介類、肉類、大豆	**欠乏症：**貧血
		ヨウ素（I）	甲状腺ホルモンの構成成分	海藻類、魚介類	**欠乏症：**甲状腺肥大、甲状腺腫 **過剰症：**甲状腺腫
ビタミン	脂溶性ビタミン	ビタミンA	皮膚粘膜の保護。抗がん作用	レバー、うなぎ、緑黄色野菜	**欠乏症：**夜盲症、発育阻害 **過剰症：**頭痛、先天奇形
		ビタミンD	カルシウムの吸収促進	魚介類、卵、きのこ類	**欠乏症：**くる病、骨軟化症、骨粗鬆症 **過剰症：**食欲不振、嘔吐
		ビタミンE	抗酸化作用	植物油、種実類、魚介類	**欠乏症：**溶血性貧血
		ビタミンK	血液凝固作用、カルシウム代謝に関与	緑黄色野菜、納豆	**欠乏症：**血液凝固時間延長、頭蓋内出血（新生児）
	水溶性ビタミン	ビタミンB₁	糖質代謝に関与	玄米、胚芽米、種実類、豚肉、うなぎ	**欠乏症：**脚気、ウェルニッケ脳症
		ビタミンB₂	糖質、脂質、たんぱく質代謝に関与	レバー、うなぎ、納豆、卵、乳・乳製品	**欠乏症：**成長障害、口唇炎、口角炎
		ナイアシン	エネルギー代謝に関与。皮膚、粘膜の保護	魚類、肉類、きのこ類	**欠乏症：**ペラグラ
		ビタミンB₆	たんぱく質代謝に関与	魚類、肉類、にんにく、バナナ	**欠乏症：**神経障害、皮膚炎
		ビタミンB₁₂	アミノ酸代謝に関与。赤血球の生成	魚介類、肉類。動物性食品のみ	**欠乏症：**悪性貧血
		葉酸	細胞分裂、赤血球の生成に関与	緑黄色野菜、肉類、枝豆、納豆	**欠乏症：**巨赤芽球性貧血、胎児の神経管閉鎖障害
		ビタミンC	抗酸化作用。鉄の吸収促進。コラーゲンの合成	野菜類、いも類、果実類	**欠乏症：**壊血病

Point

新生児の頭蓋内出血を予防するため、ビタミンKのシロップが投与される。

関連科目　子どもの食と栄養

ココをおさえよう！

日本人の食事摂取基準からの出題も多いといえます。ここの数字はすべてを暗記する必要はありませんが、推定エネルギー必要量についてなど、年齢による大まかな数値や男女の違いを理解しておきましょう。

🔑 キーワード

日本人の食事摂取基準（2020年版）

国民の健康の保持・増進、生活習慣病の発症予防のために参照する、エネルギー・栄養素の量の基準を示したガイドライン。習慣的な摂取量の基準を1日当たりで示している。科学的根拠に基づく策定を基本とし、5年ごとに改定される。最新版は2020年版で、生活習慣病の発症・重症化予防に高齢者の低栄養・フレイル予防が加えられた。

年齢区分

乳児…0～5か月、6～11か月の2区分（エネルギーとたんぱく質は、0～5か月、6～8か月、9～11か月の3区分）

小児…1～17歳（1～2歳、3～5歳、6～7歳、8～9歳、10～11歳、12～14歳、15～17歳に細分）

成人…18歳以上（18～29歳、30～49歳、50～64歳、65～74歳、75歳以上に細分）

エネルギーの指標

BMI（体格指数）と推定エネルギー必要量を採用。

$BMI = 体重（kg） ÷ 身長（m）^2$

推定エネルギー必要量 ＝ 基礎代謝量（kcal/日）× 身体活動レベル

Point

小児の場合は、エネルギー蓄積量が加算される。

▶ 栄養素の指標

推定平均必要量	その区分に属する人々の50％が必要量を満たすと推定される1日の摂取量（同時に50％の人は必要量を満たさない）
推奨量	その区分に属する人々のほとんど（97～98％）が必要量を満たすと推定される1日の摂取量
目安量	推定平均必要量を算定するのに十分な科学的根拠が得られない場合に、その区分に属する人々がある一定の栄養状態を維持するのに十分な量
目標量	生活習慣病の発症予防のために、現在の日本人が当面の目標とすべき摂取量
耐容上限量	健康障害をもたらすリスクがないとみなされる習慣的な摂取量の上限の量

出典：厚生労働省「日本人の食事摂取基準（2020年版）」をもとに作成

● 推定エネルギー必要量

Point

推定エネルギー必要量が最も多いのは、男性は15〜17歳、女性は12〜14歳。

性　別	男　性			女　性		
身体活動レベル	I	II	III	I	II	III
0〜5（月）	−	550	−	−	500	−
6〜8（月）	−	650	−	−	600	−
9〜11（月）	−	700	−	−	650	−
1〜2（歳）	−	950	−	−	900	−
3〜5（歳）	−	1,300	−	−	1,250	−
6〜7（歳）	1,350	1,550	1,750	1,250	1,450	1,650
8〜9（歳）	1,600	1,850	2,100	1,500	1,700	1,900
10〜11（歳）	1,950	2,250	2,500	1,850	2,100	2,350
12〜14（歳）	2,300	2,600	2,900	2,150	2,400	2,700
15〜17（歳）	2,500	2,800	3,150	2,050	2,300	2,550
18〜29（歳）	2,300	2,650	3,050	1,700	2,000	2,300
30〜49（歳）	2,300	2,700	3,050	1,750	2,050	2,350
50〜64（歳）	2,200	2,600	2,950	1,650	1,950	2,250
65〜74（歳）	2,050	2,400	2,750	1,550	1,850	2,100
75 以上（歳）	1,800	2,100	−	1,400	1,650	−
妊婦（付加量） 初期				+50	+50	+50
妊婦（付加量） 中期				+250	+250	+250
妊婦（付加量） 後期				+450	+450	+450
授乳婦（付加量）				+350	+350	+350

出典：厚生労働省「日本人の食事摂取基準（2020年版）」

● 身体活動レベル

Point

0〜5歳までの身体活動レベルは「ふつう（II）」の1段階のみ。

身体活動レベル	低い（I）	ふつう（II）	高い（III）
日常生活の内容	生活の大部分が座位で、静的な活動が中心の場合	座位中心の仕事だが、職場内での移動や立位での作業・接客等、通勤・買い物での歩行、家事、軽いスポーツ、のいずれかを含む場合	移動や立位の多い仕事への従事者、あるいは、スポーツ等余暇における活発な運動習慣を持っている場合
中程度の強度の身体活動の1日当たりの合計時間（時間/日）	1.65	2.06	2.53
仕事での1日当たりの合計歩行時間（時間/日）	0.25	0.54	1.00

出典：厚生労働省「日本人の食事摂取基準（2020年版）」をもとに作成

16 食事に関するさまざまな指針

関連科目 子どもの食と栄養

食生活指針からの抜粋や食事バランスガイドなどからの出題もあります。原文はとても長いので、ここに示されたポイントだけでもしっかり覚えておきましょう。

🔑 **キーワード**

食生活指針

文部省（現：文部科学省）、厚生省（現：厚生労働省）、農林水産省が2000（平成12）年に策定した指針。2016（平成28）年に改定された。「食生活指針」としての10項目と、それぞれの項目に対する「食生活指針の実践」が示されている。

楽しく食べる子どもに～食からはじまる健やかガイド～

厚生労働省が2004（平成16）年に策定したガイドライン。「現在をいきいきと生き、かつ生涯にわたって健康で質の高い生活を送る基本としての食を営む力を育てるとともに、それを支援する環境づくりを進めること」を、食を通じた健全育成のねらいとしている。

▶ 食事バランスガイド

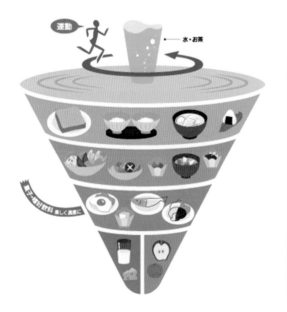

Point

1SVとは各料理区分における1回当たりの標準的な分量を大まかに示すもの。

種類	SV（1日分）	料理例
主食（ごはん、パン、麺など）	5〜7	1SV＝ごはん小盛り1杯、食パン1枚
副菜（野菜、きのこ、いも、海藻など）	5〜6	1SV＝野菜サラダ、きゅうりとわかめの酢の物、煮豆
主菜(肉、魚、卵、大豆料理など)	3〜5	1SV＝冷奴、納豆、目玉焼き一皿
牛乳・乳製品	2	1SV＝牛乳コップ半分、チーズ1かけ
果物	2	1SV＝みかん1個、りんご半分

出典：農林水産省ホームページ「食事バランスガイド」をもとに作成

● 食生活指針

食事を楽しみましょう。

- 毎日の食事で、健康寿命をのばしましょう。
- おいしい食事を、味わいながらゆっくりよく噛んで食べましょう。
- 家族の団らんや人との交流を大切に、また、食事づくりに参加しましょう。

適度な運動とバランスのよい食事で、適正体重の維持を。

- 普段から体重を量り、食事量に気をつけましょう。
- 普段から意識して身体を動かすようにしましょう。
- 無理な減量はやめましょう。
- 特に若年女性のやせ、高齢者の低栄養にも気をつけましょう。

ごはんなどの穀類をしっかりと。

- 穀類を毎食とって、糖質からのエネルギー摂取を適正に保ちましょう。
- 日本の気候・風土に適している米などの穀類を利用しましょう。

食塩は控えめに、脂肪は質と量を考えて。

- 食塩の多い食品や料理を控えめにしましょう。食塩摂取量の目標値は、男性で1日8g未満、女性で7g未満とされています。
- 動物、植物、魚由来の脂肪をバランスよくとりましょう。
- 栄養成分表示を見て、食品や外食を選ぶ習慣を身につけましょう。

食料資源を大切に、無駄や廃棄の少ない食生活を。

- まだ食べられるのに廃棄されている食品ロスを減らしましょう。
- 調理や保存を上手にして、食べ残しのない適量を心がけましょう。
- 賞味期限や消費期限を考えて利用しましょう。

Point

一人ひとりの健康増進、生活の質の向上、**食料の安定供給の確保な**どを図ることを目的としている。

1日の食事のリズムから、健やかな生活リズムを。

- 朝食で、いきいきした1日を始めましょう。
- 夜食や間食はとりすぎないようにしましょう。
- 飲酒はほどほどにしましょう。

主食、主菜、副菜を基本に、食事のバランスを。

- 多様な食品を組み合わせましょう。
- 調理方法が偏らないようにしましょう。
- 手作りと外食や加工食品・調理食品を上手に組み合わせましょう。

野菜・果物、牛乳・乳製品、豆類、魚なども組み合わせて。

- たっぷり野菜と毎日の果物で、ビタミン、ミネラル、食物繊維をとりましょう。
- 牛乳・乳製品、緑黄色野菜、豆類、小魚などで、カルシウムを十分にとりましょう。

日本の食文化や地域の産物を活かし、郷土の味の継承を。

- 「和食」をはじめとした日本の食文化を大切にして、日々の食生活に活かしましょう。
- 地域の産物や旬の素材を使うとともに、行事食を取り入れながら、自然の恵みや四季の変化を楽しみましょう。
- 食材に関する知識や調理技術を身につけましょう。
- 地域や家庭で受け継がれてきた料理や作法を伝えていきましょう。

「食」に関する理解を深め、食生活を見直してみましょう。

- 子供のころから、食生活を大切にしましょう。
- 家庭や学校、地域で、食品の安全性を含めた「食」に関する知識や理解を深め、望ましい習慣を身につけましょう。
- 家族や仲間と、食生活を考えたり、話し合ったりしてみましょう。
- 自分たちの健康目標をつくり、よりよい食生活を目指しましょう。

出典：文部省・厚生労働省・農林水産省「食生活指針」2016年

▶ 食を通じた子どもの健全育成の目標について

出典：厚生労働省「楽しく食べる子どもに〜食からはじまる健やかガイド〜」

▶「楽しく食べる子どもに〜保育所における食育に関する指針〜」の基本構造

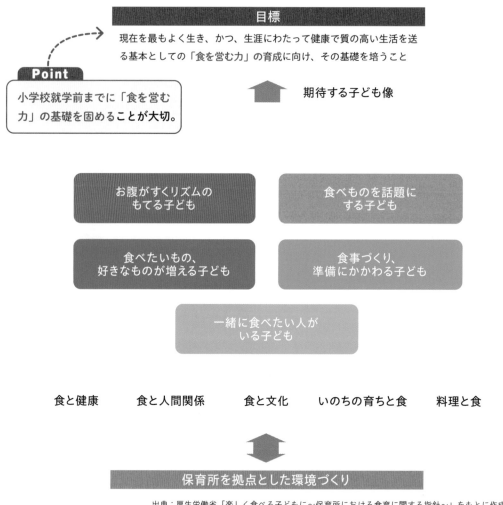

目標

現在を最もよく生き、かつ、生涯にわたって健康で質の高い生活を送る基本としての「食を営む力」の育成に向け、その基礎を培うこと

Point

小学校就学前までに「食を営む力」の基礎を固めることが大切。

期待する子ども像

お腹がすくリズムのもてる子ども

食べものを話題にする子ども

食べたいもの、好きなものが増える子ども

食事づくり、準備にかかわる子ども

一緒に食べたい人がいる子ども

食と健康　　食と人間関係　　食と文化　　いのちの育ちと食　　料理と食

保育所を拠点とした環境づくり

出典：厚生労働省「楽しく食べる子どもに〜保育所における食育に関する指針〜」をもとに作成

妊娠期・授乳期の健康と栄養

妊娠期と授乳期についての知識は保育士として必須です。母乳栄養と人工栄養、妊娠中の病気など、一つひとつの項目をしっかり確認していきましょう。

🔑 キーワード

葉酸

ビタミンB群（水溶性ビタミン）の一種で、海藻、レバー、豆類、緑黄色野菜などに含まれる。神経管閉鎖障害の予防のため、妊娠前から十分に摂取していることが大切。神経管閉鎖障害とは、胎児の神経管ができるとき（受胎後およそ28日まで）にうまくつながらない先天性異常で、無脳症・二分脊椎・髄膜瘤などがある。多くの場合、妊娠を知るのは神経管ができる時期よりも遅いため、妊娠に気づく前の段階から葉酸を十分に摂取する。神経管閉鎖障害を予防するためには、通常の食事に加えて、サプリメントなどで1日400μg摂取することが望まれる。

母乳栄養

子どもにとっても母体にとっても負担が少ない。母乳には乳児に必要な栄養素が含まれ、消化吸収効率もよい。母乳には免疫物質も含まれている。特に出産後約1週間までに分泌される母乳を初乳といい、たんぱく質やミネラルを多く含んでいる。乳児が欲しがるときに与える。

人工栄養

乳児用調製粉乳（育児用ミルク）による授乳法。表示されている濃度を守り、溶かす際には70℃以上のお湯を使用する。調乳後2時間以内に使用しなかったものは廃棄する。なお、母乳と人工栄養を併用することを混合栄養という。

▶妊娠中の体重増加の目安

妊娠前の体格		体重増加指導の目安	
低体重（やせ）	BMI 18.5未満	12〜15kg	
普通体重	BMI 18.5以上25.0未満	10〜13kg	**Point** 妊娠前の低体重は、低出生体重児や早産のリスクが高まる。
肥満（1度）	BMI 25.0以上30.0未満	7〜10kg	
肥満（2度以上）	BMI 30.0以上	個別対応（上限5kgまでが目安）	

出典：厚生労働省「妊娠前からはじめる妊産婦のための食生活指針〜妊娠前から、健康なからだづくりを〜」2021年をもとに作成

● 妊娠前からはじめる妊産婦のための食生活指針 ～妊娠前から、健康なからだづくりを～（抜粋）

① 妊娠前から、バランスのよい食事をしっかりとりましょう

②「主食」を中心に、エネルギーをしっかりと

③ 不足しがちなビタミン・ミネラルを、「副菜」でたっぷりと

④「主菜」を組み合わせてたんぱく質を十分に

Point

「妊産婦のための食生活指針」は、2021（令和3）年に「妊娠前からはじめる妊産婦のための食生活指針」に改定・名称変更された。

⑤ 乳製品、緑黄色野菜、豆類、小魚などでカルシウムを十分に

⑥ 妊娠中の体重増加は、お母さんと赤ちゃんにとって望ましい量に

⑦ 母乳育児も、バランスのよい食生活のなかで

⑧ 無理なくからだを動かしましょう

⑨ たばことお酒の害から赤ちゃんを守りましょう

⑩ お母さんと赤ちゃんのからだと心のゆとりは、周囲のあたたかいサポートから

出典：厚生労働省「妊娠前からはじめる妊産婦のための食生活指針～妊娠前から、健康なからだづくりを～」2021年をもとに作成

「赤ちゃん学」の発展によって、妊娠前や妊娠中の母体が、生まれてくる赤ちゃんの発育に大きな影響を与えていることがわかってきました。

● 妊娠期・授乳期に気をつけること

食品	ビタミンA	妊娠初期の過剰摂取は先天奇形を増加させるので、ビタミンAを多く含む食品（レバーなど）やサプリメントの大量摂取は避ける。緑黄色野菜に多く含まれるカロテノイドによるビタミンAの過剰症の心配はない
	非加熱食品	リステリア菌の増殖により、早産や流産の原因になったり胎児に影響が出る可能性があるので、生ハム、スモークサーモン、ナチュラルチーズなどは摂取を避ける
	水銀	大型の魚（キンメダイ、メカジキ、クロマグロ、メバチマグロなど）はメチル水銀を多く含むことがある。妊娠中に非常に多くのメチル水銀をとると、胎児の神経系に悪影響がでることがあるので、妊娠中は大型の魚の食べすぎには注意が必要
	大豆イソフラボン	女性ホルモンに似た生体作用をもっている。胎児に将来的にどのような健康影響が生じる可能性があるかは判断できないので、とりすぎには注意する
	カフェイン	適量のカフェインは眠気を覚ます効果があるが、妊娠中にとりすぎると、胎児の発育に影響が及ぶ可能性が指摘されている。カフェイン摂取量をゼロにする必要はないが、妊娠中はとりすぎに注意する

健康で元気な赤ちゃんを産み育てるためには、母親自身の健康な生活リズムが大切です。睡眠や適度な運動・食事などに配慮します。

感染症	風疹	妊娠中に罹患すると先天性風疹症候群（胎児の心臓の先天異常、白内障、聴力障害など）を引き起こすことがある
	B型肝炎	乳児に感染しても多くは無症状だが、まれに乳児期に重い肝炎を起こすことがある。将来、肝炎、肝硬変、肝がんになることもある
	トキソプラズマ（寄生虫）	加熱不十分な豚や羊などの肉や、ネコの糞便に含まれていることがあり、これらが口に入ることによって人に感染する。妊娠中に初めてトキソプラズマに感染すると、流産や死産、胎児の水頭症などを起こすことがある。食肉からのトキソプラズマ感染は、食肉を中心部までしっかり加熱することで防げる
	サイトメガロウイルス	多くの成人がウイルスを保有し、だ液や尿に含まれる。流産、新生児死亡、先天異常（小頭症、難聴、網脈絡膜炎など）の原因となる
アルコール		妊娠中の飲酒は、早産、胎児の発育不全や特異顔貌、多動学習障害を含む胎児性アルコール症候群を引き起こす可能性がある。また、アルコールは母乳にも移行し、乳児の発達に影響を与える。妊娠がわかったときから授乳終了まで、アルコール飲料は避ける
喫煙		妊娠中の喫煙は、早産や前期破水などの妊娠合併症や、子の口唇裂および口蓋裂、先天性心疾患、腹壁破裂、低体重発育不全、死産および流産、乳児死亡率などの増加との関連が報告されている。また、妊婦や子の受動喫煙も、子の発達障害、出生時体重の低下および乳幼児突然死症候群リスクの増加との関連が懸念されているので、喫煙は避ける

▶ マタニティブルーズ・産後うつ

マタニティブルーズ		産後うつ
産後数日～2週間以内に現れる気分の落ち込み、涙もろさなどの精神症状。ホルモンバランスの変化が原因。約30％の女性に起こる。多くは一過性のものだが、一部は産後うつに移行することがある。	一部が移行	出産後2週間以上にわたり、日常生活に支障をきたすほどのうつ症状（極度の悲しみ、罪悪感、不眠など）が持続している状態。産後の女性の10～15％に起こる。

マタニティーブルーズや産後うつに関して、その原因がホルモンバランスによるものであると科学的に解明されてきました。

▶ 調乳の種類、方法

無菌操作法	終末殺菌法
消毒した哺乳びんに一度沸騰させた70℃以上のお湯を入れて粉末のミルクを溶かし、流水などで体温程度まで冷やす方法。	哺乳びんに調合済みのミルクを入れ、哺乳びんごと加熱殺菌したのち冷やす方法。病院や施設など、大量調乳する場合に用いる。

18

離乳期・幼児期の食生活

関連科目 子どもの食と栄養

離乳に関する知識は、保育士として重要な知識となります。特に、0歳児クラスで役に立つ「離乳の進め方の目安」は、しっかり流れを理解しておきましょう。

ココをおさえよう！

🔑 キーワード

間食

幼児は体が小さいわりに、多くのエネルギー・栄養素を必要とする。間食には、1日3回の食事だけでは不足するエネルギー・栄養素や水分を補給する役割がある。また、休息や楽しみといった精神面での役割もある。時間を決めて規則的に与えるようにする。

フォローアップミルク

生後9か月以降に使用する調製粉乳。不足しがちな栄養素（鉄など）を補う目的で使用するが、離乳食で十分な栄養素がとれている場合は必要ない。

▶ 離乳の時期

離乳初期 （生後5〜6か月頃）	● 離乳の開始とは、なめらかにすりつぶした状態の食物を初めて与えたときをいう ● 離乳開始時期の子どもの発達状況の目安としては、首のすわりがしっかりして寝返りができ、5秒以上座れる、スプーンなどを口に入れても舌で押し出すことが少なくなる、食べ物に興味を示すなどが挙げられる ● 離乳食は1日1回与える。母乳または育児用ミルクは、授乳のリズムに沿って子どもの欲するままに与える
離乳中期 （生後7〜8か月頃）	● 舌でつぶせる固さのものを与える。離乳食は1日2回にして、生活リズムを確立していく ● 母乳または育児用ミルクは離乳食の後に与え、このほかに授乳のリズムに沿って母乳は子どもの欲するままに、育児用ミルクは1日に3回程度与える
離乳後期 （生後9〜11か月頃）	● 歯ぐきでつぶせる固さのものを与える。離乳食は1日3回にし、食欲に応じて離乳食の量を増やす ● 離乳食の後に母乳または育児用ミルクを与える。このほかに、授乳のリズムに沿って母乳は子どもの欲するままに、育児用ミルクは1日2回程度与える ● 手づかみ食べが始まるので、積極的に手づかみ食べをさせる
離乳の完了 （生後12〜18か月頃）	● 離乳の完了とは、形のある食物をかみつぶすことができるようになり、エネルギーや栄養素の大部分が母乳または育児用ミルク以外の食物から摂取できるようになった状態をいう ● 食事は1日3回となり、そのほかに1日1〜2回の補食を必要に応じて与える。母乳または育児用ミルクは、子どもの離乳の進行および完了の状況に応じて与える ● 離乳の完了は、母乳または育児用ミルクを飲んでいない状態を意味するものではない

出典：厚生労働省「授乳・離乳の支援ガイド（2019年改定版）」をもとに作成

Point

はちみつは、乳児ボツリヌス症を引き起こすリスクがあるため、1歳を過ぎるまでは与えない。

離乳の進め方の目安

			離乳初期 生後5〜6か月頃	離乳中期 生後7〜8か月頃	離乳後期 生後9〜11か月頃	離乳完了期 生後12〜18か月頃
			離乳の開始 ⟶ 離乳の完了			
食べ方の目安			● 子どもの様子をみながら1日1回1さじずつ始める ● 母乳や育児用ミルクは飲みたいだけ与える	● 1日2回食で食事のリズムをつけていく ● いろいろな味や舌ざわりを楽しめるように食品の種類を増やしていく	● 食事リズムを大切に、1日3回食に進めていく ● 共食を通じて食の楽しい体験を積み重ねる	● 1日3回の食事リズムを大切に、生活リズムを整える ● 手づかみ食べにより、自分で食べる楽しみを増やす
調理形態			なめらかにすりつぶした状態	舌でつぶせる固さ	歯ぐきでつぶせる固さ	歯ぐきでかめる固さ
1回当たりの目安量	I	穀類(g)	つぶしがゆから始める すりつぶした野菜等も試してみる 慣れてきたら、つぶした豆腐・白身魚・卵黄等を試してみる	全がゆ50〜80	全がゆ90〜軟飯80	軟飯90〜ご飯80
	II	野菜・果物(g)		20〜30	30〜40	40〜50
	III	魚(g)		10〜15	15	15〜20
		又は肉(g)		10〜15	15	15〜20
		又は豆腐(g)		30〜40	45	50〜55
		又は卵(個)		卵黄1〜全卵1/3	全卵1/2	全卵1/2〜2/3
		又は乳製品(g)		50〜70	80	100
歯の萌出の目安				乳歯が生え始める	1歳前後で前歯が8本生えそろう	
						離乳完了期の後半頃に奥歯(第一乳臼歯)が生え始める
摂食機能の目安			口を閉じて取り込みや飲み込みが出来るようになる	舌と上あごでつぶしていくことが出来るようになる	歯ぐきでつぶすことが出来るようになる	歯を使うようになる

※衛生面に十分に配慮して食べやすく調理したものを与える

出典：厚生労働省「授乳・離乳の支援ガイド（2019年改定版）」をもとに作成

Point

アレルギー予防の観点から卵は卵黄から与える。

19 食育

関連科目 子どもの食と栄養

2005（平成17）年に制定された「食育基本法」の影響から、保育所でも食育に力を入れるようになりました。そこから関連する知識を幅広く覚えていきましょう。

🔑 キーワード

食育推進基本計画

「食育基本法」に基づいて、食育の推進に関する基本的な方針や目標について、農林水産省が定めた計画。現在は第4次食育推進基本計画（2021〔令和3〕～2025〔令和7〕年度）が取り組まれている。第4次食育推進基本計画では、2020年度までの5年間の取組による成果と、SDGsの考え方を踏まえ、多様な主体と連携・協働し、3つの重点事項を柱に取組と施策を推進している。

一汁三菜

主食（ご飯、パン、麺類）、汁物、主菜（魚、肉、卵、大豆製品）、副菜（野菜、海藻類、いも類など）、副々菜（副菜と同様）と汁物からなる献立。「主食→主菜→副菜・副々菜→汁物」の順に献立を決める。

郷土食

各地域には伝統的な食事や食材があり、農林水産省では全国（各都道府県別）の農山漁村の郷土料理百選をまとめている。北海道の石狩鍋、山梨県のほうとう、愛知県のひつまぶし、福岡県のがめ煮などがある。

> **Point**
> 第4次食育推進基本計画には、新型コロナウイルス感染症の流行による「新たな日常」やデジタル化への対応が盛り込まれた。

▶ 第4次食育推進基本計画の3つの重点事項

重点事項①		重点事項②
生涯を通じた心身の健康を支える食育の推進 国民の健康の視点	連携	持続可能な食を支える食育の推進 社会・環境・文化の視点

重点事項③

「新たな日常」やデジタル化に対応した食育の推進
横断的な視点

SDGsの観点から相互に連携して総合的に推進

出典：農林水産省「第4次食育推進基本計画」2022年

●「食育基本法」の目的と食育の定義

「食育基本法」の目的	国民が生涯にわたって健全な心身を培い、豊かな人間性をはぐくむための食育を推進することが緊要な課題となっていることにかんがみ、食育に関し、基本理念を定め、及び国、地方公共団体等の責務を明らかにするとともに、食育に関する施策の基本となる事項を定めることにより、食育に関する施策を総合的かつ計画的に推進し、もって現在及び将来にわたる健康で文化的な国民の生活と豊かで活力ある社会の実現に寄与すること
食育の定義	生きる上での基本であって、知育・徳育・体育の基礎となるものであり、様々な経験を通じて「食」に関する知識と「食」を選択する力を習得し、健全な食生活を実現することができる人間を育てる

●食育の5項目(3歳以上児)

食と健康	食を通じて、健康な心と体を育て、自ら健康で安全な生活をつくり出す力を養う
食と人間関係	食を通じて、他の人々と親しみ支え合うために、自立心を育て、人と関わる力を養う
食と文化	食を通じて、人々が築き、継承したきたさまざまな文化を理解し、つくり出す力を養う
いのちの育ちと食	食を通じて、自らも含めたすべてのいのちを大切にする力を養う
料理と食	食を通じて、素材に目を向け、素材に関わり、素材を調理することに関心をもつ力を養う

Point
年齢ごとにねらい及び内容が設定され、3歳以上児に関しては5項目が設定されている。

出典：厚生労働省「楽しく食べる子どもに～保育所における食育に関する指針」2004年をもとに作成

●主な行事食

時期	料理や食品
1月1日　正月	おせち料理、雑煮、鏡餅
1月7日　人日の節句・七草の節句	七草がゆ
1月11日か20日　鏡開き	鏡餅のおしるこ
2月3日頃　節分	いり豆、恵方巻き
3月3日　ひな祭り(上巳の節句)	はまぐりのお吸い物、ちらしずし、菱餅、白酒、ひなあられ
3月20日頃　春の彼岸(春分の日)	ぼた餅、団子
5月5日　こどもの日(端午の節句)	ちまき、柏餅
7月7日　七夕の節句	そうめん
8月13～15日　お盆(地域によって異なる)	精進料理、らくがん
9月9日　重陽の節句	菊飯、菊酒
9月23日頃　秋の彼岸(秋分の日)	おはぎ、団子
12月22日頃　冬至	かぼちゃ、こんにゃく、小豆がゆ
12月31日　大晦日	年越しそば

Point
5節句にちなんだ料理も覚えておく。

※節分、春・秋の彼岸、冬至は年によって日程が多少前後する。

健康・安全のための連携・計画

関連科目 子どもの保健　子どもの食と栄養　保育原理

安全教育・健康教育・食育などは、どれも子どもの成長・発達に欠かせないものです。ここでは、それらに関する知識を横断的に学んでいきましょう。

🔑 キーワード

安全教育

子ども自身が自分の安全を守れるようにするために、成長・発達段階に合わせて行う。安全に行動するためには、危険に早期に気づく**危険予知能力**と、危険を避けて防ぎ、事故にあったときにすぐに大人に知らせる**危険対応能力**が必要である。

健康教育

子どもや職員に対して、心身の健康の保持・増進のために必要な知識・態度を指導する。子どもに対しては、成長・発達段階に合わせて手洗い、うがい、歯磨き、プライベートゾーンなど、職員に対しては、感染症、食物アレルギー、事故防止、乳幼児突然死症候群を指導する。

保健だより

保護者向けのたより。季節に合わせ、1か月に1回くらいを目安に出す。健康に関する情報、アドバイス、子どものようすなどを示す。

▶ 食育計画と保健計画

食育計画	保健計画
目的：「保育所保育指針」に基づき、乳幼児期にふさわしい食生活が展開され、適切な援助が行われるようにすること	**目的：**子どもの健康の保持及び増進、および安全の確保
内容：食事の提供を含む	**内容：**年間・月間の保健活動のねらいや内容をまとめたもの。保健活動には、子どもの発育発達の把握、健康管理、嘱託医との連携、子どもへの生活習慣指導、健康教育、安全教育、感染症等の早期発見・対応、けがや体調不良の子どもへの対応などがある
作成者：施設長、保育士、栄養士、調理員など	**作成者：**施設長、保育士、看護師、栄養士等

全体的な計画

Point
関わる職員の違いを押さえておく。

食育や保健に関わる職員や機関

栄養士・調理員	栄養士が配置されている場合には献立の作成、栄養の管理、指導、教育を行う。調理員は必置である[注]
看護師	配置されている場合には、専門性を生かした対応を図る
嘱託医	子どもの健康診断、子どもの健康全般についての相談、指導
保健所・保健センター	保健所、保健センターとも「地域保健法」に規定されている 保健所は都道府県、特別区などが設置し、地域における母子保健サービス活動の拠点 保健センターは市町村が設置し、身近な住民の健康づくりのための拠点として、母子保健事業、一般的な健康相談、保健指導、予防接種、定期健診などを行う
児童発達支援センター	障害のある児童を通所させ、日常生活における基本的動作及び知識・技能の習得、集団生活への適応のための支援を行う。肢体不自由児にはさらに治療などを行う

注：調理業務の全部を委託する施設では置かないことができる

Point
児童発達支援センターは、2024年4月から福祉型と医療型が一元化された。

保育所による保育内容等の自己評価

記録	保育士等の自己評価	保護者アンケート 外部からの意見・助言・指摘

適切な観点・項目の設定

● 全般的な評価　● 重点的な評価　● 特定の取組の成果検証

現状・課題の把握と共有

● 現状の見直し　● 課題の意識化　● 理念や方針の再確認　● 良さや特色への気づき、再認識

改善・充実に向けた検討

● 今後の見通しの明確化　● 具体的な方策の検討　● 役割分担の見直し、職員体制等

改善・充実の取組の実施

● 職員の協働　　　　　　　　　● 自治体や法人等への報告、協議　　● 関係機関との連携
● 必要な知識及び技術の修得、向上　　　　　　　　　　　　　　　　● 結果の公表

全職員による共通理解の下での取組

出典：厚生労働省「保育所における自己評価ガイドライン（2020年改定版）」

Point
保健活動を含めた自己評価には保育士等の自己評価と保育所の自己評価がある。

21 災害への備え

関連科目 子どもの保健　保育原理

ココをおさえよう！

東日本大震災をきっかけに、災害への備えの重要性があらためて見直されました。ここでは、保育所での災害への備えについて確認していきましょう。

🗝 キーワード

引き渡し訓練

避難訓練の一つで、実際に保護者に迎えに来てもらい、子どもを引き渡す訓練。保育所までの到着時間や危険箇所を保護者に確認してもらう。到着時間は、交通手段が使えない場合を想定して、徒歩だけの場合や、職場から保育所、自宅から保育所の場合も確認してもらう。

ハザードマップ

自然災害（津波、火山の噴火、高潮、大雨による洪水、土砂災害など）による被害とその範囲を予測した地図。国土交通省や各自治体が公表している。保育所のある自治体のハザードマップを見て、避難場所や避難経路などを確認しておく。

災害への備え

2017（平成29）年改定の保育所保育指針から第3章「健康及び安全」に、新たに「災害への備え」の項目が追加された。これは東日本大震災をきっかけとした、保育所における安全や防災の必要性に関する社会的意識の高まりが背景となっている。

▶「保育所保育指針」における災害への備え

①施設・設備等の安全確保	ア	防火設備、避難経路等の安全性が確保されるよう、定期的にこれらの安全点検を行うこと
	イ	備品、遊具等の配置、保管を適切に行い、日頃から、安全環境の整備に努めること
②災害発生時の対応体制及び避難への備え	ア	火災や地震などの災害の発生に備え、緊急時の対応の具体的内容及び手順、職員の役割分担、避難訓練計画等に関するマニュアルを作成すること
	イ	定期的に避難訓練を実施するなど、必要な対応を図ること
	ウ	災害の発生時に、保護者等への連絡及び子どもの引渡しを円滑に行うため、日頃から保護者との密接な連携に努め、連絡体制や引渡し方法等について確認をしておくこと
③地域の関係機関等との連携	ア	市町村の支援の下に、地域の関係機関との日常的な連携を図り、必要な協力が得られるよう努めること
	イ	避難訓練については、地域の関係機関や保護者との連携の下に行うなど工夫すること

> **Point**
>
> 地域の関係機関とは医療機関、警察などを指す。

▶ 災害への備え（保育環境）

出入り口	● 災害時の避難口、避難経路が確保されているか常に意識する ● 非常口の近辺にはものを置かない
家具	● ストッパー、転倒防止の設置を行う ● 家具の上にものを置いていないか、引き出しは閉まっているか、落下してくるものはないか確認する
壁面	● 釘や鋭利な突起物が残っていないか、落下の危険はないか確認する ● カーテン、装飾などに使う布や置物などは、防災加工してあるもの、または有毒ガスなどが発生しないものを使用する（1㎡以上の布は防災加工が必要）
廊下	● ものを置かない（避難通路になるため）

> **Point**
> 非常口や避難経路にはものを置かない。

出典：内閣府・文部科学省・厚生労働省「教育・保育施設等における事故防止及び事故発生時の対応のためのガイドライン」2016年を一部抜粋

▶ 危険箇所の点検・避難経路の確認

保育室	● 棚、ロッカー、ピアノなどが倒れないように固定する ● 窓ガラスに飛散防止シートを貼る
園庭	● ブロック塀や固定遊具の強度や安定性を点検する
消火用具、非常口	● 消火器の点検 ● 非常口の誘導灯の常時点灯、照度（明るさ）、位置のチェック ● 警報設備や非常電源の作動の点検
避難ルート	● 避難場所までの所要時間、避難方法、避難ルート、転倒・転落の危険物や落下物の危険性をチェックする ● 災害発生時には道路が通れなくなることもあるので、避難ルートは2通り以上設定しておく
ハザードマップの活用	● 河川の氾濫・土砂災害・高潮・地震・火山の噴火・津波のおそれなど、保育所の立地条件によって警戒すべき自然災害は異なる。ハザードマップを活用し、避難する際に必要な情報を記入した防災マップを、それぞれの園で作成しておく

> **Point**
> 防火設備、避難経路の点検は定期的に行う。

▶ 保育所の避難訓練

法律
● 「消防法」で義務付けられている ● 「児童福祉施設の設備及び運営に関する基準」で少なくとも毎月1回以上行うことが定められている

職員	子ども	他機関
● 危険箇所の点検や避難訓練は、保育時間内に実施する ● 全職員が実践的な対応能力を養う ● 避難訓練計画、職員の役割分担、緊急時の対応についてマニュアルを作成する	● 子ども自身が発達過程に応じて、災害発生時に取るべき行動や態度を身につける	● 消防署をはじめ、近隣の地域住民や保護者にも参加してもらう

保育所では自然災害の避難訓練のほかにも、不審者侵入による避難訓練なども行われています。

関連科目 子どもの保健　子ども家庭福祉

母子保健法における定義は、さまざまな科目から出題されます。また、市町村が実施する母子保健事業も詳細が問われるので、確実に覚えておく必要があります。

🔑 キーワード

母子保健法（1965〔昭和40〕年制定）

「母性並びに乳児及び幼児の健康の保持及び増進を図るため、母子保健に関する原理を明らかにするとともに、母性並びに乳児及び幼児に対する保健指導、健康診査、医療その他の措置を講じ、もつて国民保健の向上に寄与することを目的とする」（第1条）。保護者の努力、国及び地方公共団体の責務、保健指導、新生児の訪問指導、健康診査、母子健康手帳などが定められている。

地域保健法（1947〔昭和22〕年制定）

「地域保健対策の推進に関する基本指針、保健所の設置その他地域保健対策の推進に関し基本となる事項を定めることにより、母子保健法（昭和40年法律第141号）その他の地域保健対策に関する法律による対策が地域において総合的に推進されることを確保し、もつて地域住民の健康の保持及び増進に寄与することを目的とする（第1条）」。保健所や市町村保健センターの役割などが定められている。

▶母子保健法におけるさまざまな定義

新生児
出生後28日を経過しない乳児

↓

乳児
1歳に満たない者

↓

幼児
満1歳から小学校就学の始期に達するまでの者

未熟児
身体の発育が未熟のまま出生した乳児であって、正常児が出生時に有する諸機能を得るに至るまでのもの

妊産婦
妊娠中または出産後1年以内の女子

保護者
親権を行う者、未成年後見人その他の者で、乳児または幼児を現に監護する者

Point
法律によって定義が異なることに注意。

▶ 主な母子保健事業

Point

この時にマタニティマークを配布されることが多い。

名称	実施主体	内容
母子健康手帳の交付	市町村	● 市町村が妊婦と関わる最初の接点 ● 妊娠の届出をした人に交付される ● 手帳には、妊娠・出産や育児期の健康記録のほか、カウプ指数など発育の状況を把握するためのグラフや予防接種歴などを記入できる欄がある
妊婦健康診査	市町村	● 妊婦の健康状態や疾病の有無を調べ、指導を行う ● 健康診査（公費による受診が可能）と、精密検査（必要に応じて行われる）がある
保健指導	市町村	● 妊産婦や配偶者、乳幼児の保護者が対象 ● 妊婦の場合、食事や運動、疾病予防などの指導を行う。乳幼児の場合はそれに加え、予防接種や子育ての悩みなどについても対応する ● 集団指導と個別指導がある
訪問指導	市町村	● 妊産婦や新生児・乳幼児のいる家庭を保健師や助産師などが訪問する ● 「新生児訪問指導」は、生後28日以内（里帰り出産の場合には60日以内）に保健師や助産師が訪問し、新生児の発育、栄養、生活環境、疾病予防など育児上重要な事項を指導する。
乳児健康診査	市町村	● 公費により、必要に応じて行う2回の健康診査。3～4か月児、9～10か月児に対して行われることが多い ● 病気や運動の発達状況の確認を行うほか、保護者の育児に関する相談も行う
1歳6か月児健康診査	市町村	● 保健センターなどで行う ● 1歳6か月以上2歳未満の幼児が対象 ● 病気や精神、運動の発達状況の確認、歯科健診を行うほか、保護者の育児に関する相談も行う
3歳児健康診査	市町村	● 保健センターなどで行う ● 3歳児が対象 ● 病気や精神、運動の発達状況の確認、歯科健診を行うほか、保護者の育児に関する相談も行う。3歳児健診では視聴覚検査や尿検査も行う

保育士として働いていると、保護者からの発達に関する相談も多く、保健センターと連携して1歳6か月児健康診査や3歳児健康診査の結果を三者で共有することもあります。

▶ 主な妊産婦や子どもに対する医療援護対策

名称	実施主体	内容
不妊症・不育症対策	都道府県	● 高額な医療費がかかる不妊治療について体外受精などの基本医療は健康保険を適用する ● 年齢や回数には制限がある
未熟児養育対策 （未熟児養育医療の給付）	市町村	● 低（出生）体重児が出生した家庭に対し、訪問指導が行われる ● 高度な養育医療を必要とする未熟児には、養育医療の給付を行う

名称	実施主体	内容
小児慢性特定疾病医療支援（児童福祉法）	都道府県、指定都市、中核市	● 治療にかかった費用の一部支給や医療・福祉に関する相談援助等などの自立を支援する ● 小児慢性特定疾病とは、18歳までの児童または20歳未満の者がかかった疾病のうち、長期の療養を必要とし、また生命に危険が及ぶおそれがある疾病で、療養に多額の費用がかかるものとして厚生労働大臣が定めた疾病で、以下のものがあげられる ● 悪性新生物　● 皮膚疾患群　● 慢性呼吸器疾患 ● 慢性心疾患　● 慢性腎疾患　● 膠原病 ● 糖尿病　● 内分泌疾患　● 血液疾患 ● 免疫疾患　● 先天性代謝異常　● 慢性消化器疾患 ● 染色体または遺伝子に変化を伴う症候群　● 神経・筋疾患　● 脈管系疾患 ● 骨系統疾患
自立支援医療（育成医療）の給付（障害者総合支援法）	市町村	● 18歳未満で、手術などによる治療の効果が期待できる障害児に対し医療費を支給する ● 視覚障害、聴覚障害のほか、心疾患などの内部障害にも適用される

● こども家庭センター

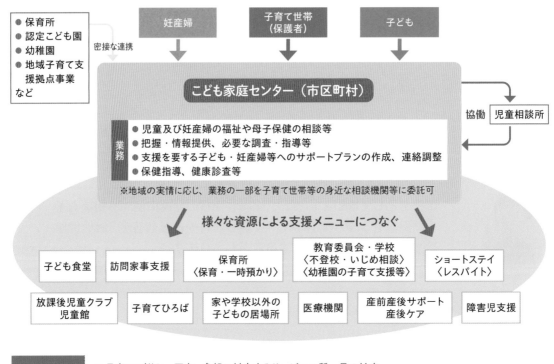

出典：こども家庭庁「こども家庭センターについて」2023年をもとに作成

第 6 章

保育に関わる表現技術

第6章では、「音楽」「造形」「言語」に関する理論をまとめています。いずれも保育実習理論で出題される範囲ですが、筆記試験に合格したあとの実技試験とも関連しますので、しっかりおさえておきましょう。

 この章のキーワード

音楽用語　子どもの歌　音程　音階　調号　標語　和音（コードネーム）

描画表現　色の三要素　描画材　描画技法　絵本

関連科目 保育実習理論

ココをおさえよう！

音楽用語や子どもの歌は、「保育実習理論」の科目でよく出題されます。音楽は保育と密接な関係にありますから、保育士として働く際に必要な知識として蓄えておきましょう。

🔑 キーワード

赤い鳥童謡運動

『赤い鳥』は、1918（大正7）年に鈴木三重吉が創刊した児童向けの雑誌。北原白秋、西條八十、野口雨情などが童謡を創作して掲載。教育目的で作られた唱歌の歌詞を批判し、芸術性を尊重して作られた。ここで公表された曲は広く歌われるようになり、これに影響されて童謡を掲載した多くの児童雑誌が刊行され「赤い鳥童謡運動」が展開された。

わらべうたと童謡

子ども向けの歌を総称して童謡ということもあるが、一般的には、遊び歌として子どもに歌い継がれてきた作者不詳のものをわらべうた、子どものために作詞・作曲されたものを童謡として区別。

金管楽器と木管楽器

金管楽器はくちびるを振動させることで音を出す管楽器。木管楽器は、穴に息を吹き込むことで音を出すものと、薄い板状のリードを口にくわえて振動させて音を出すものがある。

▶ 音楽に関わるさまざまな用語

唱歌	明治から昭和にかけて文部省（現文部科学省）が音楽の教材として選定した歌。当時の学校の音楽教育の教科名でもあった
わらべうた（伝承童謡）	子どもたちに遊びとともに歌い継がれている歌で、作者は不詳。地方によって歌詞や旋律が異なって伝承されていることがある。ほとんどの曲が音階の4番目の音（ファ）と7番目の音（シ）がない5音の音階（ヨナ〔4・7〕抜き音階）でできている
童謡	児童向けに創作（作詞・作曲）された歌。一般的に赤い鳥童謡運動（大正時代）以降に作られたものを指す

Point

2音でつくられていて上の音で終わる歌が多い。

コダーイシステム	ハンガリーの作曲家コダーイが考案した教育方法で、ハンガリーに伝わる民謡を教材として、遊びながら音程やリズムを子どもに体得させる。移動ド唱法と手を使って音の高さを表わすのが特徴
オイリュトミー	ドイツの思想家・哲学者シュタイナーが考案した教育方法で、聞いている音楽を体を使って表現する
リトミック	スイスの作曲家ダルクローズによって考案された教育方法で、リズム運動、ソルフェージュ（楽譜を読む、音を聞き取るなどの基礎訓練）、即興演奏によって表現する。日本では、小林宗作が普及させた
ワルツ	ドイツの古い舞曲から生まれたとされる3拍子の曲。円を描きながら踊るため、円舞曲ともよばれている
サンバ	ブラジルの踊りのリズムや曲。リオのカーニバルで踊られている
メヌエット	フランスで生まれた舞曲で、3拍子のゆったりとした曲
マーチ	行進曲のこと。2拍子が多いが4拍子の曲もある

▶ 子どもの歌

曲名	作詞者	作曲者
ぞうさん	まど・みちお	團 伊玖磨
七つの子	野口雨情	本居長世
桃太郎	不詳	岡野貞一
線路は続くよどこまでも	佐木 敏	アメリカ民謡
おもちゃのチャチャチャ	野坂昭如	越部信義
手をたたきましょう	小林純一	外国曲
犬のおまわりさん	佐藤義美	大中 恩
手のひらを太陽に	やなせたかし	いずみたく
むすんでひらいて	不詳	ルソー
こいのぼり	近藤宮子	不詳
一年生になったら	まど・みちお	山本直純
あめふりくまのこ	鶴見正夫	湯山 昭
小鳥のうた	与田準一	芥川也寸志
さんぽ	中川李枝子	久石 讓
おつかいありさん	関根栄一	團 伊玖磨
海	林 柳波	井上武士
ありさんのおはなし	都築益世	渡辺 茂
気のいいあひる	高木義夫	ボヘミア民謡
たき火	巽 聖歌	渡辺 茂

Point

「ぞうさん」はまど・みちお、「七つの子」は野口雨情が作詞。

Point

「むすんでひらいて」はルソー、「犬のおまわりさん」は大中 恩が作曲。

ここにまとめた曲は保育現場でもよく歌われている曲です♪

2 楽譜の読み方

関連科目 保育実習理論

ここからは楽典の基礎に入っていきます。まずは楽譜を読んでいきましょう。ここは小・中学校の音楽で学ぶような内容なので、復習だと思って確認しましょう。

🔑 キーワード

大譜表

五線譜が2段になった楽譜。曲の主旋律でピアノを演奏するときの右手部分が上段、左手部分が下段になることが多い。楽譜には音符や演奏するために必要な情報が記号で示されている。

リズム譜

1本の線の上に音符を書いて音の長さ（リズム）だけを示した楽譜。音の高低は示されていない。打楽器などの楽譜として使われる。

音名と階名

音名は音そのものの名前で、調号が変わっても音名は変わらない。階名は音階の中の名前なので、同じ音でも調号が変わると階名は変わる。

▶ 楽譜に書かれている基本的な情報（ピアノ演奏用の大譜表の例）

- ト音記号（高音部の楽譜であることを示す）
- 縦線（小節の区切りを示す）
- 調子記号（楽譜の調性〔何調であるか〕を示す）
- 拍子記号（何拍子の楽譜であるかを示す。これは4分の4拍子）
- ヘ音記号（低音部の楽譜であることを示す）
- 小節（拍子の拍数ごとのまとまり。これは4分音符が4拍で1小節）
- 終止線（楽譜の終わりを示す）

▶ リズム譜（上の大譜表の高音部のリズム譜）

◐ 音名

伊	ド	レ	ミ	ファ	ソ	ラ	シ
日	ハ	ニ	ホ	ヘ	ト	イ	ロ
英	シー C	ディー D	イー E	エフ F	ジー G	エー A	ビー B
独	ツェー C	デー D	エー E	エフ F	ゲー G	アー A	ハー H

- イタリア語音名は、実際に音を読んだり歌ったりするときに使われる。
- 日本語音名は調名で使われる。
- 英語音名はコードで使われる。

◐ 音名と階名（ト長調）

音名	ソ	ラ	シ	ド	レ	ミ	ファ
階名	ド	レ	ミ	ファ	ソ	ラ	シ

- 音名は楽譜上の音そのものの名前。調号が変わっても音名は変わらない。
- 階名は音階の名前。調号が変わるとその音の階名が変わる。

> **Point**
> ト長調の階名「ド」の音名は「ソ（ト）」という関係を頭に入れておこう。

◐ 音符と休符

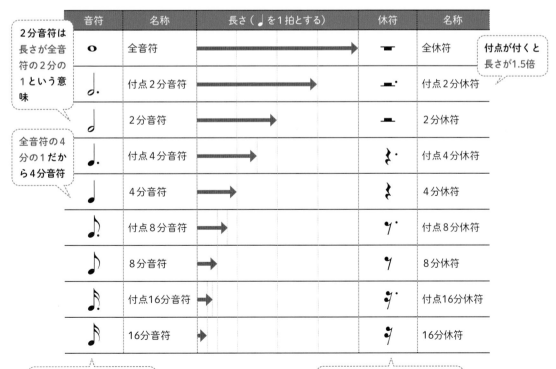

2分音符は長さが全音符の2分の1という意味

全音符の4分の1だから4分音符

付点が付くと長さが1.5倍

音符	名称	長さ（♩を1拍とする）	休符	名称
𝅝	全音符		𝄻	全休符
♩.	付点2分音符			付点2分休符
𝅗𝅥	2分音符			2分休符
♩.	付点4分音符		𝄼.	付点4分休符
♩	4分音符		𝄽	4分休符
♪.	付点8分音符			付点8分休符
♪	8分音符			8分休符
♬.	付点16分音符			付点16分休符
♬	16分音符			16分休符

音を出すときに用いられる　　　　音を出さないときに用いられる

3 音程と音階

関連科目 保育実習理論

 音程と音階について学びます。音程は、カラオケでキーを上げたり下げたりするのをイメージするとわかりやすいかもしれませんね。音階は全音と半音が並ぶ順番を覚えておくとよいでしょう。

ココをおさえよう！

🔑 キーワード

半音と全音

鍵盤の隣り合った2つの音の間を半音、1つ間を置いた2つ音の間を全音という。

音程

2つの音の間の幅（へだたり）のことで1度～8度の度数で表す。音程には、完全音程型（1, 4, 5, 8度）と、長短音程型（2, 3, 6, 7度）がある。

音階

ある音を最初の音（主音）として、1オクターブ（ある音名から次の同じ音名まで。ド～ド、レ～レなど）上まで並んだ音の列。長音階（主音は階名ド）と短音階（主音は階名ラ）がある。

▶ 半音と全音

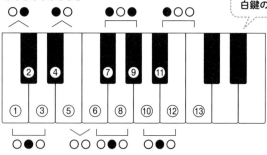

白鍵のとなりは黒鍵と考える。

● となりの鍵盤との間は半音（鍵盤2つ分）⌒ で表す。
● となりのとなりの鍵盤との間は全音（鍵盤3つ分）⌐ で表す。
○：白鍵　●：黒鍵

▶ 音程（音と音とのへだたり＝度で表す）

移調（6章-4参照）でよく使うのは、2, 3, 4度。

完全	長	長	完全	完全	長	長	完全
1度	2度	3度	4度	5度	6度	7度	8度

基本

ド	ド レ	ド レ ミ	ド レ ミ ファ	ド レ ミ ファ ソ	ド レ ミ ファ ソ ラ	ド レ ミ ファ ソ ラ シ	ド レ ミ ファ ソ ラ シ ド
1	1 2	1 2 3	1 2 3 4	1 2 3 4 5	1 2 3 4 5 6	1 2 3 4 5 6 7	1 2 3 4 5 6 7 8

音程の度数は音の数で表す。

● 3度の音程のバリエーション

変化記号がついていてもド・レ・ミはすべて3度。

長3度

増3度

短3度

長3度
（5鍵）

増3度
（6鍵）

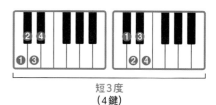
短3度
（4鍵）

音程の種類は鍵盤の数でわかる。

● 音階

音階	1オクターブの音の並び方（全音と半音の組み合わせ方）のこと 最初の音を主音という。すべての音（白鍵・黒鍵）を主音とする音階がある
長音階	明るい、楽しい音色になる音階（ドレミファソラシドと聞こえる組み合わせ）
短音階	暗い、さびしい音色になる音階（ラシドレミファソラと聞こえる組み合わせ）

音階
の
種類

〈 長音階 〉

Point
全全半全全全半と並ぶ。

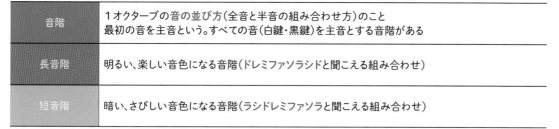
全音　　　半音

〈 自然短音階 〉

Point
全半全全半全全と並ぶ。

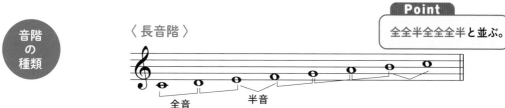

Point
短音階で出題されるのは和声短音階。

〈 和声短音階 〉

7番目の音を半音上げる短音階。

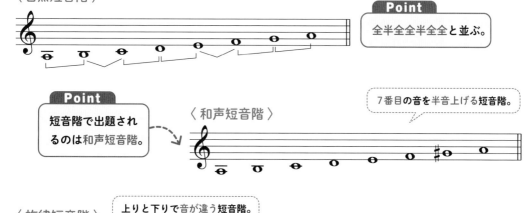

〈 旋律短音階 〉

上りと下りで音が違う短音階。

（上行形）　　　　　　　　　（下行形）

関連科目 保育実習理論

> 移調問題は毎回必ず出題されます。慣れない人にはかなりの難問に感じますが、ここに書いてあるルールに沿って、問題を解いていけば大丈夫です！　頑張りましょう！

ココをおさえよう！

🔑 キーワード

調号

ド（ハ）以外の音名の音を主音とする音階を作るためには、変化記号（♭・♯）を付ける必要がある。その変化記号を楽譜の左端にまとめて示したもの。

長調と短調

長音階を使った楽譜が長調（明るく楽しい曲調で、主音は階名ド）、短音階を使った楽譜が短調（暗くさびしい曲調で、主音は階名ラ）。

平行調と同主調

1つの調号で長調、短調の2つの調があり、その場合の2つの調を平行調という。また、1つの音（同じ音）を主音とする長調、短調の2つの調があり、その2つの調を同主調という。

▶平行調（同じ調号での長調と短調）

> ♭・♯ともに4つまでの調号と調名の出題が多い。

▶同主調（同じ音名での長調と短調）

> 調名は、主音（階名ド、ラ）の音名（ハニホヘト～）を使う。

- 同主調は、同じ音を主音とする長調と短調。
- 音名は同じで、調号が違う。

◉ 移調の手順 ～次の楽譜を短3度上に移調する～

注意：説明中のドレミ～は、音名のドレミ（ハニホ～と同じ鍵盤）で、階名ではない。

❶ 調号から調名（何調か）と主音を考える

> ♯1つはト長調なので主音はソ

Point
同じ調号の短調もあるが、
試験での出題は長調が多い。

❷ 主音ソの短3度上の音（移調後の主音）を見つける

> 長3度下に移調するなら、鍵盤5つ左へ移動。

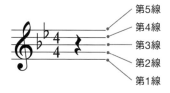

> 短3度上なので、全音+半音（鍵盤4つ）分右へ
> ↓
> シの半音下（左）＝ シ♭ ＝ 変ロ

❸ シ♭の日本語音名は変ロ ➡ これが主音となる調は変ロ長調

❹ 変ロ長調の調号は♭2つ ➡ 五線譜の定位置に調号記入

第5線
第4線
第3線
第2線
第1線

> 1つ目の♭は第3線（シ）の上
> 2つ目の♭は第4間（上のミ）

❺ 元の楽譜の音をすべて3度上に上げて音符を書き写す

> 音符の長さは同じなので、
> 休符を忘れずに書き入れる。

> 1小節目の3つの四分音符は、以下のよう書く
> レ ➡ レ・ミ・ファ ➡ ファ（第1間）に
> ソ ➡ ソ・ラ・シ ➡ シ（第3線）に
> ラ ➡ ラ・シ・ド ➡ ド（第3間）に
> ※最初の音を1度と数えることを忘れないこと

> 元の音も含めて
> 3つ目の音になる。

5 記号と標語

関連科目 保育実習理論

音楽に関する問題では、例年これらの標語について出題されます。数はありますがパターンが決まっていて覚えやすいので、しっかり暗記しておきましょう。

ココをおさえよう！

🔑 キーワード

メトロノーム記号

その曲を演奏する速さを具体的な数字で示す記号。曲の初めに、♩＝60のような形式で示される。この表示の場合は、「1分間に♩が60個入る速さ」という意味。数字が多くなるほど曲は速く演奏される。

速度標語（イタリア語）

おおまかな速さを表わす標語。曲全体の速度を示すものと、曲の一部分の速度を変化させるために使われるものがある。

曲想標語（イタリア語）

曲のイメージや演奏のしかたを指定する標語。曲の初めに示される曲全体についての標語と、曲の一部分についての標語がある。

▶ 曲全体の速度を示す速度標語

標語	読み方	意味
Largo	ラルゴ	幅広くゆったりと
Lento	レント	静かに遅く
Adagio	アダージョ	ゆるやかに
Andante	アンダンテ	歩くような速さで
Andantino	アンダンティーノ	アンダンテよりやや速く
Moderato	モデラート	中くらいの速さで
Allegretto	アレグレット	やや速く
Allegro	アレグロ	速く
Vivo	ビーボ	いきいきと速く
Vivace	ビバーチェ	快速に
Presto	プレスト	きわめて速く

遅 ↑ 中 ↓ 速

Point

アダージョ・アンダンテはゆっくり、モデラートは普通アレグレット・アレグロは速く。

◘ 曲の一部分の速度を示す速度標語

標語	読み方	意味
ritardando(rit.)	リタルダンド	だんだんゆっくり
rallentando(rall.)	ラレンタンド	だんだんゆるやかに
ritenuto(riten.)	リテヌート	急に遅く
accelerando(accel.)	アッチェレランド	だんだん速く
meno mosso	メノ・モッソ	今までより遅く
piu mosso	ピウ・モッソ	今までより速く
a tempo	ア・テンポ	もとの速さで
tempo primo	テンポ・プリモ	曲の最初の速さで
tempo rubato	テンポ・ルバート	自由な速さで

◘ 曲の一部の強さや速度を示す標語

標語	読み方	意味
crescendo(cresc.)	クレッシェンド	だんだん強く
diminuendo(dim.)	ディミヌエンド	だんだん弱く
decrescendo(decresc.)	デクレッシェンド	
allargando	アラルガンド	だんだん強めながら遅く
smorzando	スモルツァンド	だんだん弱めながら遅く

◘ 曲想標語

標語	読み方	意味
amabile	アマービレ	愛らしく
brillante	ブリランテ	輝かしく、はなやかに
cantabile	カンタービレ	歌うように
con brio	コン・ブリオ	いきいきと
dolce	ドルチェ	柔らかに
elegante	エレガンテ	上品に
espressivo	エスプレッシーボ	表情豊かに
glissando	グリッサンド	2つの音を滑るようにつなげる
legato	レガート	なめらかに
marcato	マルカート	それぞれの音をはっきりと
pesante	ペザンテ	重々しく

◘ 強さを表す記号

記号	読み方	意味
ff	フォルティッシモ	とても強く
f	フォルテ	強く
mf	メゾフォルテ	やや強く
mp	メゾピアノ	やや弱く
p	ピアノ	弱く
pp	ピアニッシモ	とても弱く
fz	フォルツァンド	その音を特に強く
sf sfz	スフォルツァンド	その音を特に強く
>	アクセント	その音を特に強く

Point
文字が重なるとより強く、より弱くなる。

Point
同じような意味を表わす標語もある。

Point
記号一標語一読み一意味をリンクさせて覚えること。

◘ その他の標語

標語	読み方	意味
sempre	センプレ	つねに〜
molto	モルト	とても〜
meno	メノ	今までより少なく〜
piu	ピウ	今までよりもっと〜
poco	ポコ	少し〜
poco a poco	ポコ・ア・ポコ	少しずつ〜
simile	シミーレ	同様に
subito	スービト	ただちに〜
D.C.	ダ・カーポ	曲の初めに戻る
D.S.	ダル・セーニョ	セーニョ(𝄋)に戻る
Fine	フィーネ	曲の終わり

6 和音（コードネーム）

関連科目 保育実習理論

コードネームに関する問題も、ほぼ毎回出題されています。実際に鍵盤で音を鳴らしてみると響きの違いも感じられ、効率よく覚えられると思います。

🔑 キーワード

三和音

　高さの異なるいくつかの音を同時に演奏するのが和音。三和音は、1つの音（根音）と、その3度上の音、さらに3度上の音という3つの音を組み合わせた和音。

七の和音

　三和音の上にさらにもう3度上の音を重ねた和音が七の和音。長三和音にさらに短3度上の音を重ねた和音を属七の和音という。

コードネーム

　三和音、七の和音を根音の英語音名を使って表したもの。また、根音をルートと呼ぶ。ドをルートとするコードネームはCとなる。

▶ 三和音

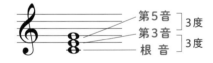

第5音 ⎤3度
第3音 ⎤3度
根　音

三和音
根音（ルート）から3度上の音、さらに3度上の音を重ねた和音。

CdimはCm⁻⁵（シーマイナーマイナスファイブ）ともいう。

▶ 三和音の種類（根音＝ルートがドの例）とコードネーム

長三和音
（長3度＋短3度）
基本の和音

〔 C（シーメジャー）〕

短三和音
（短3度＋長3度）
長三和音から
第3音を半音下げる

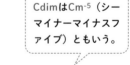
〔 Cm（シーマイナー）〕

増三和音
（長3度＋長3度）
長三和音から
第5音を半音上げる

〔 Caug（シーオーギュメント）〕

減三和音
（短3度＋短3度）
長三和音から
第3音、第5音を
半音下げる

〔 Cdim（シーディミニッシュ）〕

◉七の和音

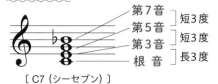

第7音 ┐短3度
第5音 ┐短3度
第3音 ┐短3度
根 音 ┐長3度

〔C7（シーセブン）〕

属七の和音
長三和音の上にさらに短3度の音を重ねた4つの音の和音。

◉三和音の転回形（CとC7の場合） ←----

Point
転回形もコードネームは同じ。

第5音以外は省略できない。

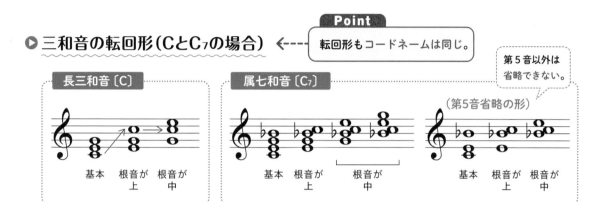

長三和音〔C〕
基本　根音が上　根音が中

属七和音〔C7〕
基本　根音が上　根音が中

（第5音省略の形）
基本　根音が上　根音が中

◉コードネームと鍵盤の位置

赤字はメジャー、青はマイナー和音

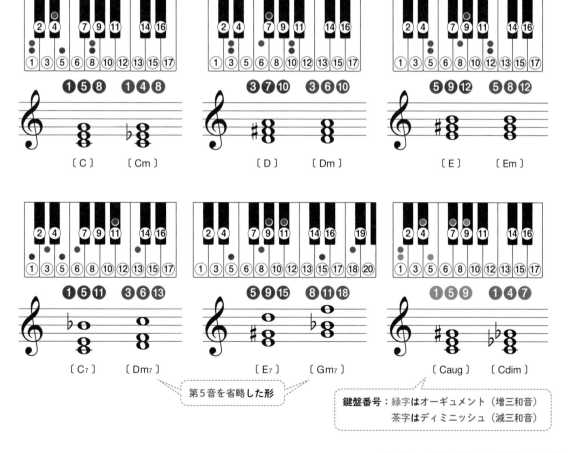

❶❺❽　❶❹❽
〔C〕　〔Cm〕

❸❼❿　❸❻❿
〔D〕　〔Dm〕

❺❾⓬　❺❽⓬
〔E〕　〔Em〕

❶❺⓫　❸❻⓭
〔C7〕　〔Dm7〕

❺❾⓯　❽⓫⓲
〔E7〕　〔Gm7〕

❶❺❾　❶❹❼
〔Caug〕　〔Cdim〕

第5音を省略した形

鍵盤番号：緑字はオーギュメント（増三和音）
茶字はディミニッシュ（減三和音）

7 和音の進行と伴奏

関連科目 保育実習理論

> 伴奏問題の解き方は、右手と左手で共通する音をみつけることがポイントになります。277ページの解き方を参考にして、過去問を解いてみましょう。

ココをおさえよう！

🔑 キーワード

トニック（主和音）

音階の主音（1つ目の音＝階名「ド」）を根音とする三和音（ドミソの和音）。1つ目の音を根音とするので I の和音ともいう。

ドミナント（属和音）

音階の属音（5番目の音＝階名「ソ」）を根音とする三和音（ソシレの和音）。5つ目の音を根音とするので V の和音ともいう。

サブドミナント（下属和音）

音階の下属音（4番目の音＝階名「ファ」）を根音とする三和音（ファラドの和音）。4つ目の音を根音とするので IV の和音ともいう。

主要三和音

トニック、ドミナント、サブドミナントの3つの和音＝コードのこと。簡単な曲の伴奏は、この主要三和音を組み合わせることでつくることができる。

▶ 主要三和音

> Tはドミソ、Sはファラド、Dはソシレの和音。

> Tは安定感のある響きなので始まりと終わりに使われる。

T：トニック（主和音）　S：サブドミナント（下属和音）　D：ドミナント（属和音）

ハ長調の主要三和音

ヘ長調の主要三和音

ト長調の主要三和音

● 伴奏問題の解き方

Point

細かい音は経過音で、伴奏コードの選択には関係しない。

経過音

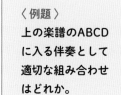

〈例題〉
上の楽譜のABCD
に入る伴奏として
適切な組み合わせ
はどれか。

	A	B	C	D
1	ア	イ	エ	ウ
2	イ	ア	エ	ウ
3	イ	ウ	エ	ア
4	エ	イ	ア	ウ
5	エ	ウ	ア	イ

❶ 選択肢（伴奏）の楽譜のコードを判断する。

ア
　Ⅳ　　Ⅰ
（ファラド）（ドミソ）

イ
　Ⅰ
（ドミソ）

ウ
　Ⅰ　Ⅴ　Ⅰ
（ドミソ）｜（ドミソ）
　（ソシレファ）

エ
　Ⅰ　　Ⅴ
（ドミソ）（ソシレ）

❷ 各小節のメロディーで使われている音から伴奏コードを判断する。

A　メロディーにファが含まれているが経過音と考えると、Ⅰ（ドミソ）の音のみ。
➡ 伴奏もⅠのみを使っているイが適切。　※ここで、解答は、Aにイが入っている2か3に絞られる。

B　メロディーの前半は、Ⅳ（ファラド）の音、後半はソなのでⅠでもⅤでもよい。
➡ 伴奏は、前半がⅣ、後半がⅠのアが適切。　※2と3のうち、Bにアが入っている2が正答とわかる。

確認のためC、Dも検討する。

C　メロディーの前半は、Ⅰ（ドミソ）の音、後半はⅤ（ソシレ）の音。
➡ 伴奏は、エが適している。　※2のCはエとなっており、適切。

D　メロディーはⅠ（ドミソ）、Ⅴ（ソシレ）、Ⅰ（ドミソ）で構成されている。
➡ 伴奏は、同じⅠ、Ⅴ、Ⅰという組み合わせのウが適している。
※選択肢2のDはウとなっているので適切。解答は **2** と確認できる。

4拍目が休符になっている
ことも曲の終わりのヒント。

8

子どもの造形表現

関連科目 保育実習理論

ココをおさえよう！

造形に関する問題は必ず出題されます。同時に、保育現場でも子どもの「絵」によって発達状態を知る参考になるため、しっかり理解しておきましょう。

🔑 キーワード

スクリブル

なぐりがきのこと。1歳～2歳半ごろの幼児が、偶然握ったクレヨンなどを使って紙にこすりつけるようにして無意識に描いたぐちゃぐちゃな線。

頭足人

丸の中に目や鼻、口を書き入れて頭とし、その頭から直接手や足が出ている人物の絵。特に教えられることなく、3歳～5歳ごろになると描くようになる。

アニミズム表現

擬人化する表現のこと。太陽や植物などを人間に見立てて、目や口をつけて描く。3歳～5歳ごろになると描くようになる。

▶ 描画表現の発達

年齢	発達段階	表現の特徴
1歳～2歳半ごろ	なぐりがき期	スクリブル期、錯画期ともいう。偶然握ったクレヨンなどを使って無意識に線を描いている時期。手にしたもので絵が描けることに気づき楽しんでいる描画のはじまりの時期である
2歳～3歳半ごろ	象徴期	描いたものに後から名前をつけたりして意味づけをするため、命名期、意味づけ期ともいう。最初は点や線を描いているが、徐々に渦巻きや丸を描けるようになる
3歳～5歳ごろ	前図式期	顔として描いた丸から直接手足が出ている頭足人を描くようになる。また、知っているものを画面の端から端まで描くことがあるためカタログ期ともいう
4歳～9歳ごろ	図式期	空間を認識できるようになり、描いた絵の中に、床や地面を表わすような線（基底線）を引くようになる。アニミズム表現もみられる

Point

太陽や花に目や口をつけて描くのは、アニミズム表現。

◉ 幼児画の特徴

1歳～2歳半ごろ

〈スクリブル〉（→第4章15参照）
無意識に描くなぐりがきで、形はないが、紙の上で手を動かして描く。

3歳～5歳ごろ

〈頭足人〉（→第4章15参照）
頭から直接手足が出ている人物を描く。

Point
頭足人は前図式期の特徴。

Point
4歳～9歳ごろは図式期。

4歳～9歳ごろ

〈展開表現〉
手前にあるものを画面の下側に逆さに描く。

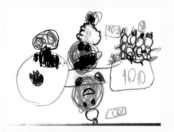

〈アニミズム表現〉
動植物などを擬人化して描く。

〈レントゲン表現〉
外からは見えないものを見えているように描く。

〈基底線〉
床や地面を表す線を描く。

Point
基底線は空間認識が発達したことを示す。

〈拡大表現（誇張表現）〉
自分が描きたいものを大きく詳しく描く。

〈視点移動表現〉
上から見たり、横から見たりというように視点を移動させて描く。

第6章

⑧ 子どもの造形表現

9

色彩の知識①

関連科目 保育実習理論

色彩の知識についても毎回出題されるところなので、覚えておきましょう。こうした色彩の基礎知識から発展させて、子どもの心理状態を把握するような色彩心理学の知識を身につける保育士もいますよ。

ココをおさえよう!

🔑 キーワード

色の三要素

色相（色合い）、明度（色の明るさの程度）、彩度（色の鮮やかさの程度）のこと。色の特徴を表す要素で、色の三属性ともいう。

無彩色と有彩色

白、黒、灰などの色相（色合い）がない色を無彩色といい、無彩色以外の色を有彩色という。有彩色には、色相（色合い）、明度、彩度の三要素がある。一方、無彩色には明度はあるが、色相、彩度がない。

色相環

色相を環状に並べたもので、色を体系的にとらえるための図。色相環で暖色系、寒色系、中性色系の分類や、補色関係などがわかる。

▶ 色の三要素

色相	色合い（色み）	赤、赤橙、黄橙、黄、黄緑、緑、青緑、緑青、青、青紫、紫、赤紫という基本となる12色を円形に並べたものを12色相環という。色相は、人に与えるイメージから暖色、寒色、中性色に分けられる
明度	色の明るさの程度	明度が最も高い色が白、最も低い色が黒。色に白が多く混合されるほど明度が高くなり、黒が多く混合されるほど明度が低くなる
彩度	色の鮮やかさの程度	濁りのない鮮やかな色を純色という。純色に無彩色（白または黒）を混合するほど彩度が低く、くすんだ色になる。純色に白だけを混合したものを明清色、黒だけを混合したものを暗清色といい、灰色を混合したものを濁色という

Point

白を混合すると明度は高くなるが、彩度は低くなる。

Point

黒を混合すると明度も彩度も低くなる。

Point

最も彩度が高い色を彩度10、無彩色を彩度0と数値化されることも多い。

▶ 明度

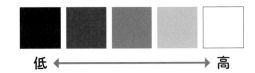

低 ◀━━━━━━▶ 高

▶ 彩度

低 ◀━━━━━━▶ 高

▶ 12色相環

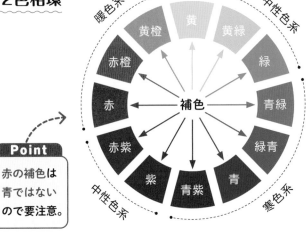

Point
赤の補色は
青ではない
ので要注意。

真正面に位置する色同士は
補色関係

赤	⟺	青緑
青	⟺	黄橙
黄	⟺	青紫
緑	⟺	赤紫

補色関係の2色を混合すると
灰色に

Point
補色は頻出。
色をペアで覚えておこう。

色相の分類
暖色系：**赤・赤橙・黄橙・黄**
寒色系：**青・緑青・青緑・青紫**
中性色系：**緑・黄緑・赤紫・紫**

▶ 色立体

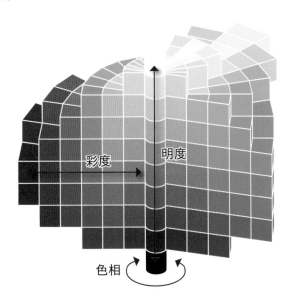

彩度 → 　明度 ↑　色相 ↻

色の三要素を立体的に
組み合わせて色を体系
的に配列し、色の相互
関係がわかるようにし
たもの。中心軸は明度、
横軸は彩度、水平面で
は色相を表す。

Point
上に行くほど明度が高
く明るい。外側に行く
ほど彩度が高く鮮やか。

10 色彩の知識②

関連科目 保育実習理論

ここでの知識も非常に出題されやすいです。保育では絵の具を使って造形活動を行うことも多いので、特に色料の三原色、色光の三原色といった知識は必須ですね。

ココをおさえよう!

🔑 キーワード

色料の三原色と色光の三原色

原色とは、他の色を混ぜてもつくることができない色のこと。色料の三原色は「赤紫（マゼンタ）、青緑（シアン）、黄（イエロー）」で、一般には赤・青・黄といわれている。色光の三原色は「赤、緑、青」。

混色（混合）

複数の色を混ぜ合わせることをいう。色料（絵の具、インク、セロハン紙など）と色光（スポットライトや照明）では、混色の結果が異なる。

減算混合（減法混色）と加算混合（加法混色）

色を混合した結果、元の色より暗くなる場合を減算混合という。色料では、減算混合となる。逆に、色を混合した結果、元の色より明るくなる場合を加算混合という。色光では、混色により光がたくさんある集まるため、より明るくなり、加算混合となる。

▶色料の三原色の混合

Point
色料の三原色を混合すると黒になる。

▶色光の三原色の混合

Point
色光の三原色を混合すると白になる。

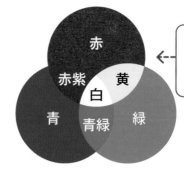

三原色の混合の比較		
色料の三原色 ＝ 赤紫・青緑・黄	➡ 減算混合	＝ 黒
色光の三原色 ＝ 赤・緑・青	➡ 加算混合	＝ 白

● 色のもつ機能、効果

暖色	明るく暖かい感じの色	12色相環の赤〜黄
寒色	暗くて寒い感じの色	12色相環の青緑〜青紫
進出色	手前に飛び出たように見える色	明度が高い暖色系の色
後退色	奥のほうに引っ込んで見える色	明度が低い寒色系の色
膨張色	実際の大きさより大きく見える色	明度が高い暖色系の色
収縮色	実際の大きさより小さく見える色	明度が低い寒色系の色
興奮色	見ると気分が高揚したり積極的な気分になったりする色	暖色系で赤みが強い色で、明度・彩度ともに高い色
鎮静色	見ると気分が落ち着いたり消極的になったりする色	寒色系で青みが強い色で、明度・彩度ともに低い色

〈暖色系と寒色系の色の比較〉

暖色系の色＝明るく温かい感じ
暖色系で明度が高い色＝進出色・膨張色
暖色系で明度・彩度が高い色＝興奮色

寒色系の色＝暗くて寒い感じ
寒色系で明度が低い色＝後退色・収縮色
寒色系で明度・彩度が低い色＝鎮静色

● 色の対比

① 明度対比

左：背景の明度が高いので●は暗く
右：背景の明度が低いので●は明るく

② 彩度対比

左：背景色の彩度が低いと●は鮮やかに
右：背景色の彩度が高いと●はくすむ

③ 色相対比

左：背景色が赤いと●は黄色っぽく
右：背景色が黄緑だと●は赤っぽく

④ 補色対比

左：補色の組み合わせでは●は鮮やかに
右：同系色の組み合わせでは●はくすむ

11 表現活動で用いる材料

関連科目 保育実習理論

ここでは、実際の保育現場で使われる造形のための材料を紹介しています。保育士試験では、細かい材料の特徴やその性質まで出題されますので、暗記しておきましょう。

 キーワード ··

粘土

可塑性（かそせい）があり、力を加えて形づくると変形した状態を保つため、立体表現の材料に適している。土粘土、油粘土、小麦粉粘土、紙粘土がある。成分によって、性質の違いがあるので、子どもの年齢や用途に応じて種類を選んで使う。

描画材

描く活動の材料のこと。クレヨン、パス、パステル、コンテ、鉛筆、絵の具などがある。成分である顔料や染料などにより特徴があるので、表現の内容や子どもの年齢に適したものを使う。

紙

描く活動だけでなく、つくる活動にも使われる。画用紙、ケント紙、模造紙、新聞紙、折り紙用紙といった洋紙だけでなく、半紙、障子紙といった和紙、ボール紙、段ボールといった板紙などがある。厚さ、質感などの特徴により表現活動に適したものを選んで使う。

··

▶ 粘土の種類と特徴

Point

土、紙の粘土は硬くなってしまうが、油粘土は硬くならない。

土粘土	陶土に用いられる自然素材。水分量でやわらかさを調整できるので、多量に水分を加えると泥遊びにも使用できる。乾かすと固まり、焼くと硬化する
油粘土	天然土を油で練ったもの。乾燥せず硬くなりにくいため、繰り返し使用でき、保管しやすい
小麦粉粘土	やわらかく伸びがよい。食紅などで着色したものは口に入れても安全なので、低年齢でも使うことができる
紙粘土	パルプに石粉や糊を加えたもので、軽くて扱いやすい。乾燥すると固まって再使用はできない。乾燥後の表面に着色することができる

粘土は造形あそびに重宝する素材です♪

▶ 描画材の種類と特徴

Point
クレヨンは線を描く、パスは色を塗るのに適している。

クレヨン　主成分：ロウ、顔料

硬質で線描きに適している。混色できないのでスクラッチに適している。

パス　主成分：顔料、油脂

広い面を塗ることに適している。柔らかく混色がしやすい。

Point
コンテ、パステルはぼかしができ、定着スプレーが必要。

コンテ　主成分：顔料、水性糊

鉛筆とソフトパステルの中間の硬さ。こすってぼかすことができる。完成後は定着スプレーで処理。

パステル　主成分：顔料、水性糊

顔料の割合が多く粉っぽい。ぼかすことができる。完成後は定着スプレーで処理。

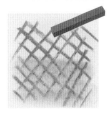

ボールペン

ペン先のボールが回転することで中のインクが出て描ける。筆圧によって線の幅が変わらないため、継続して線を書くことが容易。

鉛筆　主成分：黒鉛、粘土

細く硬い。芯に種類がありHの数が多いほど硬く薄く描け、Bの数が多いほど柔らかく濃く描ける。

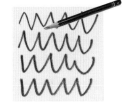

▶ 紙の種類と特徴

白ボール紙	表面になる白い紙に再生紙などを貼り合わせた厚紙
鳥の子紙	版画等に使用される。表面が滑らかで、にじみ、しみこみが少ない
ケント紙	製図や図案を描くときに使用される。表面がつるつると滑らかである
和紙	水をよく吸い、破れにくい。染め絵などに使用することができる
半紙	習字などに使用される薄い紙
クラフト紙	包装紙や袋に使用される。多くは褐色で丈夫
新聞紙	縦方向は破りやすく、横方向は破りにくい。可塑性があり、丸める、包む、折りたたむなど造形に使用できる
画用紙	絵の具の吸い込みがよく、発色がよい。描画や工作など、造形活動全般に使用される

Point
版画には鳥の子紙、染め絵には和紙が適している。

関連科目 保育実習理論

ココをおさえよう！

保育の現場でよく取り上げる表現技法です。それぞれの名称や内容について覚えておきましょう。保育士になってからも実践することが多いですよ。

🔑 キーワード

描画技法

クレヨンや鉛筆を使って直接描くのではなく、**はじく、写し取る、こする、吹く、貼る**などの動作を使って絵画をつくる技法。絵本に使われている場合もある。

版画

彫ったり削ったりすることで**版をつくり**、その版に絵の具やインクなどをつけて**紙に転写**したもの。版のつくりかた（版画の技法）には**凸版、凹版、平板、孔版**の4種類がある。

立体造形

粘土による表現のほか、紙をまるめたり切ったりして形をつくる表現活動。木の葉、枝、木の実、小石、貝殻などの自然素材や牛乳パック、ラップの芯など身近な素材も使う。

▶ 描画技法の種類と特徴

バチック（はじき絵）	紙にクレヨンやパスで絵を描いた後、上から水彩絵の具を塗って、クレヨンやパスの絵を浮かび上がらせる技法
フィンガーペインティング（指絵）	手に糊状の絵の具をつけて、画面に直接塗ったり、なすりつけたりしながら描く技法
スクラッチ（ひっかき絵）	明るい色のクレヨンの上に黒いクレヨンを重ねて塗り、上からくぎなどでひっかいて下の色を出して絵を描く技法
フロッタージュ（こすり出し絵）	表面がざらざら、凹凸のあるものに薄い紙をあててクレヨンなどの描画材で上からこすり、模様を浮き出させて写し取る技法
ドリッピング（吹き流し）	紙の上に薄く溶いた水彩絵の具をたらし、紙を傾けたり、口やストローで吹いたりして絵の具を流して絵を描く技法
コラージュ（貼り絵）	紙や布を切り抜いて、組み合わせて台紙となる紙に貼って絵をつくる技法

● 特に頻出の描画技法

スタンピング	デカルコマニー	マーブリング
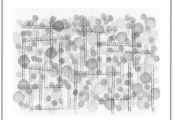	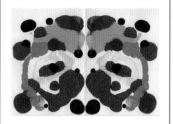	
瓶のフタや輪切りの野菜、木の葉などに絵の具をつけて紙に押しつけて写す技法。	紙を半分に折ってから片面に絵の具をたらし、折り合わせて上からこすり、開いて左右対称の形をつくる技法。	洗面器やトレーに水を入れ、水面に墨汁や水彩絵の具をたらしたときにできる模様を、上に紙をかぶせて写し取る技法。

● 版画の種類

凸版画	版のでっぱった部分にインクをつけて紙に写し取る方法。木版画や紙版画、スチレン版画などがある
凹版画	版全体にインクを乗せたあと、へこんだ部分のインク以外を拭き取ってから圧力をかけてへこんだ部分に入ったインクを写し取る方法。代表的な方法に銅版画がある。技法として、直接銅板を削る直接法（ドライポイントなど）と、薬品を用いて銅板にへこみをつくる間接法（エッチングなど）がある
平板画	油が水をはじく性質を利用した方法。代表的な方法としてリトグラフがある
孔版画	版にインクの通る孔をあけて型をつくり、上からインクを押しつけて下の紙に写し取る方法。原画と作品の左右が反転しないという特徴がある。シルクスクリーン、ステンシルなどがある

Point
孔版画以外はでき上がりが左右反転になる。

立体造形は子どもたちに人気の手づくりおもちゃです。

● 立体造形

ぶんぶんコマ	やじろべえ	切り紙

穴は正確に中央にあけるとよく回る。	腕が長いほど、重心が低いほど安定する。	折ってから切り、開くと左右対称（シンメトリー）に。

13 絵本の内容と読み聞かせ

関連科目 保育実習理論

> 言語の内容になります。理論は1次試験、技術は2次試験に出題されます。ここにあげた絵本は有名なものばかりですので、どんな作品なのかチェックしてみましょう。

🔑 キーワード ⋯⋯⋯⋯⋯⋯⋯⋯⋯⋯⋯⋯⋯⋯⋯⋯⋯⋯⋯⋯

絵本の選択

年齢や発達段階に合ったもの、子どもが興味や関心をもつものを選ぶ。リズムや反復があるもの、話の筋が単純で長すぎないものも適している。同じ絵本を繰り返し取り上げてもよい。

絵本の種類

基本的生活習慣を教えるもの、動植物や物の名前を覚えるためのもの、昔話、童話などさまざまな種類がある。

創作話

保育士自身がオリジナルの話をつくって聞かせること。子どもの興味を示すような題材、明るい内容でつくるようにする。また、結末をつけることも大切である。

⋯⋯⋯⋯⋯⋯⋯⋯⋯⋯⋯⋯⋯⋯⋯⋯⋯⋯⋯⋯⋯⋯⋯⋯⋯⋯⋯⋯⋯

▶ 読み聞かせのポイント

Point
読み手の背景はシンプルにすることも重要。

読み聞かせの前	●読み手自身が感動し、楽しめる本を選ぶ ●事前によく読み、ストーリーや展開を理解しておく ●スムーズにめくれるように、開きぐせをつけておく ●絵本をスムーズにめくれないようであれば、指サックをつけるなど用意をする ●子どもが読み聞かせに集中できるように、読み手の背景をシンプルにする ●子どもたち全員に絵がよく見えるように席を配置する

▼

読み聞かせ中	●必要以上に声色を使わない ●子どもたちがイメージをふくらませることができるようにおおげさな抑揚は避ける ●表紙や裏表紙、表紙をめくった部分も見せる ●ページをめくるときに、読み手の手や腕が絵本を覆わないようにする ●読み聞かせに集中することで視覚、聴覚、集中力が高まるように配慮する

Point
読み聞かせでは、声色や大げさな抑揚は使わない。

▼

読み聞かせ後	●読み聞かせの余韻を味わえるようにするため、すぐに感想を聞かない ●子どもたちの表情から、楽しめたか、つまらなかったかを判断する

▶ 年齢に適した絵本

第6章

13 絵本の内容と読み聞かせ

0〜1歳	はっきりとした色合いの作品や、同じ言葉がくり返される作品で、目や耳への刺激を楽しめる絵本が適している	『いないいないばあ』松谷みよ子 『もこ もこもこ』谷川俊太郎　作・元永定正　絵 『がたん ごとん がたん ごとん』安西水丸 『だるまさんが』かがくいひろし 『じゃあじゃあびりびり』まついのりこ 『いないいないばあ』　『がたん ごとん　『だるまさんが』 童心社　　　　　　　がたん ごとん』　ブロンズ新社 松谷みよこ　文　　　福音館書店　　　かがくい ひろし 瀬川康男　絵　　　　安西水丸
1〜2歳	身近にあって見慣れたものや親しみのある事柄を描いたもので、ストーリーが簡単な絵本が適している	『たべたのだあれ』五味太郎 『あおくんときいろちゃん』レオ・レオーニ 『いやだいやだ』せな けいこ 『ぼくのくれよん』長 新太 『たべたのだあれ』　『いやだいやだ』　『ぼくのくれよん』 文化出版局　　　　　福音館書店　　　　講談社 五味太郎　　　　　　せな けいこ　　　長 新太
3〜4歳	話し言葉の基礎ができて、知的好奇心が高まる時期なので、子どもが主人公になって話のなかに入り込むことができるものが適している	『ぐりとぐら』なかがわ りえこ　作・おおむら ゆりこ　絵 『はじめてのおつかい』筒井頼子　作・林 明子　絵 『こんとあき』林 明子 『わたしのワンピース』にしまき かやこ 『からすのパンやさん』かこ さとし 『フレデリック』レオ・レオーニ 『スイミー』レオ・レオーニ 『じぶんだけの いろ』レオ・レオーニ 『とべバッタ』田島征三 『はらぺこあおむし』エリック・カール 『ぐりとぐら』　　　　　『こんとあき』 福音館書店　　　　　　福音館書店 なかがわ りえこ　作　　林 明子 おおむら ゆりこ　絵
5〜6歳	現実的な作品だけでなく、空想的な作品も楽しめるようになる。長めの作品も落ち着いて聞けるようになる	『きりのなかのサーカス』ブルーノ・ムナーリ 『うたがみえる きこえるよ』エリック・カール 『ちいさいおうち』バージニア・リー・バートン 『キャベツくん』長 新太 『エルマーのぼうけん』 ルース・スタイルス・ガネット　作・ルース・クリスマン・ガネット　絵 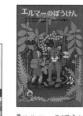 『キャベツくん』　　　『エルマーのぼうけん』福音館書店 文研出版　　　　　　ルース・スタイルス・ガネット　作 長 新太　　　　　　ルース・クリスマン・ガネット　絵

Point

『いないいないばあ』の作者は松谷みよ子。

Point

『もこ もこもこ』の作者は谷川俊太郎。

Point

『フレデリック』『スイミー』の作者はレオ・レオーニ。

紙芝居・ペープサート・パネルシアターの内容と特徴

関連科目 保育実習理論

ココをおさえよう！

保育の世界ではここで紹介されているようなものを「児童文化財」と呼んでいます。大人の手によって子どもに享受されて、情操を育てる役割をもっているといえます。

🔑 キーワード

ペープサート

ペーパーパペットシアターを短くした名称。割りばしなどの棒の先に、両面に登場人物などが描かれた紙をつけたものを使って演じる人形劇のようなもの。両面には異なる絵を描き、人物の表情や図柄を変化させることでいろいろな表現ができる。

パネルシアター

毛羽立ちのよい布を張ったパネルに、布にくっつきやすいざらざらした不織布などでつくった絵人形、背景などを貼ったり、はがしたり、動かしたりしながら物語を演じたり歌をうたったりする。

エプロンシアター®

厚手の生地でつくられたエプロンを舞台に見立てて、ポケットの中から人形などを出して面ファスナーの部分につけたり、ポケットに隠したりして物語を演じたり歌をうたったりする。

▶ 紙芝居の選び方

- 紙芝居は、8場面、12場面、16場面で構成されていることが多い、8場面のものは乳児向き、12場面以上が幼児向きとされているので、年齢に合わせて選択する。
- 聞いている子どもの人数が多い時には大きなサイズ、少人数のときには普通のサイズなど、子どもたち全員が見えるようなサイズを選択する。

▶ 紙芝居の読み方

- 紙芝居の場面が変わる際には、タイミングよく紙を引き抜いて次の絵を見せる。
- 紙芝居は「芝居」のため、表現豊かになるように工夫する。
- 話の進行に合わせて、紙芝居の後ろに隠れたり、横に立ったり立つ位置を変えてみる。
- 登場する人物や動物の性格を把握して、子どもたちがわかりやすいように読む。

Point

表現豊かに、というところは絵本の読み聞かせとは異なる。

❥ ペープサートのつくり方

①2枚の紙に、それぞれ違う表情やポーズを
とった人物や動物を描く。
②2枚の紙の裏側に接着剤を塗り、真ん中に
割りばしなどの棒を置いて接着剤を塗った
面ではさむ。
③2枚の紙の大きさがぴったり同じになるよ
うに周りを切りそろえる。

❥ ペープサートの演じ方

● 演じる人は、子どもたちから見えないよう
に舞台の裏側に隠れる。
● 絵のついた棒を手に持って、舞台の上を左
右に動かしたり、くるっと回して表と裏を
入れ替えたりしながら演じる。

Point

Pペーパーは透過性のある布で
下絵を写し取ることができる。

❥ パネルシアターのつくり方

①画用紙に絵人形の下絵を描く。
②下絵の上にPペーパーをのせて下絵を写し
取る。
③Pペーパーに写し取った輪郭を油性ペンで
縁取りする。
④ポスターカラーなどで彩色する。
⑤油性ペンで縁取りした線の外側に3～
5mm程度の余白を残して切り取る。
⑥5mm程度の発泡スチロールボードなどに
ネル地など毛羽だった布を貼って舞台にす
る。

Point

パネルシアターを簡略化し
たのがエプロンシアター®。

❥ パネルシアターの演じ方

● 舞台（パネルボード）にPペーパーでつく
った絵人形や背景を貼ったり、取ったり、
動かしたりしながら物語や歌遊びなどを展
開する。
● 子どもたちは演じ手のことも見ているの
で、大きな動作で表情豊かに演じる。
● 演じ手と子どもたちでやりとりしながら
進行する。
● 演じ手は、舞台から50cm程離れたところ
に立つ。
● 絵人形は、歌の歌詞より少し早めに出す。

保育士試験重要人物一覧

	名前	主な功績・キーワード	試験の登場回数 (平成27年-令和6年前期)
1	あかざわあつとみ 赤沢鍾美	貧しい子どもをきょうだいの子守から解放するためわが国で最初の託児所を私塾内につくった キーワード：守孤扶独 幼稚児保護会／新潟静修学校	8
2	いしいじゅうじ 石井十次	岡山孤児院の創設者。小舎制による養育や里子委託等の先駆的な実践方法を展開した キーワード：岡山孤児院／家族舎制度	9
3	いしいりょういち 石井亮一	濃尾大震災で親を失った少女を引き取り「孤女学院」を創設した。その中に知的障害を持つ少女がいたことがきっかけで、渡米し知的障害児の教育を学んだ。その後、孤女学院を改称し日本初の知的障害児施設「滝乃川学園」に転換した キーワード：孤女学院／滝乃川学園／知的障害児施設	7
4	いしだばいがん 石田梅岩	石門心学の創始者。町人への実践哲学を説いた。子どもの教育の可能性、子どもの善性を説く大人の役割についても言及した キーワード：石門心学／『都鄙問答』	3
5	いとがかずお 糸賀一雄	第二次世界大戦後の混乱期に「近江学園」を設立した。「この子らを世の光に」という言葉を残した キーワード：近江学園／びわこ学園／この子らを世の光に	6
6	イリイチ (Illich, I.)	オーストリア生まれの哲学者。学校制度を通じて「教えられ、学ばされる」ことにより、「自ら学ぶ」など、学習していく動機を持てなくなる様子を「学校化」として批判的に分析した キーワード：『脱学校の社会』	2
7	いわなが 岩永マキ	長崎県浦上村の隠れキリシタンの家に生まれる。1874年、浦上をおそった台風の救護活動を行ったのち、ド・ロ神父とともに孤児の養育施設（のちの浦上養育院）を開く。 キーワード：浦上養育院	2
8	ヴィゴツキー (Vygotsky, L.S.)	旧ソビエト連邦出身の心理学者。発達水準を2つに区別することができると提唱し、2つの発達水準の差の範囲を発達の最近接領域と呼んだ。また、他者とのコミュニケーションに用いる言葉を外言とし、考える言語のことを内言とした。そのうえで、子どもの独語（ひとりごと）は、自分の思考のための言葉になる移行過程とした キーワード：発達の最近接領域／外言から内言／独語	11
9	エインズワース (Ainsworth, M.D.S.)	アメリカ出身の心理学者。養育者への子どものアタッチメント（愛着）は、回避型、安定型、抵抗（アンビバレント）型の3つの型に分類されると考えた キーワード：アタッチメント（愛着）／SSP（ストレンジ・シチュエーション法）／安全基地	7
10	エリクソン (Erikson, E.H.)	ドイツ出身の発達心理学者。一生を8つの段階に分けて、それぞれの時期における中心的な発達課題を示し、それが達成されないときには心理・社会的な危機があると説いた。青年期のアイデンティティの確立を模索する期間をモラトリアム期間とよんだ キーワード：発達段階／アイデンティティ／モラトリアム／ライフサイクル論	17
11	エレン・ケイ (Key, E.)	スウェーデン生まれの思想家。子どもの自己決定力の育成や体罰の拒否等を主張した キーワード：『児童の世紀』	13

	名前	主な功績・キーワード	試験の登場回数
12	オーエン（Owen, R.）	イギリス出身の紡績工場主。産業革命期に、自ら経営する紡績工場の敷地内に「性格形成学院」を創設した。人間の性格は環境に根差すものであり、環境を改善すれば人間はより良く形成されるとする人間観を描いた。また、教育の中で叩いたり罵倒したりすることを批判し、子どもには愛情をもって接することを重視した キーワード：性格形成学院／『新社会観』	16
13	オーズベル （Ausubel, D.P.）	アメリカ出身の心理学者。ブルーナーの発見学習に異を唱え、文化の継承として知識をそのまま受け容れて身につけることが大切であると主張した キーワード：有意味受容学習	2
14	大原幽学 （おおはらゆうがく）	江戸時代の農政学者。農民生活の指導者として、道徳と経済の調和を基本とした性学や、子どもの発達過程に即した教育のあり方を説いた。農民同士が助け合う仕組みをつくり、生活改善に貢献した キーワード：性学	3
15	オーベルラン （Oberlin, J.F.）	牧師、慈善家。1769年、フランスの北東部に幼児保護施設を開設し、幼児によい生活習慣、道徳、標準フランス語、歌などを指導した。強い使命感をもち、赴任地の村に道路を敷設したり農法を改良するなど、村民の生活向上を目指した キーワード：幼児保護施設／編み物学校	3
16	荻生徂徠 （おぎゅうそらい）	江戸時代に私塾「蘐園塾（けんえんじゅく）」を開いた キーワード：蘐園塾	3
17	貝原益軒 （かいばらえきけん）	江戸時代に幼児教育や家庭教育の大切さを指摘した。「人の性は本善」であるという性善説の立場であった キーワード：『和俗童子訓（わぞくどうじくん）』	6
18	城戸幡太郎 （きどまんたろう）	心理学者・教育学者。1936（昭和11）年に保育問題研究会を結成。保育案は「社会協力」を指導原理として作成されるべきものであると主張した キーワード：保育問題研究会／『幼児教育論』	8
19	ギブソン （Gibson, J.J.）	アメリカの知覚心理学者。環境自体が人の関わり方の手がかりをもっている、と捉えた キーワード：アフォーダンス論	5
20	キルパトリック （Kilpatrick, W.H.）	アメリカの教育学者。自主的な問題解決に取り組ませるプロジェクト・メソッドを確立した キーワード：プロジェクト・メソッド	10
21	空海 （くうかい）	平安時代の僧侶。一般の庶民にも開かれた教育機関を設立し、総合的な人間教育をめざした キーワード：綜芸種智院（しゅげいしゅちいん）	2
22	倉橋惣三 （くらはしそうぞう）	大正から昭和にかけて活躍した教育学者。児童文化に深い理解と関心を示し、『キンダーブック』の創刊と編集に関わる。子どもの興味に即した主題を持たせながらその生活や活動をさらに発展させるような保育方法として「誘導」の考え方を提唱した キーワード：誘導保育／『キンダーブック』／『幼稚園保育法真諦』／『コドモノクニ』／『育ての心』／「生活を生活で生活へ」	17
23	ゲゼル （Gesell, A.L.）	アメリカの心理学者。成熟説を唱えた。子どもの発達過程を正しく把握し、レディネスのできていない子どもに無用な学習をおしつけない保育が必要であるとした キーワード：レディネス／成熟説	4
24	コダーイ （Kodály Zoltán）	ハンガリーの作曲家。音楽教育は音楽の能力を伸ばすだけでなく、人間教育であると考え研究を深めた。わらべうた遊びを推奨した キーワード：コダーイシステム／わらべうた	2

	名前	主な功績・キーワード	試験の登場回数
25	コノプカ（Konopka, G.）	ドイツ出身、アメリカで活躍した研究者。グループワーク（集団援助技術）を体系化した キーワード：コノプカの14原則	3
26	小林宗作 （こばやしそうさく）	大正時代に日本にリトミックを普及させた キーワード：リトミック	2
27	コメニウス （Comenius, J.A.）	子どものラテン語教育のための挿し絵付きの本『世界図絵』を著した。あらゆる人が学べる学校として統一学校構想を述べ、6歳くらいまでの乳幼児を対象とする学校は「母親学校」として構想された キーワード：『大教授学』／『世界図絵』／母親学校／直観教授	14
28	コルチャック （Korczak, J.）	ポーランドの小児科医。児童文学作家。「児童の権利に関する条約」の草案を国連に提出し、制定に寄与した キーワード：児童の権利に関する条約の父	1
29	澤柳政太郎 （さわやなぎまさたろう）	成城小学校を創設した。機関紙『教育問題研究』の中で、実践例などを紹介した キーワード：『教育問題研究』／成城小学校	5
30	ジェンセン （Jensen, A.R.）	心身の諸特質の遺伝的可能性が顕在化するのに必要な環境条件の質や量は、その特性によってそれぞれ違いがあり、各特性に固有な一定の水準（閾値）があると述べた キーワード：環境閾値説	4
31	ジャーメイン （Germain, C.B.）	人と環境が相互に影響し合うというところに着目し、適応能力の向上と環境改善を行い、生活の変容を試みるエコロジカルアプローチを体系化した キーワード：エコロジカルアプローチ	1
32	シュタイナー （Steiner, R.）	クラリエベック（旧オーストリア）出身の哲学者。人間の真の姿を認識しようとする学問として、人智学を打ち立てた。ドイツのシュトゥットガルトで自由ヴァルドルフ学校を設立した キーワード：シュタイナー教育／自由ヴァルドルフ学校	5
33	シュテルン （Stern, W.）	遺伝と環境が加算的に働きあって発達が進行するという輻輳説を唱えた キーワード：輻輳説	2
34	スキナー （Skinner, B.F.）	アメリカの行動主義心理学者。刺激を与えれば反応が生起するという理論（S-R理論）をもとにプログラム学習を構想した。動物が箱内部のレバーを押すと餌が出る実験装置を開発し、オペラント条件づけの実験を行った キーワード：プログラム学習／オペラント条件づけ	6
35	スピッツ （Spitz, R.A.）	環境が整わない病院や施設の子どもを研究し、母性的な養育が不十分であると、発達上に障害が見られると説いた キーワード：3か月微笑／8か月不安／ホスピタリズム	1
36	関信三 （せきしんぞう）	1876（明治9）年に東京女子師範学校附属幼稚園の開設に伴い初代監事に任じられた。『幼稚園法二十遊嬉』などによってフレーベルの考案した幼児のための遊具（恩物）を紹介した キーワード：東京女子師範学校附属幼稚園／『幼稚園法二十遊嬉（ようちえんほうにじゅうゆうき）』	4
37	セリグマン （Seligman, M.E.P.）	自分の力でコントロールできない不快な状況下に長くおかれると、無力感に陥ると説いた キーワード：学習性無力感	1
38	高木憲次 （たかぎのりつぐ）	整形外科医。1942（昭和17）年、日本初の肢体不自由児施設「整肢療護園」を開設した キーワード：整肢療護園／肢体不自由児	4
39	チゼック （Cizek, F.）	ボヘミア（現在のチェコ）生まれ、オーストリアで活躍した美術教育研究者。子どもの自己表現と創造性を認め、子どものための美術教室を開いた キーワード：芸術教育	2

	名前	主な功績・キーワード	試験の登場回数
40	デューイ (Dewey, J.)	アメリカの哲学者、教育思想家。フレーベルの遊びを重んじる精神を評価しながらもその象徴主義を批判し、現実的な生活における子どもの自発的な活動の必要性を主張した。主著『学校と社会』（1899年）では、子どもを中心とする教育への変革の必要性をコペルニクスにたとえて主張した。「為すことによって学ぶ（learning by doing）」ことの重要性を説き、子どもたちが経験を通して学習することを提唱し、シカゴ大学に実験学校をつくった キーワード：『学校と社会』／実験学校	22
41	トマス (Thomas, A.)	チェス（Chess, S.）とともに、気質の特性を、活動水準、体内リズムの周期性、順応性、気分等の9つに分類した。気質的特性に基づいて子どもは活動を選択し、自分の生活環境を形成する、と考えた キーワード：気質	2
42	留岡幸助 （とめおかこうすけ）	189（明治32）年に東京巣鴨に私立の感化院（現在の児童自立支援施設）である「家庭学校」を設立。非行少年の教護を実施した キーワード：家庭学校	11
43	中江藤樹 （なかえとうじゅ）	子育てについて具体的なたとえ話をまじえながら、庶民にもわかりやすく説いた。「知行合一説」を唱え、陽明学の普及に努めた キーワード：知行合一説	5
44	野口幽香 （のぐちゆか）	華族女学校附属幼稚園で保母をしていたが、貧しい家庭の子どもたちへの保育の必要性を感じ、森島峰（美根）とともに寄付を募り、1900（明治33）年、東京麹町にフレーベルの精神を基本とする保育を行う二葉幼稚園を設立した キーワード：二葉幼稚園	16
45	バートレット (Bartlett, H.)	アメリカの社会福祉学者。医療ソーシャルワークを発展させた。診断に代わる用語としてアセスメント、方法・技法・技能を統合した介入という言葉を提唱した キーワード：『社会福祉実践の共通基盤』／アセスメント／介入	1
46	パールマン (Perlman, H.H.)	ソーシャル・ケースワークの構成要素として「4つのP（人、問題、場所、過程）」をあげた キーワード：4つのP／ソーシャル・ケースワーク	4
47	ハーロウ (Harlow, H.F.)	アカゲザルの代理母の実験を行い、愛着形成におけるスキンシップの重要性を説いた キーワード：代理母実験	2
48	バイステック （バイスティック） (Biestek,F.P.)	アメリカのケースワーカー。ケースワークの基本的な技術として、バイステックの7原則を定義した キーワード：バイステックの7原則	5
49	橋詰良一 （はしづめりょういち）	露天保育を提唱し、1922（大正11）年、園舎を持たず、野外で行う保育を特徴とした、家なき幼稚園を創設した キーワード：家なき幼稚園	8
50	バルテス (Baltes, P.B.)	生涯発達を獲得と喪失、成長と衰退の混合したダイナミックスとして捉えた キーワード：生涯発達心理学	10
51	バンク＝ミケルセン (Bank-Mikkelsen, N.E.)	デンマークの社会運動家。1953年、ノーマライゼーションを唱え、知的障害者の福祉向上につとめた キーワード：ノーマライゼーション	1
52	バンデューラ (Bandura, A.)	他者の行動やそれに伴う結果を見ることによって、その行動を習得する観察学習を中心として社会的学習理論を提唱した キーワード：観察学習	5
53	ピアジェ (Piaget, J.)	スイスの心理学者。子どもと大人の思考構造の違いを研究し、子どもの思考の特徴として自己中心性に基づく見方や考え方をあげた。子どもが世界を認識する過程には、質的に異なる4つの段階があると考えた。子どもが活動を通して知識を構成していくと述べた キーワード：発達理論／シェマ	26

	名前	主な功績・キーワード	試験の登場回数
54	東基吉 （ひがしもときち）	恩物中心主義の保育を批判し、幼児の自己活動を重視するとともに遊戯の価値を論じた キーワード：『幼稚園保育法』	5
55	ブルーナー （Bruner, J.S.）	どのような知的教科であっても、方法次第で発達のどの段階のどの子どもにも教えられるという仮説を提示した キーワード：『教育の過程』	13
56	フレイレ（Freire, P.）	学校を通じて子どもに知識が一方的に授けられる様子を「銀行型教育」と批判し、これに代わって教育では「対話」が重視されるべきだとした キーワード：『被抑圧者の教育学』	1
57	フレーベル （Fröbel, F.W.）	ドイツの教育者。神と自然と人間を貫く神的統一の理念に基づき、「自己活動」と「労作」の原理を中心とした教育の理論を展開した。また、世界で最初の幼稚園（Kindergarten）を創設した。『人間の教育』（1826年）の中で、遊びの重要性を説き、子どもが使って遊ぶためのガーベ（Gabe）を考案した。家庭教育の向上を図るため、『母の愛と愛撫の歌』を著した。ガーベは日本では明治期に「恩物」として紹介され、当時の幼稚園において広く活用された キーワード：『人間の教育』／『母の歌と愛撫の歌』／恩物（ガーベ）	33
58	フレネ （Freinet, C.）	子どもの興味、関心を尊重し、子どもが自ら考えた学習計画に沿って学習を進めるフレネ教育を実践した キーワード：フレネ教育／フレネ学校／自由作文	1
59	ブロンフェンブレンナー （Bronfenbrenner, U.）	発達を環境との相互作用として捉え、人を取り巻く環境を4つのシステムに分類した。その後、時間の影響・時間経過をつけ加え、5つのシステムとした キーワード：生態学的システム論	10
60	ペスタロッチ （Pestalozzi, J.H.）	スイス出身の教育思想家・教育者。「生活が陶冶する（とうや）」という名言で知られる。内戦によって家を失った子どもたちの世話も引き受け、1798年に孤児院を営み、養育と教育を行った キーワード：『隠者の夕暮』／『シュタンツだより』	13
61	ヘルバルト （Herbart, J.F.）	教育の課題とは道徳的品性の陶冶であり、多方面への興味を喚起することが必要だと考え「教育（訓育）的教授」という概念を提示した キーワード：4段階教授法	4
62	ボウルビィ （Bowlby, J.）	「乳幼児の精神衛生」において、母性的養育の剥奪が子どもにとって深刻な影響をもたらすとした キーワード：アタッチメント	6
63	ホリス （Hollis, F.）	アメリカのソーシャルワーク研究者。クライアントを「状況のなかの人」と捉え、心理社会的アプローチを提唱した キーワード：心理社会的アプローチ／『ケースワーク　心理社会療法』	1
64	ポルトマン （Portmann, A.）	哺乳類を就巣性のものと離巣性のものとに分け、ヒトの特性を二次的就巣性と呼び、生理的早産という考え方で説明した キーワード：二次的就巣性／生理的早産	3
65	マーガレット・カー （Carr, M.）	ニュージーランドで子どもたちの育ちや経験を観察し、写真や文章などの記録を通して理解しようとする方法である「ラーニング・ストーリー」の開発に携わる。 キーワード：ラーニング・ストーリー	1
66	マーシア （Marcia, J.E.）	アイデンティティの状態を4つの類型に分けて考え、アイデンティティ・ステイタスとして提唱した キーワード：アイデンティティ・ステイタス	6

	名前	主な功績・キーワード	試験の登場回数
67	マクミラン (McMillan, M.)	最も恵まれない子どもを豊かに育む方法こそ、すべての子どもにとって最良の方法であるとする信条のもと、姉のレイチェル・マクミランとともにイギリスのロンドンで保育学校を創設し、医療機関とも連携を図って保育を進めた。 キーワード：保育学校／貧困家庭の支援	5
68	松野 クララ	ドイツの幼稚園教員養成学校を卒業後、東京女子師範学校附属幼稚園の創設時の主任保姆として保姆たちにフレーベルの保育理論と実際を伝え、日本の幼稚園教育の基礎を築いた キーワード：東京女子師範学校附属幼稚園／豊田芙雄	6
69	メルツォフ (Meltzoff, A.N.)	ムーア（Moore, M.K.）とともに、新生児期において、視覚的に捉えた相手の顔の表情を、いくつか模倣できることを示した キーワード：共鳴動作	2
70	森島峰	野口幽香とともに寄付を募って、1900（明治33）年に二葉幼稚園を設立した キーワード：二葉幼稚園	5
71	モンテッソーリ (Montessori, M.)	イタリア初の女性医学博士。ローマのスラム街に「子どもの家」を創設し、環境を整え、子どもをよく観察したうえでその自由な自己活動を尊重し援助することを重視した教育法を実践した。幼児期には精神的発達の基礎として「感覚の訓練」が特に重要である、との観点から教具を開発した キーワード：モンテッソーリ・メソッド／集中現象／感覚教具	18
72	ラングラン (Lengrand, P.)	ユネスコ（UNESCO）の成人教育推進国際委員会において、「生涯にわたって統合された教育」を提唱した キーワード：生涯教育	1
73	リッチモンド (Richmond, M.E.)	ケースワーク（個別援助技術）を理論的に体系化し、ソーシャルワークに取り入れた キーワード：ケースワーク（個別援助技術）	3
74	ルソー (Rousseau, J-J.)	フランスの思想家。子どもと大人の本質的な差異を認め、「子どもの発見者」と言われる。『エミール』（1762年）を著し、その中で、人間の本性を善とみて、「自然」を重視した教育論を主張した。その考え方は「消極教育」と呼ばれ、子どもの内発的な力を重視する教育の源流となった。「むすんでひらいて」の作曲者としても知られる キーワード：消極教育／『人間不平等起源論』／『社会契約論』／『エミール』	24
75	ローエンフェルド (Lowenfeld, V.)	オーストリア生まれの美術教育学者。子どもの絵の発達段階（錯画期→前図式期→図式期）を示した キーワード：なぐり描き	5
76	ローリス・マラグッツィ (Malaguzzi, L.)	第二次世界大戦後、イタリアのレッジョ・エミリア市で独創的な保育の取り組みを進めた キーワード：レッジョ・エミリア・アプローチ	2
77	ローレンツ (Lorenz, K.)	孵化したばかりの雛鳥が初めに見たものを親鳥と認識する現象をインプリンティングと呼び、後追いする現象を研究した キーワード：インプリンティング	4
78	ロック (Locke, J.)	経験論の代表者。人間の精神は本来白紙(タブラ・ラサ)のようなものであり、経験が意識内容として観念を与えるとした キーワード：タブラ・ラサ	7
79	ワイナー (Weiner, B.)	ある出来事の原因を何に求めるかという原因帰属について、統制の位置と安定性という2つの次元から説明した キーワード：原因帰属理論	1
80	ワトソン (Watson, J.B.)	子どもはいわば白紙の状態で生まれてくるとみなすため、子どもにさまざまな学習をさせるような保育が必要であるという環境説を唱えた キーワード：環境説	4

索引

監修者 佐藤賢一郎

常磐大学人間科学部教育学科　准教授

専門は幼児教育学・保育学。
保育士試験にて保育士資格を取得。公立保育所で12年間保育士経験を積んだのち、大学教員へと転身。保育実践経験を生かした授業を展開し、保育者養成に携わっている。「保育者の成長」を研究の主テーマにしつつ、「子ども・子育て」全般にも興味を広げて研究中。YouTubeチャンネルの「けんいちろう准教授」では、保育士試験の対策講座が好評。

YouTubeチャンネル
「けんいちろう准教授」

本書へのご質問について
本書の内容に関するご質問については、下記URLから「お問い合わせフォーム」にご入力いただきますようお願いいたします。
https://www.chuohoki.co.jp/contact/

見て覚える！ 保育士試験攻略ブック2025

2024年8月30日　発行

監　　修	佐藤賢一郎
編　　集	中央法規保育士受験対策研究会
発 行 者	荘村明彦
発 行 所	中央法規出版株式会社
	〒110-0016 東京都台東区台東3-29-1 中央法規ビル
	TEL03-6387-3196
	https://www.chuohoki.co.jp/
編集協力	保育士試験攻略ブック制作研究会
印刷・製本	株式会社ルナテック
装丁・本文デザイン	大悟法淳一・武田理沙・大山真葵（ごぼうデザイン事務所）
	黒木亜沙美
イラスト	なか・寺平京子
